しずおか徒然草

ふるさとの記憶

目次

平成28年（2016）夏

平成30年（２０１８）夏

平成31年（2019）亥年

口上

静岡をテーマに私なりの「徒然草」を『中日新聞』静岡版に書き始めたのが平成十（一九九八）年一月。途中からより広い読者を対象とする県版に移りましたが、通算でちょうど一〇〇〇回になったのを区切りに連載を終了しました。二十余年にわたってお付き合いくださった読者の皆さまにあつく御礼申し上げます。

なお、第一回からの本文は、これまでに五冊にまとめて本書同様に羽衣出版から刊行しています。この本は「しずおか徒然草」と題した二〇七回分を、若干整理して一九〇段にまとめましたが、内容と掲載順は変えていません。本文に出てくる人の年齢や日付は各段の末尾に示した掲載日を基準にしています。

巻末に各段の主要テーマ（キーワード）を示した簡易な索引を付けましたので、興味のあるところからお読みいただけます。書名を「ふるさとの記憶」とした意図を読み取っていただければ幸いです。

平成27年（2015）

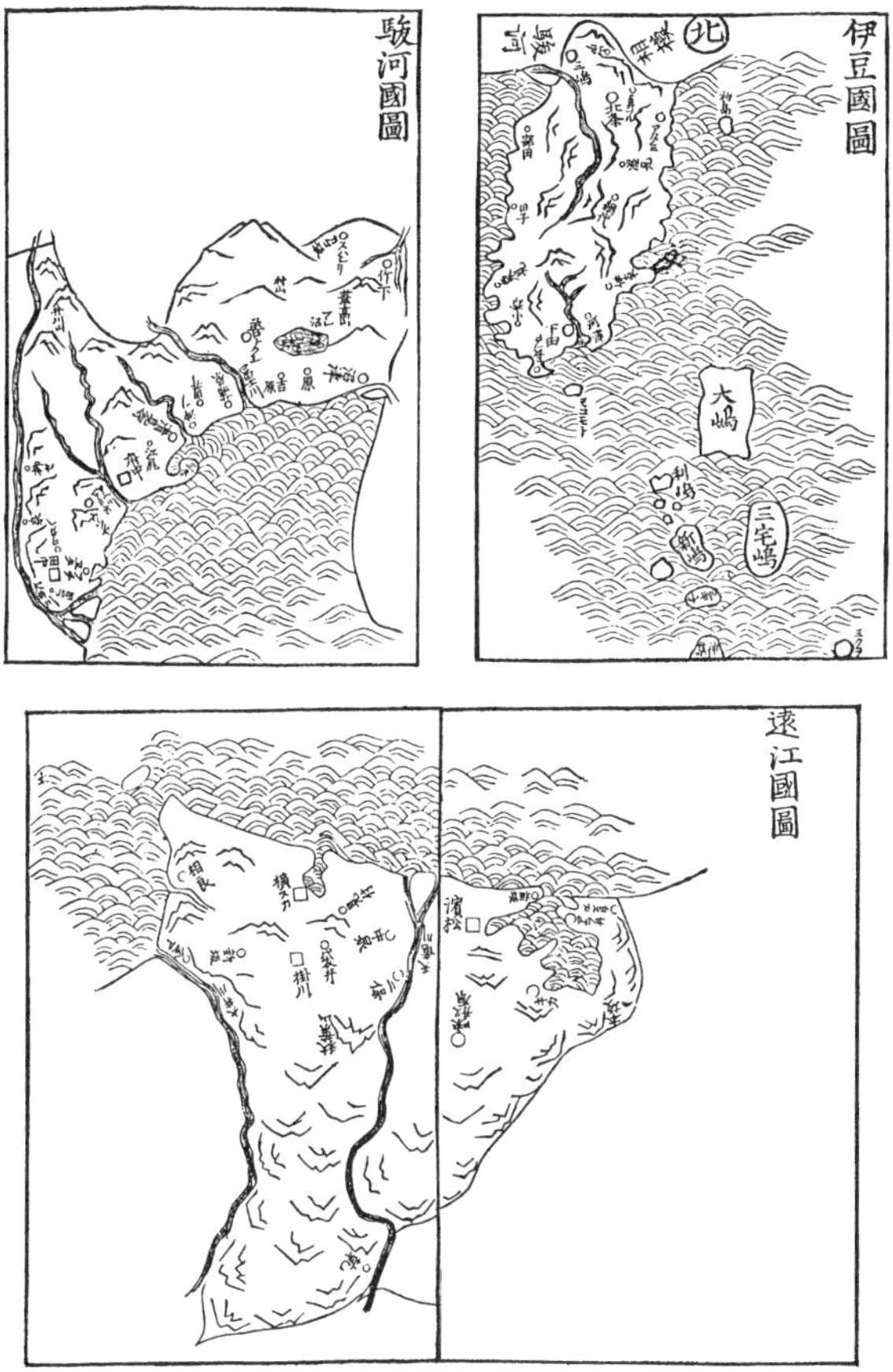

『新人国記』の遠江・駿河・伊豆の略図

1段　駿遠豆と県民意識は一致するか

国境線の変更は現在のクリミヤをはじめ国際社会における最大の問題である。江戸時代には日本でも国境意識は身近であったというと違和感があるかもしれないが、当時の「国」は日本国という意味ではなく、日本六十余州というときの、州と同義の国である。明治九（一八七六）年、もとの伊豆・駿河・遠江三国の領域を合わせた静岡県が成立したが、この三国合体が今でも尾を引いている。県政は東中西のバランスを考慮しなければならず、ときに無駄なものを造るという批判を生む。

江戸時代に国境意識を強くもっていたのは薩摩藩（鹿児島県）である。地元の言葉を大切にし、独特の薩摩弁をしゃべれない人は他国の人間であることがすぐ分かるようにしていたという。幕府が送り込んでくる隠密対策だった。しかし、東西交通の大動脈、東海道が通る静岡県では、他国人がどうこうなど言ってられないし、その必要もない。それに小さな藩や代官支配地、旗本領が入り組んでいて境界の意識もあいまいだ。にもかかわらず、いまだに三国の違いが意識されるのは、千数百年前に固定された国という単位が、そこに住む人々の気風として残っているからだろう。そもそも国境線とされたのが山岳や河川だったから、自然環境に左右される暮らしのありようも、おのずと違っていたのである。

国境の意識をうまく生かしたイベントとして全国区になったのが浜松市水窪町と長野県飯田市の間で展開される「峠の国盗り綱引き合戦」である。毎年十月第四土曜日が合戦日で、場所は信濃国と遠江国の境界になっている兵越《ひょうこし》峠（標高千百六十五㍍）。武田の兵が越えてきたから「兵越し」だという説、日当稼ぎのヒヨウトリが越えたからだなど、いくつかの語源説がある。それはさておき、昭和六十二（一九八七）年以来、毎年一㍍を争っていて、今は静岡県側が二㍍侵略されている（二〇一八年で通算十四勝十七敗）。決戦は二か月後である。ぜひ領土奪還を進めてほしい。

この国境争い、信州はそのまま長野県だが、遠州は静岡県の一部に過ぎない。だから、駿河や伊豆の人たちから、遠州が勝手に他県との境界を動かしていいのか、という批判がでてもいいのだが、そんな話は冗談でも聞いたことがない。たぶん全く意識したことがないに違いない。このイベントをひとつの契機に、駿遠豆一体としての静岡県のこれからを県民みんなで考えるきっかけにしたいものだ。

〈二〇一五・八・二〉

2段　ペニシリンと進駐軍の思い出

知り合いに小さな紙箱に入った薬瓶を見せられた。小瓶にはペニシリンというラベルが貼ってあり、紙箱に書かれたメモがこの由来を語っている。二歳一か月になる子どもが肺炎で高熱を発し、手当のすべがなかったところ、進駐軍から闇値で入手したペニシリンで一命をとりとめたというのである。

ペニシリンは世界最初の抗生物質で、一九二八年、アオカビによって偶然生成されたのをフレミングが発見し、のちに抗菌性の物質として、感染症に素晴らしい効果があることが立証された。とくに第二次大戦中に負傷兵の治療薬として普及し、戦後になって民間に開放された。

この小箱のメモは父親が書いたもので、おかげで助かった息子さん、つまり本人が大切に保管してきた。おそらく父親が、ああ、そうだったなと、後に書き付けておいたのだろう。そういえば、私の母も虫垂炎手術の結果がよくなくて、ペニシリンで助かったと父が話していた。私が物心ついたころだから、誰でも購入できたわけではなかったろう。あれも闇で入手したのだったかもしれない。

このメモ書きに見える「進駐軍」とは、私くらいの人間にとっては、漢字ではなく、シンチュウグンという音だけの記憶である。要するに敵地を占領して進駐してきた軍隊のことで、敗戦国日本にとってはアメリカ軍とほぼ同義だった。泣く子も黙るマッカーサーのもとで猛烈な戦後改革が進められていた頃の話である。

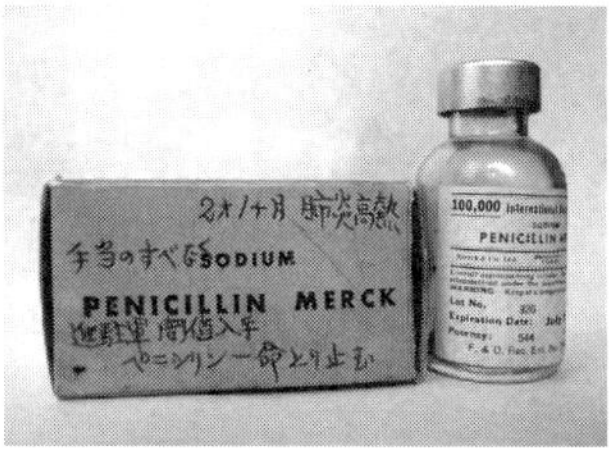

ペニシリンの小瓶と包装用の小箱
(一部画像処理)

そういえば、昭和二十七年（一九五二）の正月、横山大観筆の富士山のカレンダーを見て父がつぶやいた一言が、妙に記憶に残っている。シンチュウグンが、チュウリュウグンになるんだな、と言ったのである。当時の私には、進駐と駐留とがどうちがうのかは理解出来なかったが、前年のサンフランシスコ講和条約の締結によって、日本が独立するのでアメリカ軍の呼び名が変わるということだったようだ。戦後七十年、小箱に記されたペニシリン、進駐軍という文字は、私の幼いころの思い出も呼びさましてくれた。

それにしても、よくこんな小箱が残されていたものだ。いったんあきらめかけたお前の命を救ってくれたのがこの薬だよ、ということを息子に伝えておきたい、そんな父親の愛情の表れなのだろう。

〈二〇一五・八・九〉

3段　焼畑復活に集うユイの仲間たち

いま、盛り付けに工夫をこらした弁当がブームだが、軽くておしゃれな弁当箱として人気が高いのがワッパとかメンパとよばれる薄い桧の板で作った曲げ物である。大井川最上流部に位置する小河内《こごうち》（静岡市葵区井川）は標高七百㍍ほど、豊かな森林資源に恵まれたこの村は、江戸時代から山村の特産品としてのメンパ作りで有名だった。

ここでは、米はほとんどとれない。主食は焼畑で作った雑穀やイモ類だった。焼畑は、雑木を伐り倒して寝かして置いた斜面全体を焼き、粟、稗などを播いて秋に収穫するという古くからの農法である。地面を焼くことで雑草の繁茂を防ぎ灰は肥料になる。三年ほど利用してから放棄し、雑木が再生してきたらまた焼く。東南アジアの山岳民族の間では今でも盛んに行われている。大井川や天竜川の上流部は、日本有数の焼畑地帯であったが、昭和に入って急速に減少し、杉や桧の植林に変わった所が多い。

八月最初の日曜日、ふだん、あんまり訪れる人もない小河内に、県外ナンバーも含むたくさんの車が集まっていた。地域おこしグループ「結《ゆい》の仲間焼畑の会」が主催する焼畑作りが行われるのだ。望月正人さん夫妻が、自らも辛うじて体験したことのある焼畑を復活し、在来種のソバを栽培したいと考えて仲間を募った。結というのは、農作業などに際し労働力を相互に提供し合う日本の伝統的な共同組織である。望月さんは都会からここに引っ越してきた若者夫婦などにも協力してもらい、何日もかけて自分の持ち山の木を伐り倒し、周囲に防火帯を設けるなど準備を重ねてきた。

朝五時、標高は千㍍あるからさすがに涼しい。ようやく薄青くなってきた空に月が白く浮かんでいる。

斜面の上の方から焼き下ろす（静岡市葵区小河内）

切株の上に一升瓶と塩を供え、今から火をつけるから虫たちも逃げなさいと唱えてから、斜面の上の方から火を付ける。下からの方がよく燃えるだろうと思うのは実情を知らない人で、そんなことをしたら火勢が強まって山火事になってしまう。本来は鍋弦のように両端が下がった湾曲線を想定し、端の方からじっくり焼いていくのである。細心の注意をはらい、時間的にも風がない朝のうちに終えるようにする。そして火がおさまったところで蕎麦の種を播く。このくらいの面積なら家族の手間だけで足りるのだが、子どもも含む五十人以上が参加していた。蕎麦は七十五日の作りという。秋には、また結の仲間が集まってきて新蕎麦に舌鼓を打つことだろう。

〈二〇一五・八・一六〉

4段　やがて悲しき鵜舟かな

五月から十月にかけて、毎夜長良川は鵜飼見物の船で賑わう。松尾芭蕉は貞享五（一六八八）年、弟子と共に鵜飼を見てこんな句を詠んだ。

おもしろうてやがて悲しき鵜舟かな　（曠野）

あかあかと水面を照らす篝火《かがりび》を背景に、鵜舟の舳先近くに立つ鵜匠に操られた鵜たちが水にもぐってアユを捕る。最後は捕り残したアユを六艘の鵜舟が一斉に追いつめる総がらみとなり、やがて篝火が消えて水上は再び闇に包まれる。華やかな漁のあとの闇はひときわ深い。芭蕉が「やがて悲しき」と漏らした感慨の下地には、謡曲「鵜飼」の、「鵜舟にともす篝火の、消えて闇こそ悲しけれ」という一節があった。

謡曲「鵜飼」は、甲州（山梨県）石和《いさわ》の笛吹川で、鮎の密漁をして殺された漁師の霊を旅の僧が弔うという筋である。仏教で禁じられている殺生を、心ならずも生業《なりわい》とせざるを得ない漁師の無限の苦しみに芭蕉も共感したのであろうか。あるいは、篝火の消えたあとの闇に自らの業《ごう》を見たのだろうか。

鵜飼は、魚の天敵である鵜を使って魚を捕るという動物の生態を巧みに生かした漁である。日本の鵜飼は『記紀』の時代以前にさかのぼるが、東アジア各地に鵜飼の伝統があるから、はるか昔に日本に伝来した技術なのだろう。ただし鵜飼といっても必ず船を使うわけではない。川の中を歩いて鵜を使う鵜

闇に浮かぶ鵜舟（岐阜市の長良川で）

飼もあり、これを徒歩鵜《かちう》といった。松明を助手に持たせて一、二羽の鵜を使うもので、全国各地で行われていたし、川幅いっぱいに網を張り、鵜を使って魚を追い込む漁法も鵜飼といった。石和の鵜飼いも徒歩鵜だった。戦前には安倍川でも徒歩鵜をやった人がいたが、こちらは観光が主だったようだ。

静岡県でアユといえば狩野川である。のちに北条早雲となる伊勢新九郎が、長良川から鵜匠の甚五兵衛父子を連れてきて、韮山にあった堀越御所の関東公方に見せたという。のち甚五兵衛は古奈村に屋敷を構えて領内の農民や漁師たちに鵜飼の技術を伝えたとされる。明治初年、富士川から来た鵜匠によって鵜飼が行われたとの言い伝えもある（大仁町史）。明治二十七（一八七四）年には、沼津御用邸に滞在中の皇太子（のちの大正天皇）が狩野川鮎漁に来遊され、船を二艘並べて鵜飼を御覧になった。これを記念して伊豆の国市大仁の水晶山の麓には「鵜飼天覧御所」と刻んだ石碑が建立された。〈二〇一五・八・二三〉

5段　鎌倉幕府に反乱を予言した建穂寺の鎮守神

鎌倉幕府創設に重要な役割を果たしてきた武将の多くが、権力奪取を狙った北条氏によって次々に排斥されていった。静岡市郊外で一族もろともに打ちとられた梶原景時もその一人であるが、幕府内部で最大の勢力を誇っていた和田義盛にも北条氏の策略が及んでいた。幕府の公式記録「東鑑《あずまかがみ》」にはこんな記事が載っている。正元四（一二一〇）年、駿河国建穂寺《たきょうじ》の鎮守である馬鳴《めみょう》明神において小児に神が憑《つ》き、来る酉年に合戦があるというお告げがあった。これが幕府に報告されると、じつは将軍実朝自身も先日の暁に同様の夢を見たということであった。果たして四年後の酉年、建保元（一二一三）年に幕府内最大の実力者和田義盛が兵をおこした。一族に対して北条氏が侮辱的な処分を行うという挑発にのせられ、滅亡の道を歩んでしまったのである。

駿河国の寺が遠く離れた鎌倉での政局に関わるほどの力があったらしい。建穂寺は静岡市郊外、藁科川が安倍川に合流する手前に位置し、有名な木枯の森にも近い。隣にある羽鳥村は古代に機織りを業とする秦氏が住んだところだとされる。馬鳴明神は養蚕の神であるから、このあたり一帯が、古くは織物の里として繁栄していたのであろう。建穂寺はすでに平安時代には大寺として栄え、最盛時には三百余坊があったという。江戸時代でも広い参道の両側には二十ほどの塔頭《たっちゅう》が並び桜の名所としても知られていた。また今川時代から国土安泰を祈る稚児舞楽を伝承してきたこともこの寺の重要性を物語る。徳川家康もこの舞楽を愛《め》で、衣装や楽器を寄進している。

その後、有力な保護者もなくなり寺は次第に衰微しただけでなく、建物の多くが焼失し昔の繁栄ぶりは遠い夢になった。幕末期には稚児舞楽の練習中、猿が出てきたので石を投げたら、反対に小枝を投げ返されたという話があるほどだ。ちなみに稚児舞楽は慶応三（一八六七）年を最後にいったん途絶えたが明治二十七年に復活している。建穂寺は明治三年またもや火災にあい、残っていた建物も焼失したが、このとき村人たちが火中から命がけで仏像を背負って運び出した。こうして焼失を免れた仏像群の中には県指定文化財になっている名品もあり、地元の人々が建立した観音堂に安置されて参拝者に公開されている。ちなみに稚児舞楽は国指定無形民俗文化財となり、現在も四月五日に静岡浅間神社で演じられている。〈二〇一五・八・三〇〉

6段　獣たちの領域に暮らす高齢者

夏休みも終わった。自由研究や宿題代行の商売があるというご時世だが、そもそも何のための課題なのか考えてみれば、そんなことを依頼する親の見識が問われるところだ。宿題のことはさておき、今年の夏も子どもたちの間で大井川鉄道の機関車トーマス号が大人気だったらしい。金谷・千頭間約四十キロを結ぶ大井川鉄道は、もともと流域の地域開発を目的に昭和六（一九三一）年に開通した。その先、千頭から井川に行くトロッコ列車、現在の「南アルプスあぷとライン」は、戦後、上流の井川ダム建設の資材運搬用に敷設された線路を引き継いだものである。大井川を見下しながらゆっくり進む豆列車は、観光資源として、そして生活の足としても貴重なのだが、今（本文執筆時点）は途中の接阻峡温泉駅から先は、線路障害のために休業中である（自動車道路は大丈夫だ）。列車が来ていない駅の一つ、閑蔵《かんぞう》駅は鉄道ファンの間では秘境駅として有名だが、文字通りの閑な駅になっている。

標高六百㍍ほどの斜面に家が点在する閑蔵集落は、静岡市葵区井川に属する。交通手段が徒歩だけだった頃、閑蔵から下流の梅地（川根本町）までは歩いて一時間だが、井川までは一時間半かかったという。にもかかわらず井川に属しているのは、井川から下ってきた人々によって開発されたためらしい。

かつては一五軒あったが現在は六軒、住民はわずかに七人。八十一歳になる菊田昭夫さんの話では、父親の時代には山中の焼畑で作る粟、稗、キビなどが主食だった。母屋の下の斜面にわずか数坪の小さな田んぼがある。曾祖父の代に、少しでも米を食べたいと、家の背後から湧き出ていた水を溜め、黒い穂がつくモチ米を作った名残りである。でも冷たい水ではたいした収穫にはならなかった。つぶすのももったいないから、せめて特徴ある稗の種子を絶やさないでおこうと、泥地にも育つショウガ稗を作っている。葉っぱがショウガに似ているのが名前の由来だ。屋敷地周囲には、キビ、粟、トウモロコシ、ヤツガシラなどの畑があるが、すべて防獣ネットで囲われ、竹竿にテンの死骸が吊るしてある。平地でよく見るカラス除けと同じだ。最近はカモシカが来て、ささやかな流れに作っているワサビの葉っぱを食べてしまう。野生動物との共存などというロマンチックなものではない。獣たちの領域で高齢者が寄り添って暮らしている集落も「静岡市内」だ。〈二〇一五・九・六〉

7段　町おこしに貢献するえびす様

デクノボウめ、何の役にもたたないじゃないか、の「デク」は木偶、つまり木製の人形のことでデコともいう。人間が操ることで初めて動ける。自主的に行動できない人は、単なる人形と同じなのだ。

人形はもともと信仰から生まれた。人間の身代わりとして、さまざまな厄を背負わせて別な世界に追い払われる。雛人形も本来はそうした役割をもっていた。しかし人形にはもうひとつ、神の言葉を人に伝えるという大きな役割があった。言葉には力がある。いいことを聞けばいいことがあるだろうし、不吉な物言いは不幸を招く。結婚式で、切れるとか別れるなどは禁句なのである。

人形を巧みに操る西宮の「えびすかき」
（沼津市のプラサヴェルデで）

　反対に年の初めには、目出度い言葉を聞いて、一年間幸せでありたいと思う。そこに登場するのが、福の神とされるえびす様だ。もちろん本物が来るはずがない。かわりに人形を巧みに操り、面白おかしく鯛を釣る所作をしては家々を祝福してまわる芸人がいた。これをえびす回しとか、えびすかきといった。

　えびすかきを各地に送り出していたのが、兵庫県西宮の夷《えびす》神社である。商売繁盛の神様として人気があり、正月の十日戎《とおかえびす》は大賑わいになる。えびすかきは、この神社のお札を各地に配布するのが目的で、神社脇に住む百太夫《ももだゆう》によって統括されていたが、明治期に絶えてしまった。しかし独自に活動していた人もおり、四国山中、徳島県の祖谷《いや》にも、昭和三十年頃まではデコ回しが来ていたという。「西宮の夷三郎三右衛門殿の、生まれ月日はいつじゃと問えば、福徳元年正月三日」など次々と目出度い文句を並べながら面白おかしくタイを釣りあげる。一軒ずつ回る後を子どもたちがぞろぞろついて歩いたそうだ（谷口秋勝『秘境の祖谷山』）。

過日、沼津市で行われた静岡県民俗芸能大会に、西宮（兵庫県）のえびすかきが出演してくれた。あの阪神淡路大震災で壊滅的打撃を受けた町の復興に役立てようと、中央商店街に「夷座人形芝居館」を開設して復活させたものだそうだ。えびす様の発声や所作が狂言そっくりなのは、体験者もいなかったので、いろいろ調べて復元したからという。ご当地の話題も含めた軽妙な語り口で人形を操り、まずは名物の大きなタカアシガニを釣り上げて観客を沸かせた。デクノボウに心を入れるのは、やっぱり人なのである。〈二〇一五・九・一三〉

8段　栗が目出度いわけ

栗の季節である。初夏には樹上の花からむせるような独特な香りを漂わせていたのに、もう収穫期になった。ゆでた栗の渋皮を上手にむいてから口に含むと、ホコホコとした触感と甘味があって、秋になっ

神饌としての栗
(牧之原市菅ケ谷の一幡神社の御榊神事)

たことを実感する。栗の美味しさを標準として、十三里という異名をもつ食べ物が生れた。くりより美味い、九里と四里を足すと十三里、これが焼き芋の代名詞となって、店頭にこの字を書いた旗が出ると世の女性たちは素通りできなかった。なぜ、女性はあんなに芋が好きなんだろうか。

栗はかつての日本人の食生活で主食に準じるものだったらしい。縄文時代の大集落として知られる青森県の三内丸山遺跡からでた栗の実を分析した結果、人為的に栽培していたものだということがわかった。この時代には、栗を部材とする建築物もあった。石川県の能登半島の先端に近い真脇遺跡からは、巨大な栗の木の柱を何本も立てた跡が見つかっている。この遺跡は大量のイルカの骨が出土したことで有名だ。イルカが回遊してくることを祈る儀式の場だったかもしれない。

牧之原市菅ケ谷の一幡《いちまん》神社では、神田《しんでん》で作った米で餅を搗き、あられにして榊の葉で包んだものをご神体とし、これを御仮屋の中に安置して一年間大切に守る。そのために毎年作りかえる御仮屋の用材は山から切り出した栗の木を用いた。お供えにも栗を串にさして輪切りにした大根に立てる。なお、栗の木は固くて腐りにくいので、急傾斜の畑に横に並べて杭で支え、土止めとしても使われていた。鉄道線路の枕木には最適だったので、日本の近代化とともに在来の栗の木が激減したといわれる。

浜松市水窪町の針間野《はりまの》という小さな集落で、御存命なら百歳を超えるおじいさんから聞いた話だが、子どものころ学校に持って行った弁当は栗だったそうだ。もちろん日本在来種とされる小粒の柴栗で山栗ともいった。

岐阜県の例でいうと、山から集めてきた栗の鬼皮（外側の堅い皮）をむいて天日で乾燥させ、煮るか蒸すかしたあと再び天日でよく乾燥させてから、屋内の簀子の上に広げて一か月ほどおく。それを臼でゆっくり搗いてからふるいにかけて渋皮と実を分ける。これをカチグリといった。搗くことを「かつ」というから、搗いた栗と言う意味である。この「かち」は、勝ちにつながる。縁起がよいとして、めでたい席や戦勝祈願に使われた。そういえば、鰹節も「勝つ武士」などと解釈して目出度いものとされていたっけ。〈二〇一五・九・二〇〉

9段　ムクゲの意外な使われ方

道のべの木槿《むくげ》は馬に喰はれけり（野ざらし紀行）

教科書にも出ていた芭蕉の有名な句である。この句は貞享元（一六八四）年八月、江戸から郷里の伊賀上野（三重県）に向かう途中、大井川を越えるあたりで詠まれたもので、静岡県にもゆかりが深い。馬上吟とあるから、芭蕉の乗った馬がひょいと首を伸ばして、路傍のムクゲの葉か花をつまみ食いしたとき、とっさに浮かんだ句なのだろうか。

ムクゲの花（静岡市葵区）

ついでにいえば、この句のあとに出てくるのが、「馬に寝て残夢月遠し茶の煙」である。未明に宿を発ってまだ暗いうちに小夜の中山越えにかかった。見上げる空には二十日の月が淡い光を残していて、坂道の下の方の農家からは早くも茶の煙があがっている。茶の煙については、製茶作業の煙か、単なる炊煙か、いろんな解釈がある。芭蕉のふるさとでは茶粥が朝食に一般的で、茶も食べ物を意味することがある。だから、朝食の支度をしている光景なのだと、おおらかに解釈するのが妥当だろう。漢詩をベースにした堅い言葉の連なりのなかに、庶民の日常の暮らしが、やさしく挿入されている。

ムクゲは茶席に活ける茶花としてよく使われる。ほの暗い茶室のなかで、花活けの正面に配された柔らかい白い花は、外で見るよりもはるかに上品である。真っ白なムクゲは遠州むくげ、中央に赤い色が入っているのは宗旦ムクゲといわれるが、ことさら茶人の名を冠するのは、いささか権威主義のにおいがしないでもないが。

このムクゲを全く思いがけない場面で見た。長良川の川面を照らす鵜飼の篝火は、松の割木を入れた鉄籠を揺することで、火の粉をあたりにまき散らす。これを支える木の棒を舳先の平板に開けた穴に差し込んで回転させるわけだが、そこに葉のついたままのムクゲの枝が添えてあった。理由を訪ねたら、圧迫された枝から出る樹液が潤滑油の役目をはたし、スムーズに回転できるのだそうだ。

私の家の庭にも、いま真っ白なムクゲが咲いている。枝を折り取って葉っぱと一緒に石で叩いてみた。たしかにヌルッとはするが、この程度ならとくにムクゲでなければ、という感じでもない。ムクゲは乾燥させた樹皮や花が生薬《しょうやく》として使われ、無窮花と書いて縁起の良い花とされている。鵜飼とムクゲとの関係に何か根拠があるのだろうか。〈二〇一五・九・二七〉

10段　敗走する神君家康は庶民に助けられた

出世大名いえやす君が、ゆるキャラグランプリ２０１５で再起を期している。先月の中間発表では二位だったので、十一月の投票終了日までに果たして首位奪取なるか、大いに気になるところだろう。

家康生涯最大の危機は、元亀三（一五七二）年十二月、無敵の武田軍団に果敢に挑んだ三方原合戦の惨敗であった。敵に追われて逃げ場がなく、たまたま仕事中の桶屋に頼んで伏せた桶の中に隠れたとか（静岡市桶屋町）、敗走中に金がなくては困るだろうと銭を帯に入れてくれた人に帯金という姓を与えたとか（磐田市）、ひどく情けない話が伝わっている。あるいは、必死で逃げる家康、腹が減ったので茶店に寄って小豆餅を食べていると武田軍が迫ってきた。あわてて逃げだしたら、茶店のばあさんが、食い逃げは許さん、と追ってきて、とうとう銭を取られた。そこを銭取、茶店があった場所は小豆餅といい、かつての奥山線では、どちらも駅名にあった（浜松市）。いま小豆餅は正式の町名になっている。江戸時代、家康は神君として崇められたのに、なぜこんなみすぼらしい姿が堂々と語り継がれてきたのだろうか。

家康の生涯は生身の人間の一生として公的に記録され、死後には東照大権現という神になった。家康をとりまく家臣や民間人との交流を描いた随筆などもたくさんあるが、これらの文献には、桶屋が家康を救ったなどの話は出てこない。だが、幕府にとっては歓迎したくないように見える敗走伝説は、庶民の支持を得て連綿と伝承されてきたのだ。

ちょっと突飛な考えを示してみよう。お釈迦様は前世に転生を繰り返し、さまざまな生を体験してきたといわれる。これを釈迦前世譚というのだが、家康敗走伝説を、神となる前の家康前世譚として位置づけてみたらどうだろうか。家康はもともと神であった。権現様とは、神がこの世に出現した仮の姿という意味である。そして人間として生まれるまでの前世に数多くの辛酸に直面し、庶民の助けを得て人間との間に深いきずなを作ってきた。その積み重ねを経て人間家康が誕生し、天下統一を成し遂げて本来の神の姿を顕《あらわ》したのである。神君以前の家康の前世について、さまざまな敗走伝説が語り継がれてきたことは、庶民が神君家康を身近に受け入れたことでもある。家康敗走伝説は、むしろ公的記録を信仰面から補強することで、二百六十年に及ぶ幕府政治の安定に大きく寄与したのではなかろうか。

〈二〇一五・一〇・四〉

11段　由比正雪を小説の世界から呼び戻したい

時代小説の大家、海音寺潮五郎は由比正雪を描いた『正雪記』の冒頭に、日雇い仕事も拒否されて路頭に迷う浪人を登場させた。大仏次郎は小説『由比正雪』を天草の乱から始めた。いずれも戦国の世が収まったとき、世間に放り出された無数の浪人たちは、いったいどう生きればいいのか、という時代の課題を読者に示して長編の幕を開けている。

由比正雪は、幕府転覆を企てた謀反人、いや単に幕政の変革を要求した過激派だ、などといわれるが、大名を次々につぶして浪人を生み出してしまう幕府の過酷な政策を改める契機になったという点で、歴史的意義は大きい。しかし正雪の誕生から死の直前までの姿は謎に包まれたままである。紺屋のせがれだったということで、由比には生家と称する家があるし、静岡市の宮ヶ崎町の生まれだともいう。どこで何を学んだのか、なぜ、江戸で大人気を博すことができたのか、当時ささやかれた徳川頼宣（紀伊徳川家初代）との関係は、ほんとにあったのだろうか。

由比正雪墓址を示す石碑
（静岡市葵区）

事件が露顕してから死後の処理に至るまでは詳しい記録が残っている。幕府が発した人相書きによると、正雪の風貌はこんなであった。年は四十余、髪はがっそう（総髪、つまりストレートのロング）、場合によっては坊主頭の可能性もある、背は小さく色白、額は短く唇は厚く、目はクリクリしている。ちょっと貧相な小男という雰囲気ではあるが、現実社会に対する鋭い分析が、たぶん赤くて、分厚い唇から理路整然と語られる。声も心地よく響いたに違いない。講義の席に連なった者たちはすっかり引きこまれてしまった。

慶安四（一六五一）年七月二十二日、正雪一行は江戸を出立、駿府に向かった。久能山に保管されているはずの金を軍資金にする計画だった。駿府に入ったのが二十五日、しかし、すでに謀反の件は訴人があってばれている。翌日追手に囲まれた正雪は自刃した。首は塩漬けにされ、二週間ほど後に仲間七人とともに安倍川原でさらされた。

旧東海道の安倍川橋手前には「由比正雪墓址」という石碑があるが、明治二十九年の静岡市全図では、この場所に加えて東海道線の近くにも由比正雪墓という表示がある。もっとも、こちらは他人の墓を誰かが言い出したもので、本当は伊勢の人の墓らしいという（飯塚伝太郎『静岡市の史話と伝説』）。由比正雪は、物語の世界から呼び戻し、もっと研究されるべき人物だ。〈二〇一五・一〇・一一〉

12段　イタリア紀行

〈ヨーロッパ人が一斉に「いただきます」と言った〉

イタリアのミラノで開催中の万国博覧会を一日だけのぞいてきた。十年前の愛知万博のメインテーマは「自然の叡智」、今回のミラノは、地球と食、生命のエネルギーがテーマである。各国とも地球の将来を考えさせる展示が基調になってはいるが、それはそれで、どこもお国柄を表す食の体験や観光宣伝

大人気だった日本館（イタリア・ミラノ万博で）

に力をいれている。人気パビリオンは長蛇の列だから、併設のフードコートで我慢してしまった人も多いのではないか。

万博は日本の近代化の過程と切っても切り離せない関係にある。日本はまだ江戸時代の一八六七（慶応三）年、パリ博に江戸幕府と薩摩藩・佐賀藩が初めて参加した。このとき将軍慶喜の名代として渡欧した徳川昭武が、ナポレオン三世に国書を呈している。万博はフランスの国威発揚の場でもあった。その後のウイーン万博以来、日本の伝統工芸や茶室、建築模型などが盛んに紹介され、いわゆるジャポニスムを引き起こした。日本での開催は一九七〇年の大坂万博が最初で、三波春夫の「こんにちは、こんにちは、世界の国から」という歌がまだ耳に残っている。私の母など、カナダ人と握手したなんていって喜んでいた。東京オリンピック、そして万博は、日本の高度成長期を演出し、外国人と触れあう機会が一挙に増えた、いわば日本国際化の記念碑ともいえよう。

今回のミラノ万博での日本館は一番人気で、最大七時間待ちの日もあったという。世界文化遺産となった和食を中心に、最新のデジタル技術を駆使した日本の豊かな自然や食資源の映像がすばらしいが、なかでも、レストラン形式のシアターがおもしろかった。眼前の食卓にバーチャルな食が次々と並び、箸でタッチするとデータが現われ、スマホにも取り込める。中央で説明するアテンダントの呼びかけで、

「いただきます」「ごちそうさま」という日本語を外国人が唱和し、最後は両手をあげて「わ（和・輪）」でしめるという演出も心憎い。

日本のフードコートでは、とんかつが評判だったが、天ぷらそばが二〇ユーロ、換算すれば三千円近い。それでも本場の日本食だから味は確かだし、なにせお祭りなのだ。その前では日本産品や文化の紹介が行われており、この日のプログラムは煎茶のお点前と、八女茶のキャンペーンだった。ただ、日本館の展示全体を通じて、和食に不可欠のはずの日本茶に関するものがほんの少しだったのは、静岡人としては残念であった。

〈ダ・ヴィンチの最後の晩餐の前で〉

「最後の晩餐」は、イタリアが生んだ万能の天才、レオナルド・ダ・ヴィンチの代名詞である。ミラノ市内、サンタマリア・デッレ・グラツィエ教会の食堂の壁に十五世紀末に描かれたこの絵は、その後、数々の試練を経て奇跡的に今日まで残った。なにせ場所が食堂だから、絵にとっての環境としては劣悪だったといってよい。何度か補修も行われたが、一九四三年のアメリカ軍の爆撃によって建物が半壊したときが最大の危機であった。その後、本格的な修復が二十年以上かけて行われて当初の色などがよみがえってきたものの、剥落した個所もあり完全復元はむずかしい状態だったという。一九八〇年に世界遺産に登録され、厳重な保存体制のもとに公開されている。

見学はすべて予約制、日本にいてもインターネットで予約できる。せっかくミラノに来たのだから、見学しない手はない。ただし見学時間は十五分間、一回に二十五人まで。予約時間の三十分前に受付に顔をださなければならない。午後五時の予約に遅れないよう、通行人に道を尋ねながらも余裕をもって到着した。受付の先に待合室があり、食堂に通じる道は鉄の格子で遮られている。教会前の広場で時間をつぶした。ヨーロッパの町の中心には必ず教会の塔がそびえ、その前の石畳の広場は、昼は年配者と子ども、夜は若者たちの賑わいの場になる。秋のおだやかな光の中、まわりのベンチに座った親や観光客が見守る前で、子どもたちが三輪車に乗ったり、走り回ったりしている。なんとものどかな雰囲気だ。周辺のポスターや観光案内は、ダ・ヴィンチの文字ばかりである。日本だったら、名物ダ・ヴィンチまんじゅうが売られるに違いない。

ようやく時間になった。五時ぴったりに鉄の扉が開かれ、中庭を右手に見ながら進むと、食堂の入り口。ここはガラス戸で仕切られ、内部は完全空調になっている。がらんとした室内の正面の壁いっぱいに描かれた絵を誰もが食い入るように見上げる。絵そのものの解釈や評価はさておき、離れた場所からみると、遠近法のマジックなのか、両側の白壁が絵に向かって狭まっていき、床の平面が台形になっているような錯覚にとらわれる。

至福の十五分間はあっという間に過ぎた。係員が早く出て行けとばかりに出口を示す。ミュージアムショップを通り抜けて庭に出ると、クチナシに似た白い花が咲いている。外では、ロシア人らしい団体さんの一行が道の向こう側から教会を見上げていた。〈二〇一五・一〇・二五〉

〈イタリア人研究者が煎茶の歴史を語る〉

三回目になるイタリア報告、じつは十月一日にベネチアで開催された日本茶文化国際シンポジュウムに参加することが、今回のイタリア旅行の本来の目的だった。会場はカ・フォスカリ大学。ヨーロッパでもっとも古い商業学校の一つとして知られ、明治六（一八七三）年には日本人がここで日本語を教えていたという。そのころのイタリアでは、日本との生糸の取引が重要課題であったからである。

　発表者は、静岡文化芸術大学長の熊倉功夫氏と私、それにここやプリンストン大学などの教授、計七人である。外国人研究者（じつは我々が外国人だったのだが）の発表は、茶道具や茶の湯の歴史、家元制度などが中心だったが、この大学のザニーニ教授は、徳川光圀に大きな影響を与えた儒学者、明《みん》人の朱舜水の著書に中国茶書の引用がみられると指摘した。思えば、日本の煎茶文化の祖とされる隠元の来日もほぼ同じころだった。東京の後楽園の名付け親として知られる舜水について、水戸藩の学問とは別な視点からの研究が必要かも知れない。当日、百人ほど入る会場では用意した資料がほぼなくなったほどで、日本語を学ぶ学生が多かったことを差し引いても、日本の茶文化への関心は高いようだ。こういう人たちは、岡倉天心の『茶の本』を必ず読んでいて、茶の湯に見られる思想を日本文化の核心であると考えている。日本茶の輸出戦略を立案するには、中国産緑茶との違いをきわだたせるために、とくに静岡でこの本の読書会が必須ではないかと思われる。

　帰国までの数時間、ベネチア市内を歩いた。東洋美術博物館には、イタリア人貴族が明治二十年代に日本で買い集めた刀剣、武具、蒔絵、根付、陶器など、江戸時代の職人の技術の高さを示すコレクショ

落書きの上でほえるゴジラ
（イタリア・ベネチア市内）

ンがある。かつて二束三文で海外に流出した日本の文化財は、想像を超える多さだったに違いないが、結果としては、このような所に無傷で保存されている。

ところどころにゴジラが吠えているポスターが貼ってあった。ベネチアはラグーンの中に建設された町であり、最近とくに高潮の被害が激しく、世界遺産水没の危機ともいわれている。それを防ぐための工事をモーセ計画という。海を割って人々を脱出させた「旧約聖書出エジプト記」のモーセに因むものだが、その他の掘削工事を含めて環境破壊を拒否するというのがポスターの主張のようだ。日本のゴジラは、その誕生の契機、すなわち核実験と自然破壊が広く認識されることで、世界最強の怒りのシンボルになっている。

〈二〇一五・一〇・一八、二五・一一・一〉

13段　小僧と呼ばれる木の実

紅葉前線の南下が旅心をくすぐる季節である。北陸新幹線に乗ろうと思ったら、希望の列車はすでに満席だった。それにしても、十一月ともなればさすがに朝夕は涼しい、というよりも、もう寒い。やがて西風の強い季節となる。

明治初期、牧ノ原に開拓に入った旧幕臣たちは、割り当てられた屋敷地のまわりに石垣を築いた。敵の襲来に備えた武士らしい心がけ、といわれているが、はたしてそうだったのだろうか。時代の動き、彼らのおかれた立場を考えると、そんな必要はなかったろう。

今は鹿児島市に合併された旧松元町は、火山灰によって形成されたシラス台地の一角にあり、お茶の産地として知られる。そこにも失職した武士たちが入植しており、屋敷地も残っているが、家の周囲に設けた石垣は、台地を吹く強風への備えだったという。そういえば、御前崎の先端部にある上岬《うえみさき》の集落も屋根を低くして石垣で囲った屋敷構えが多い。あの旧幕臣屋敷の石垣は防風のためだったと思われる。

ヤソーコゾーをつけた槙の枝
(浜松市北区で)

冬の冷たい強風は、吹き降ろしてくる山の名を冠して何々おろしという。中伊豆あたりだと、天城おろしといって、山側には防風のための屋敷林を設けた。遠州の平野部では西からの空っ風がひどいから西を中心に三方を木で囲んだ。もちろん落葉樹では役立たない。葉が密生する常緑樹でなければならず、かつ防火も兼ねるので、燃えにくいとされる槙が選ばれた。正確にいえばイヌマキという種類だが、土地によっては屋根ほどの高さにまで、びっしりと並んでいる。開発が進んで新しい住宅が増えた近郊に、こうした屋敷林をもつ大きな家があれば、古くからの住民だなとすぐわかる。

秋になると、槙は濃緑色の細い葉っぱの間に、薄緑色の団子に似た二つ並びの小さな実をつける。そして団子の下の方が赤く熟してくると食べられる。じつは青く残っている部分が本当の実で、赤いところは花を支えていた花托《かたく》というのだが、口にいれるとちょっと粘り気があって甘い。こどもたちにとっては季節のお菓子である。これを小さな人形に見立てて、ヤゾーコゾーとか、ヤンゾーコンゾーなどというが、島田ではランカンコゾーと言った。橋の欄干に似ているからだ。何々小僧というたとえ方は、膝小僧をはじめ、鼠小僧、弁天小僧など、実態はともかくなんとなく親しみやすい。今は聞かれなくなった「コラッ、小僧、いたずらするな」という叱り方には、愛情がこもっていたのである。

〈二〇一五・一一・八〉

14段　舌に覚えさせたい和食の本質

静岡県は食の都づくりの一環として、県内の料理人・食の仕事人に業界をリードしてもらい、県産の多様な食材を生かした料理を工夫したり、食のありように対する県民の理解を深めようとしている。先般、伊東市内にこうした方々が三十人ほど集まって、ワークショップが開かれた。

私が前座としてお茶の歴史を少し話し、それから薄茶と点心を皆でいただいてから「若い世代への食文化の継承について」というテーマのグループデスカッションになった。その冒頭、こんな体験が話された。伊豆に来た修学旅行生たちに、ご当地名物の金目鯛の煮付けを出したのだが、箸を付けない生徒

キンメダイの煮つけと三番叟の少年（伊豆の国市三福）

が多かったのでわけを聞いてみたら、魚の煮付けをふだん食べ慣れていないからということだった。金目鯛は伊豆では真鯛に相当する。伊豆の国市旧大仁地区の秋祭りに上演される三番叟では、上演前の儀式に際して見事な金目鯛の煮付けが出される。主役となる翁・三番叟・千歳が最初に箸をつけ、ついで居並ぶ役員たちに回していく。祭りには欠かせない高級魚なのだ。

　心づくしの料理を生徒たちに拒否された料理人は、事前の情報が与えられていなかったからだろうと反省していた。食事前に、今夜の料理は伊豆のお祭りで必ず出される御馳走です、こんな風にきれいに煮付けるのには工夫がいるから、たぶん家ではなかなか食べられませんよとか、ついでに魚の捕り方や地域の習慣まで含めた地元料理の背景をしっかり説明しておいたら、きっと喜んで食べてくれたに違いない。

　しかし料理人たちがもっとも嘆いていたのは、子どもたちの味覚の劣化である。食育ということが叫ばれだしてけっこう長くなるが、これは栄養バランスとか、食事のマナーだけでなく、本当の美味しさがわかるような教育であってほしい。氾濫する美食、グルメとは名ばかりの食べ物番組で、大げさにしゃべりまくるタレントの、私に言わせればうわべだけの一言が、美味しいの指標になっている。これは、おかしい。

美味しさは、自らの舌で判断する。その基準は小さい時からの体験の積み重ねの上に初めて成り立つ。ひと手間かけてとった「だし」を使った料理を、美味しいねえと、家族で共感しあった幼児期の会話こそ、食の都を実現するための基盤になるはずだ。〈二〇一五・一一・一五〉

15段　家康の隠居所予定地と「くノ一」

富士山の年間降水量は二十四億トン、そのうちの七割が溶岩層の地下に蓄えられ、やがてあちこちから湧き出す。そのなかで清水町の柿田川湧水がとくに名高い。細かい砂を巻き上げて水底から吹き上がる水が水草を揺らせ、その中を鮎が行きかう。まさに水中の別世界だ。清水町は三島市と沼津市にはさまれた小さな自治体だが、この豊富な水が町名の由来になっている。徳川家康は最晩年に至り、柿田川の水源に近い泉頭《いずみかしら》に隠居所を設けることに決めた。記録によると、亡くなる前年の暮れ、実際に工事の段取りまで作られたが、翌年すぐに中止となったとある。もし、順調に進んでいれば、家康はここで息を引き取った可能性もある。

なぜ、泉頭が隠居所に決められ、なぜ、中止になったのか、これについては決定的なことはわからない。戦国期の大名たちは茶の湯に熱をあげたから、殿様が好んだ名水が出た所として「お茶の水」というような地名も各地に生まれた。家康がらみのエピソードをたくさん掲載している『駿国雑志』には、駿府横内町の商家の裏に清水の湧く古井戸があり、神祖（家康のこと）が常にお茶の水として汲んだ、というような記述がある。しかし家康は他の大名たちと違い、付き合いは別にして茶の湯にはあんまり関心がなかった。何かといえば鷹狩り、というアウトドアー派だったし、一方では自ら薬を調合するなど、健康重視の日々だった。だから泉頭に居を移そうとした理由が茶の湯にふさわしい名水を求めて、だとは考えにくい。ここは駿河国と伊豆国との境界に近く、かつて北条氏が築いた泉頭城という中世の城があった。近くには対抗する武田氏が徳倉城を築くなど、戦国期には激しい勢力争いが展開されており、人も情報も集まる要衝だった。しかし、隠居所としては、こんな生臭い理由はむしろ避けたいだろう。中止になったのは財政上の理由だったともいうが、天下人にしては何だかみみっちい。この辺の事情はさらに研究が必要で、それが明らかになれば、清水町の歴史的知名度もあがるに違いない。

　余談だが、山田風太郎『くノ一忍法帖』（角川文庫）では、徳川秀忠と争った真田の女忍者と千姫が最後の砦としたのが泉頭の城跡である。ちなみに「くノ一」は女という漢字を分解した隠語で、江戸時代から俳諧では使われていた、けっこう歴史のある表現である。それを女忍者の代名詞にしたのがこの小説だったといわれている。著者が泉頭に着眼した理由を知りたいものだ。〈二〇一五・一一・二二〉

16段　黄金の葉っぱと銀杏

紅葉が美しい。でも秋の山を彩るのは赤く色づいたカエデやナナカマドだけではない。黄葉も「こうよう」という同じ読み方をする。こちらはイチョウなどの葉っぱが黄色に色づくことをいう。年を経た大イチョウの背後に杉林などがあったりすると、輝くばかりの黄金色がいっそう際立って、息をのむばかりである。仏教の教えに、泣きやまぬ子供に、これは金貨だよと言って黄色い落ち葉を渡して泣くのをやめさせたというたとえがあるほどだ。栞《しおり》として使うのも風流だが、イチョウの葉っぱには虫よけの作用があるというので和本の時代には重宝したらしい。

イチョウの実が銀杏《ぎんなん》である。ただし銀杏はイチョウの木そのものをさし、本来は「ぎんあん」と呼ばれていたのが、言いやすい「ぎんなん」に変化したものだそうだ。さて、実の方の銀杏だが、これは茶碗蒸しには欠かせない。「うん、ちゃんと入ってるね」と、評価基準になる。ふっくらと丸い黄緑色の小さな粒は、卵の薄黄色によく映える。和食の美意識ともいえよう。ただし、銀杏を集めるにはちょっと勇気が必要だ。木から落ちた実を包んでいる果肉がものすごい悪臭を放つからである。それを嫌って、たくさん落ちていても手を付けない人が多い。でも、だれかが犠牲的精神を発揮してくれるおかげで、果肉を除いた白い殻のまま買うことができる。家に火鉢があったころ、これを焼いて熱いのをフーフー言いながら食べた体験は、もう昭和レトロの一コマになってしまった。

焼津市花沢は、伝統的建造物群保存地区に指定された歴史ある集落だが、そこにある法華寺はチッチ観音と呼ばれて親しまれた。境内に大きなイチョウの木があり、上の枝から垂れ下がった乳状下垂が豊かな乳房を連想させ、これを拝むと産婦の乳の出がよくなるといわれていたからだ。残念ながらこの木は枯れてしまったが、乳状下垂に願かけする風習は大イチョウのある寺や神社にはたいてい伝わっている。出産後の乳の出の良し悪しは赤ちゃんの命にかかわるから、母親は真剣な祈りをささげたのである。
先日、熱田神宮に参拝した。小雨にけぶる境内は常にも増して落ち着いた雰囲気で、まさに黄葉が見事だった。根元を見ると、だれも拾わない銀杏が散らばっていて、小さな虫がたかっていたが臭いはほとんどなかった。脇に、もう形だけは一人前の緑色の葉っぱが、いくつも立ち上がっていた。

〈二〇一五・一一・二九〉

17段　妖怪、ことことばあさん

現代の妖怪博士といわれた漫画家、水木しげるさんが亡くなった（二〇一五年十一月三十日）。口伝えの世界に住んでいる妖怪は、すでに中世から「百鬼夜行絵巻」などにおどろおどろしい姿で描かれてきた。しかし水木さんの『妖怪画談』（岩波新書）に紹介されている妖怪は、想像を超えた姿かたちの後ろに、妖怪自身の内面に秘められた哀《かな》しみのようなものがにじんでいるように見える。それは個々の妖怪誕生のいきさつに対する共感かもしれない。

私たちの身近には、時に応じて今でもたくさんの妖怪が出現するが、十二月八日にやってくるのを「ことことばあさん」という。どんな姿をしているかは分からないが、十二月と二月の八日はコトヨウカといって、コトすなわち重要な神事が行われる特別な日とされ、強力な力をもった神が人間世界を訪れる日とされていたらしい。ところがその力を恐れて敬遠するあまり、逆に歓迎したくない妖怪になったのだという説がある。県東部では、二月八日には目一つ小僧が来ると言っている。目がひとつしかないから、目籠を高く掲げ、目の数では負けないぞと脅しをかける。これにヒイラギなどを結ぶこともあり、節分の鬼を撃退する方法と同じ内容である。強力な神は、厄神に落ちぶれてしまったというわけだ。

沖縄市では、十二月八日あるいは七日にムーチー（鬼餅）といって、甘藷の葉などで包んだ餅を子どもの年の数だけ作り、お産のあった家では、七つむちといって鬼餅六つと力餅一つを結んで近所や親せきに配った。さらに餅を蒸したときの湯を家の出入り口にまき、「鬼は外、福は寄ってこい」といったそうである。これも節分と似ている。コトヨウカにやってくる神は、節分の鬼に匹敵する厄神のようだ。

厄を背負わされて村から追放される人形（湖西市大倉戸）

静岡市郊外に、送り神という子ども行事があった。各家では紙に米を包み、それで体をぬぐい、笹竹で屋内をはらう。子どもたちがそれらを集め、ヒノキの枝葉で作った神輿に乗せた人形にすべての厄を背負わせて村境に送り出した。湖西市新居町の大倉戸で、同じような行事をチャンチャコチャンと呼ぶのは、行進中に打ち鳴らす鉦の音に因んでいる。椿の大枝に五十㌢ほどの人形二体を乗せる。これをバンド船といい、子どもたちが村中を引きずり回すだけでなく、屋内の厄を払った笹竹を集め、それで力いっぱい人形を打ちすえる。これでは厄神もたまったものではない。最後は村はずれに捨てて後ろを見ずに帰ってくる。二月にも同じ内容で行われる。〈二〇一五・一二・六〉

18段　火渡りで新たな活力を得る

暮れになると各地で火渡りという行事が行われる。神社や寺の境内で火を焚き、炎が静まって熾《おき》になったところをならす。その上をはだしで歩いて、厄払いと無病息災を祈る信仰行事である。私もおそるおそるやってみたが、想像に反して意外に熱くなかった。信仰心があったわけではなく、足の裏の厚さのおかげで、熱いと感じる前に通過してしまうらしい。それでもささやかな達成感はある。

火がすべての穢れを消し去るという信仰は日本だけでなく、それが火の上を歩くという形式で行われる例も世界の諸民族の間に見られるようだが、静岡県内ではなんといっても秋葉信仰ゆかりの寺社で行われる火渡りがよく知られている。

秋葉神社といえば、火防の神として全国に数えきれないほどたくさん勧請されている。岩手県で秋葉神社と呼ぶ小さな祠《ほこら》を見たときには、へえ、こんなところまでと感心した記憶がある。また高知県仁淀《によど》町の秋葉神社は、華やかな練道中が有名で土佐の三大祭りの一つにもなっているそうだ。東京の秋葉原も、明治の初期に本来江戸城内にあった火防の神様をそこに移して祭り始めたのが地名の起源である。

秋葉神社は、旧春野町の秋葉山で秋葉三尺坊という天狗をまつることから始まった。秋葉山は標高八六六㍍。遠州灘からも頂を望むことができるため、漁師が海上での位置を見定める指標にも使われていた。ここに遥か新潟県から不動様の教えを身に着けた身長わずか三尺（九〇㌢）の三尺坊が剣を持ち火炎に包まれ、白狐に乗って飛来し鎮守になったといわれている。だからその実態は神でもあり仏でもある。ゆえに秋葉山三尺坊大権現と呼ばれ、とくに火防の霊験ありということで全国に広まった。

火渡りをする参詣者（袋井市の可睡斎で）

三尺坊は可睡斎（袋井市）の末寺となった秋葉寺が僧侶・修験・禰宜（神官）三者共同で祀ってきたが、明治の神仏分離によって秋葉寺は廃寺とされ、三尺坊は本寺の可睡斎に、寺院跡は秋葉神社（現在の秋葉山本宮秋葉神社）となった。秋葉寺はのちに復興されたので、かつての秋葉信仰の中核は三つに分かれてしまったことになる。

この分離以前の古い形態が、神奈川県小田原市の秋葉山量覚院に残っているという。県内でも戦国時代に春野地域の豪族天野氏によって分霊がまつられた清水の秋葉山（静岡市清水区）が修験によって維持され、十二月十六日には火渡りがある。〈二〇一五・一二・一三〉

19段　白鷺の愛称以上に美しい城

国宝姫路城大天守の保存修理工事が三月に終わったが、漆喰《しっくい》の白さが際立って城全体が真っ白になってしまい、なんだか違和感があるという噂である。では、その白さがくすんでしまう前に見ておこうと思い立った。姫路に着いた夜はあいにくの小雨だったが、ライトアップされた大天守が黒い空を背景に浮かび上がっている。白鷺城の愛称のとおり、夜空にはばたいているようだ。こんな天気だから自分だけかと思ったら、スーツ姿の男性が現われカメラを構えた。「きれいですね」と声をかけたら、「ホテルの人に言われたので来たんですが、やっぱりすごい」と、感動を分かち合えた。

夜空に浮かぶ姫路城（兵庫県姫路市）

　姫路城は平成五（一九九三）年に法隆寺と共に世界文化遺産に登録された。人間の創造的才能を示す傑作であるという登録理由が、あらためて思い起こされる。久しぶりの公開開始から八か月余り、大変な人気で十二月九日に入城者数が二百二十二万人に達した。これは熊本城の「年間」入場者数二百二十一万九千人を超える新記録だということで、入り口には誇らしげに横断幕が張られていた。熊本城は黒が基調になっており、烏《う》城《じょう》ともいわれる。これで白が黒に勝ったと言いたげな横断幕である。姫路城は標高四五㍍ほどの姫山にあるので、その上に建つ大天守の高さは海抜九一・九㍍になるという。直下から南に延びる大手前通りの正面が姫路駅、逆にいえば姫路駅が大天守に向き合うかたちになっていて、姫路に着いた観光客はいやでも城を意識することになる。

駿府城の再建が話題になっており、私も本格再建賛成派の一人ではあるが＊、残念ながら駿府城は完全な平城だから、小山の上にそびえている姫路城とか、再建掛川城とは違い周辺の高層建築に埋没してあんまり目立たないかもしれない。その意味での立地条件はきわめて不利だ。再建駿府城は、たとえばメンテナンスを兼ねた伝統工芸技術の継承基地にするとか、さまざまな活用法を提案していくことも再建論の裏付けとして不可欠だろう。〈二〇一五・一二・二〇〉

＊駿府城天守再建問題は、静岡市による天守台発掘調査による新発見があいついでいるため、慎重な対応が求められるようになった（50段参照）。

20段　鷹狩りに寄せた家康の思い

茶の湯にはほとんど関心がなかった家康だが、鷹狩りに対する執心ぶりはすごかった。江戸や京都を往復する途中でも鷹狩りを行なっているし、鯛の天麩羅を食べたことが死因といわれている田中城（藤枝市）での宿泊も、鷹狩りに出かけたときのことだった。鷹狩りは西アジアでは今でも王族や富裕層の趣味というか、スポーツとして人気がある。日本でも古墳時代の埴輪に鷹匠の姿をかたどったものがあるし、かつては天皇が主催することで王権の象徴ともされてきた。家康の鷹狩りは、権力者としての威厳を示すだけでなく、自らの健康に心を配り、農村を見回ることで民心の動向に注意を払うという、一石二鳥ならぬ一石何鳥もの行動だったといえそうだ。

　徳川家康公四百年祭に当たる今年（二〇一五年）、徳川記念財団主催の「徳川家康公作文コンクール」が行われた。すでに岡崎市や浜松市でも開催されているが、静岡市では初めてである。最高賞に輝いたテーマが、林美貴さん（常葉大学付属橘小学校四年）の「タカ狩りとのつながり」だった。家康が大好きだった鷹狩りを通じて、大空にはばたく鷹の姿に人質時代の竹千代の心をおしはかり、さらには天下統一に向けての構想を家康に語らせるなど、短い中に家康の姿を巧みに描き出していた。

　応募作品には、「人としての先生」「堪忍は無事長久の基」「忍び耐えて取った天下」「臆病だって天下は取れる」「長生きの背景」「モノづくりの基礎を作った」などがあった。本で調べ、ゆかりの場所に行って歴史の場を確かめるという、積極的な行動の成果を自分の言葉で表現しようとしていることがよくわかる。作文をきっかけに家族と家康について話し合ったという子も多かった。スマホの中の仲間しか通じない、単語を並べたうわべだけのもの言いで済ませていては、独自の世界は開けない。考え、体感し、家族と語らい、そして書く、という体験を、もっともっと増やしてほしいものだ。

〈二〇一五・一二・二七〉

平成28年（2016）申年

東光寺猿舞（島田市東光寺）

西浦田楽の猿の夫婦
（浜松市天竜区水窪町西浦）

藤守の田遊び（焼津市藤守）

21段　猿と臼との深い因縁

中年にちなんで、猿が出てくる昔話を紹介しよう。南伊豆町のおばあさんが大正年間に語った話である（『静岡県伝説昔話集』）。

あのなア、六十になるおじいさんが山へゴボウを掘りにいったって。そしたら地面が堅くてなかなか掘れなくて困っていた。それを遠くで見ていた猿が気の毒に思って、おじいさんを助けに来た。おじいさんは「このゴボウを掘ってくれれば、うちに娘が三人いるから、一人をお嫁さんにくれてやる」と言った。猿は喜んで上手にゴボウを掘った。おじいさんは家に帰ってから、猿との約束が心配で心配でたまらなかった。あんまり心配そうな顔をしているので娘たちがそのわけを尋ねると、おじいさんは今日のことをすっかり話した。いちばん上の姉様は、猿の嫁にいくのはいやだと言う。二番目の娘もいやだと言った。すると末の娘が、私が行きますと言ったので、おじいさんは娘に米一升と石臼を持たせてやることにした。ちょうど猿がやってきたので、おじいさんは猿に米と石臼を背負わせてやった。猿と娘がだんだん山道に入っていくと、沢の傍らに桜の木があって花が咲いていた。娘は、あの花を欲しいと猿に言った。猿はさっそく木に登っていった。

結末は想像がつくだろう。「猿は馬鹿なもんで、石臼と米を背負ったまま、木登りしたのであやまって落ちて死んでしまったってさ」

臼は猿にとって鬼門らしい。猿蟹合戦でも臼が蟹の助太刀をする。岩手県に伝わる、お猿の顔はなぜ赤い、という話も臼がらみである。

昔、猿と蟹が一緒に餅搗きをした。ようやく搗けたとき、猿は餅の入ったまま臼を背負って山の方に逃げ出したので、蟹は独り占めするなと追いかけた。猿は一所懸命に走るあまり餅が途中で落ちて行くのに気がつかない。猿がここらで餅を食おうと思って臼をおろしたら、中には一つも餅がない。戻ってみると蟹がうまそうに餅を食っている。その餅をよこせと言ったら、蟹は泥のついたところをちぎって猿の顔に投げつけた。猿がびっくりして餅を引っぺがしたら、面の皮まではげて赤い肉が出てしまった。それで猿の顔は今も赤いのだ。

猿は山の神の使いとされるし、仕草が人間に似ていることもあって、猟師も撃つのを好まない。害獣としての猿に対する恨み、つらみが猿をこらしめる話になったのだろうか。〈二〇一六・一・二〇〉

22段　鴨を鳥もちで捕った

夜、駿府城の中堀のまわりをウオーキングしていると、暗い水面からグエー、グエーという声が聞こえる。目をこらすと、数羽のカモが浮かんでいて、頭の上の方に白っぽい筋のようなものが見える。たぶんアイガモだろう。昼間、同じ場所に行ってみたら三十羽ほどが泳いでいて、鮮やかな青色の首が特徴であるマガモも混じっていた。餌をもらうことを覚えたらしく、こちらの姿を見てコイと競い合うよ

駿府城の中堀に飛来したカモたち
（静岡市葵区）

うに寄ってくる。別な所には鵜が二羽いた。日中は小中学生がよく通る場所だ。せっかくだから飛来している鳥の名がわかるような簡単な看板が出してあればいいなと思う。

　鴨は冬場の食材である。静岡市街地の北にある鯨が池から桜峠を越えて急な坂を下ると、野鳥の観察場所として知られる麻機遊水地に出る。ここはかつて渡し船もあったほどの広大な浅畑沼の跡で、昔から野鳥の天国だった。江戸時代、冬になると二つの池沼を往復するカモが峠ぎりぎりのところを低空で越えて行った。浅畑側では羽高という集落の人が、鯨が池側では下村の人たちが、ここに網を張ってカモを捕らえた。この網を鴨網といった。

　旧引佐町の浜名湖畔には、かつて日本一小さいといわれた魚市場があった。その名を魚鳥市場といったのは、むかしは魚と一緒に鴨が取引きされたからである。浜名湖に大挙してやってくる鴨を捕らえる猟のことを江戸時代には鳥浦といい、それには今切関所（新居関）の特別許可が必要だった。もちろん関所破りの取り締まりのためで、許可証である鳥浦手形は十月に下付され、翌年二月に返納する定めだった。いろいろある狩猟法のなかで、村櫛（浜松市西区村櫛町）では、鳥もちを使った鳥ばいという猟が盛んだった。大正時代に終わってしまった鳥ばいについて、地元の郷土史家、故松下誠さんが書き留めてくれていた体験者の貴重な話（『浜名湖の漁撈習俗』）を紹介しよう。

鳥ばいは正月前後が最盛期。夜明け前に湖上に出て、まだ真っ暗なうちに鳥もちを塗ったモチ縄（長さ二百メートル）を二本、両端に浮きをつけ、じゅうぶんにたるみを与えて水面に浮かべ、夜明け直前に陸から飛来する鴨の群れをじっと待ちうける。やがて舞い降りた鴨の胸毛に鳥もちがつくと、驚いて飛び上がるものの、かえって絡みついてしまう。そこで縄をたぐり、首を曲げて膝下に入れ体重をかけて締め殺し、すぐに首を羽の間に差し入れて形を整える。贈答品として形が大事だからだ。わずか三十分間の勝負だったという。〈二〇一六・一・一七〉

23段　成人の日に行なわれなくなった成人式

今年（二〇一六年）の新成人は県内で三万五千人余だというニュースを見たが、それに続いて、成人の日に成人式を行なった市町はゼロだと報じられた。すべて前日の日曜日にやってしまったからだ。なんだか変ではないか。一九九九年（平成十一）までは一月十五日が成人の日（制定は昭和二十三年）であったが、翌年にハッピーマンデー制度が導入されたことで、一月の第二月曜日となり、ゆかりの日を祝日とする原則が否定された。とにかく仕事を休ませようという、幸せの月曜日というへんてこな「休み日」が作られたのである。

一月十五日を成人の日としたのには、ちゃんとした理由があった。この日は、数えで十五歳になった少年たちが、村の若い衆の仲間に入るための儀式が行われた日である。これをゲンブクなどといったのは、武家社会での元服からの命名だが、農村の日常生活という点から見れば、若者集団に入会を許され、一人前の男として認められることになる日である。伊豆ではこの日を境に「子ども心でいるじゃありません」と諭《さと》された。新年の若者入りの儀式がすべて十五日だけに集中していたわけではないが、忘れてならないのは、一月十五日は小正月といい、さまざまな儀礼がおこなわれる日でもあったことだ。

一例をあげると、小正月には小豆粥を作る。かつては、早朝に夫婦が庭に出て、柿の木に鉈で傷をつけてそこに小豆粥を塗りつけた。夫が「成るか、成らぬか、成らぬと伐ってしまうぞ」と脅すと、妻が柿の木に成り替わって「成ります、成ります」と答えた。これは成《なり》木《き》責《ぜめ》めといい、今年の豊作を作物に約束させようという思いをこめた大切な行事だった。月の満ち欠けを基準にしていたかつての暦では、年の最初の満月にあたるこの日を一年の始りと考えていたのである。

一月十五日に行われていた諸行事には、日本人の自然観、人生観が示されていたといっても過言ではない。もちろん旧暦から新暦に切り替わったことで、月の満ち欠けとは連動しなくなったが、この日取りの意味を認識することは、きわめて大切なのだ。祝日の意義は、日本の歴史と伝統文化を認識するところにある。体育の日もそうだ。東京オリンピック開会式の青空が日本の未来を指し示した、あの十月十日でなければ、なんの意味もない。政策として休み日を増やしたいなら、本来の記念日の前後に、特別休暇日をくっつければいいではないか。〈二〇一六・一・二四〉

24段　清めの水が暮しを助けている

静岡市街地に住んでいると、県北部では雪が積もり交通が乱れましたといわれても、他人ごとのようで、むしろ、たまには雪を見たいな、というような気持ちになってしまう。先日の大寒波に際しても、気温は確かに低かったが、一片の雪も見なかった。奄美や沖縄にも降雪があったというし、九州各地では積雪のために断水したなどと聞けば、静岡がいかに温暖な地であるか、再認識させられる。

よりによってこの記録的大寒波の最中に私は小山町の須走《すばしり》にいた。富士山登山道についての聞き取り調査が目的である。須走は古くから交通の要衝であり、かつ冨士浅間神社に参拝して頂上を目指す須走登山口の出発点である。大正中ごろまでは御殿場駅から鉄道馬車が通っていたほどで、登山者を泊める旅館が軒を並べていた。何せ、標高八百㍍を超える土地だから、この寒さのために民家の屋根は真っ白である。道路は除雪されているが、歩道や細い道は滑らないよう腰をまげて歩いた。

翌朝、起きてすぐ通りに出て見た。冨士浅間神社からまっすぐ下ってくる広い道を本通といい、馬車鉄道の軌道はここに敷設されていた。もちろん今は自動車道路である。夜のうちに降った細かい雪が風に吹き上げられ、朝日を受けて金色に光りながら舞っている。ちょうど車に積もった雪を掻き下ろしている人がいた。歩道の下が暗渠になっているので、蓋を開けてそこに雪を落とし込む。この水は、浅間神社脇を流れる精神川《しょうじんがわ》（もちろん精進川の意味だが）から引いたもので、暗渠になる前は防火用を兼ねた洗濯場にもなっていた。雪国では屋根から下ろした雪の始末に困るというが、この程度の量なら暗渠に流すことで処理できる。

この須走をはじめ富士山を取り巻くようにたくさんの浅間神社があるが、そのほとんどは富士山の雪溶け水が湧き出す地点に鎮座している。本社とされる富士宮の浅間大社の湧玉池は有名だ。富士山の語源は淵だという説もあるほどで、富士登山の前には水を浴びて身を清めるというのが古くからの習わしである。須走は富士山から噴出したスコリア（鉄分の多い軽石）で覆われた斜面にあり、一粒の米もとれなかったが、そこに多くの人が住めたのは、精神川と地下の水脈のおかげで日常の水には不自由しなかったのが大きな理由だろう。その清めの水が今でも生活を助けているのである。〈二〇一六・一・三一〉

25段　富士山入山料と須走登山口関銭

小山町の須走は、富士山への登山口として、すでに戦国時代から登山者で賑わっていたので、それを目当てに道者関《どうじゃせき》が設置され、関銭つまり入山料が徴収されていた。永禄七（一五六四）年、裾野市に本拠をおく今川氏の重臣、葛山氏が配下に対して堰《せき》銭を上納するよう命じた文書がその証拠だ。道者とは、信仰を目的に富士登山をする人のことで、箱根や足柄越えの場合は、須走口が便利である。山梨県の吉田口が賑わうのは江戸で富士講が大発展したおかげであり、古くは東海道経由で関西方面から来る人が多く、富士宮などの静岡県側がメインの登山口だった。

当時の入山料は領主の財源になったが、現代の富士山入山料は、環境保全と登山者数を適正に保つためである。ならば、任意で千円などといわず、目的を明確にうたってビシッと徴収するのがよいと思うのだが、ことはそう単純にはいかないらしい。

須走から見上げる今ごろの富士は、その美しいラインを隠すように雪煙があがっている。見慣れた風景だが、私にはなんとなく違和感がある。そうか、宝永山が左手に見えるせいだ。いつも見慣れた静岡市からの富士山は宝永山が右にある。

宝永の大噴火は一七〇七年十一月に起きた。当時、登山者のための宿屋が立ち並んでいた須走は噴石に焼かれ、灰に埋もれて壊滅状態に陥り、往時を示す資料の多くは文字通り灰燼に帰した。

噴火から六十年ほどたった明和五（一七六八）年、安房国（千葉県）から富士登山に来た池川春水という医者が「富士日記」と題する登山記を書き残している。春水は足柄峠を越えて六月二十九日（太陽暦で八月十日）に須走の小野大和の家に着いた。小野家は須走の浅間神社創立以来神主を勤めており、大和は神官としての肩書みたいなものだ。出発前に近くの滝の水を浴びて身を清めるように言われたので、行ってみると、みんな頭から水をかぶっている。春水も浴びて、その日の午後四時ころに出発、焼き砂をザリザリ踏みながら登り、十時ころに七合目の石室に到着、翌日山頂をきわめて吉田口から下山した。

清めの滝に通じる道の入り口には、「たき道」と刻んだ石碑が今もある。宝暦十三（一七六三）年建立だから、春水も五年前にできたばかりのこの石碑を見たはずだ。その頃の須走は宝永噴火の被害から

立ち直って再び賑わいを取り戻していたのである。〈二〇一六・二・七〉

26段　北海道と伊豆松崎を結ぶ縁

先週、札幌に行く機会があった。地元の方に、御先祖はどこからきたんですか、と尋ねると、秋田だと聞いていますとか、新潟ですというような返事が返ってくる。

かつて蝦夷地と呼ばれた北海道は、幕末期に幕府の直轄領とされたが、広大な大地はアイヌの世界だった。明治二（一八六九）年、函館戦争が終わると政府は呼称を北海道と改め、アメリカ人の指導のもとに本格的な開拓事業に乗り出した。維新の渦中でさまざまな理由を背負った人々が各地から移住し、出身地ごとに集落を構え力を合わせて開拓を進めていった。この動きを統一的に推進するため、政府は明治十九年に北海道庁を設置、赤レンガ造りの洋風庁舎を建設した。庁舎はのちに内部が全焼したこともあったが、昭和四十三年に創建当時の姿に復元された。現在は文書館として開拓時代の歴史や元日本領の樺太に関する資料などを展示しており、札幌観光の目玉の一つになっている。

庁舎に入ると階段の踊り場に「晩成社の開拓」と題された大きな油絵が掲げてあった。主題は、伊豆松崎出身の依田勉三（一八五三―一九二五）が同志とともに結成した晩成社が、十勝内陸部の開拓に尽力している様子である。草ぶきの家を背後に人々が鍬を振るっている手前では、勉三がアイヌから魚を受け取っている。白髪の勉三はアイヌの衣装を身に着け素足に草鞋ばきである。晩成社の入植は明治

赤レンガが美しい北海道庁本庁舎（札幌市）

十六年、湧水の流れる地という意味のアイヌ語、オベリベツに帯広という地名をあてた。この地が選ばれたのは、明治初年に静岡県が管轄したことがあったからだという（『静岡県歴史人物事典』）。依田勉三は拓聖といわれ、帯広市民から尊敬されている。ちなみに勉三の兄、佐二平は伊豆の養蚕、海運、教育に貢献した。なまこ壁が美しいその旧宅は県指定文化財であるが、近年所有者の事情から競売に付された。幸いにも保存を訴えるＮＰＯ法人が落札し、文化財を活かしたまちづくりの重要な資源として活用される見込みとなった。

　市内は恒例の「さっぽろ雪まつり」で大賑わいだった。寒さの中を足をすべらせないよう膝に力を入れて歩き回ってみた。たしかに巨大な雪像やプロジェクションマッピングは美しかったが、テレビ報道から期待していたほどの大迫力ではなく、食べ物を売る仮設店舗だらけだったのは予想外だった。加えて、帰りの空港での保安検査場は超がつく大混雑、係員の誘導も不親切だったのがいささか残念である。〈二〇一六・二・一四〉

27段　世代を超えて使われる農具

粒粒辛苦《りゅうりゅうしんく》、こんな言葉をふと思い出した。研究仲間で磐田市に住む小杉達さんから、一本の鍬の柄を見せてもらったときである。材質はカシ、百年以上もたっているのではないかという。もともとこの先には、サンボンと呼ばれた鉄製の三つ又の刃先がはめてあって、磐田平野の米作地帯で使われたものだ。持ち主の門奈幹雄さんは大正十四年生まれだそうだから、もう九十歳を超えているが、毎日元気でネギの出荷などを手伝っていると聞く。

柄が凹《へこ》んでいる所は、左手で握りしめたところで、さらに上のほうには三十センチほどにわたってやや細くなった部分がある。そこはすべらないように右の手の平に唾を吹きつけて握った個所である。もちろん最初に購入したときにはこんな凹みはなくて、門奈さんが親の代から同じところに力を込めて田に打ち込んできた結果がこうなったのである。もう一つの写真は焼津市内のものだが、やはり柄の部分に長年の使用痕ともいうべき微妙なくぼみがある。中学のころ親に与えられた鍬を大切に使ってきたというお年寄りに会ったこともある。この部分にしみ込んだ汗の量はいかほどだったのだろうか。

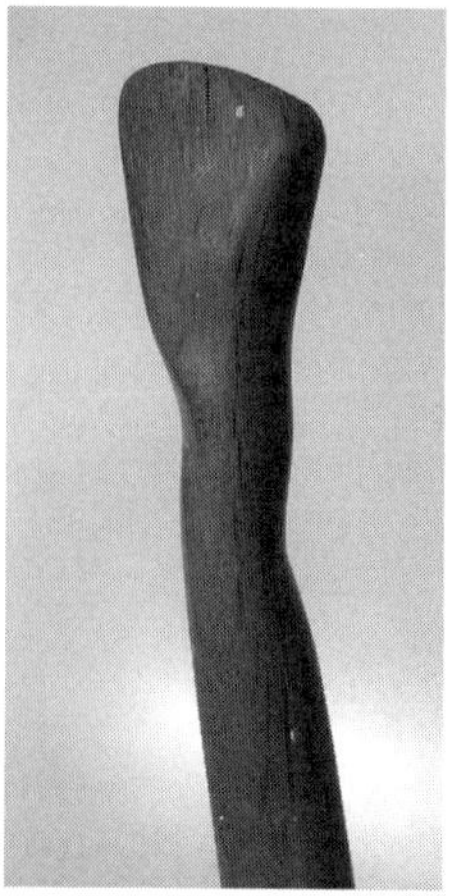

握りしめた後がついた鍬の柄（磐田市内）

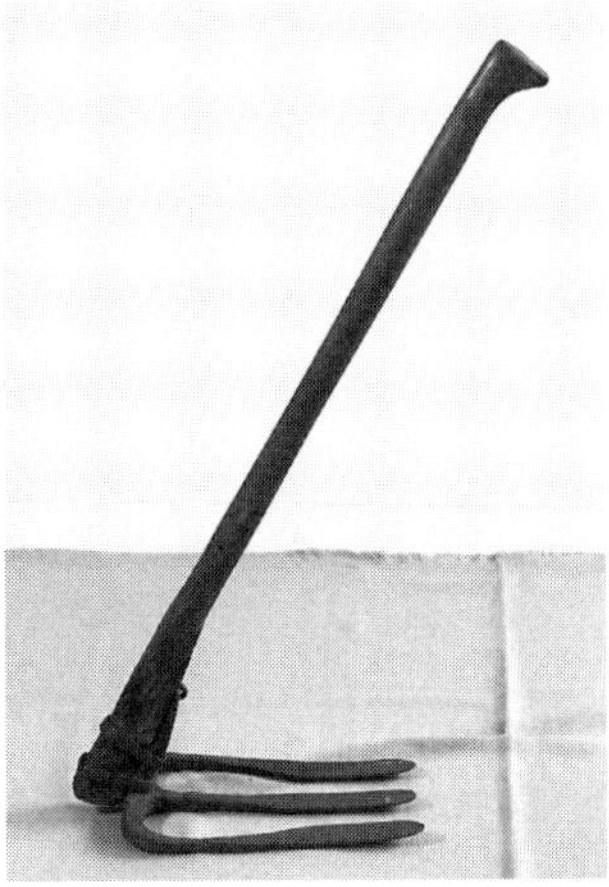

刃先が複数に分かれている備中鍬
（焼津市内）

　一口に鍬といってもいろんなタイプがある。刃先が複数に分かれているタイプは備中鍬《びっちゅうぐわ》といい、静岡県ではマンノウともいった。万能という意味である。その刃数も二本から五本のものまであり、江戸時代の『農具便利論』という本には、三本刃の鍬を遠州浜松辺では「まど鍬」とよぶと書いてある。粘り気が強くて重い田んぼの土を起こすには、打ち込みやすい鋭利な刃先と鍬自身の軽さが必要だった。なお、著書の大蔵永常は駿河の田中藩等の農政にもかかわった農学者で、『広益国産考』がもっとも知られている。

　鍬の柄は専門の棒屋が作った。手になじみやすいよう、使い手の体格と耕作土の性質によって長さや太さを変えた。刃の取り付け角度も重要である。素材となる木も堅くて折れにくいだけではだめで、打ち込んだ時に手を痛めることがないよう、樹種の選択にも気を配った。ベテランの棒屋は、村の名を聞いただけで、どんな柄がふさわしいか、分かったものだったという。

　鍬は使っているうちに刃先がすり減ってくる。そこで、村の鍛冶屋に頼んで刃先を継ぎ足してもらう。このことをサイカケといった。サイカケ専門の職人が村々を回ってきて直してくれることもあった。鍬はサイカケを繰り返しながら、ときには世代を超えて使われてきた。〈二〇一六・二・二一〉

28段　なまこ壁よりも近代建築史ではないか

御幸通りに面した静岡市役所前に「静岡御用邸跡」と刻んだ石碑がある。ここには戦災で焼失するまで、風雅な和風二階建ての御用邸があった。御用邸は天皇の国内旅行に際して宿泊したり、静養するための施設である。明治期には静岡市以外に熱海と沼津に設けられたので、全国で二十足らずのうち、三つも県内にあった。これらが廃止されてからも、戦後、下田に須崎御用邸が設けられている。

明治天皇は静岡御用邸を十七回利用されたが、とくに日露戦争後に伊勢神宮参拝の帰途、静岡に一泊され、二階の富士見の窓から見える富士を「はるかなるものと思ひし富士の根をのきはにあふぐ静岡のさと」と詠まれた。歌碑が市役所前にある。

昭和天皇は昭和五年六月に一泊された。旧制静岡中学校で同校と静岡商業学校との野球試合を御覧になったのが、今に続く両校野球定期戦の始まりである。御用邸は昭和七年に県に、翌年あらためて静岡市に払い下げられた。敷地の一部には静岡市の公会堂が建てられ、戦後もしばらくは市民の文化活動の拠点になっていた。私も学芸会に出た記憶がある。

現在の御幸通りは、静岡駅から御用邸前に通じる道路のことで、いま修景をどうするかが話題になっている。通りが完成したのは昭和九年なので実際の御幸に使用されたことはない。もともと御用邸のあたりは駿府城外堀の屈曲に並行するように北側に大きく張り出していた。その部分を削って県庁前から江川町交差点まで道路を広げ、そこから江戸時代以来の家並みを整理して静岡駅に通じる広い道路を通したのである。江川町交差点の複雑なかたちはこのためだ。駅前に松坂屋静岡店ができたのは昭和七年、かくて現在の静岡駅前の形が出来上がった。御幸通りは昭和の交通事情に合わせて作られた近代の通りでなのである。

いま、この通りを駿府城下町のイメージが伝えられるような修景を施したらどうか、という意見が出ている。なまこ壁が提案されているが、安易にすぎないか。当時の旅行記などに見える江戸時代の駿府の町屋は板壁であった。なまこ壁は駿府城下町のイメージをかえって損なってしまう。

静岡御用邸跡を示す石碑（静岡市役所前）

市役所（昭和九年）や県庁（同十二年）の本館、ともに中村与資平の設計によるもので、国の登録有形文化財である。しかも県議会場の壁には当時の静岡県の産業を描いた立派なレリーフがある。これらをうまく生かしたい。静岡御用邸ゆかりの御幸通りは、その誕生の物語とともに、静岡近代の建築史を学ぶことができるような、昭和戦前期のイメージを体現する通りにしたらどうだろうか。〈二〇一六・二・二八〉

29段　みかんの花咲く歴史文化のまち

静岡市の市民ギャラリーで、「静岡時間旅行（タイムトラベル）」と銘うった展覧会が開かれている。目玉のひとつは静岡市が所蔵する「東海道図屏風」で、街道を行きかう旅人や、街中で喧嘩をしている男たちまで描きこまれており、じっくり見ていくと時間を忘れるほどだ。江戸時代も早いころの作らしく、駿府城も見える。この時代の静岡を描いた数少ない作品として、きわめて貴重である。

屏風は静岡市の名誉市民第一号となったマッケンジー夫人が市に寄贈したものだが、残念ながらそれ以前の来歴は不明である。エミリー・マッケンジーは、茶商アーウイン商会日本支店総取締の夫とともに大正七（一九一八）年に来日、太平洋戦争開始後に帰国したが、昭和二十三（一九四八）年に再来日し、福祉事業に力を注いだ。同四十八年、私財を静岡市に寄贈して帰国、翌年亡くなった。市内高松の海辺で公開されている優雅な洋風建築（マッケンジー邸）に静岡での暮らしをしのぶことができる。

展覧会は、静岡市で建設を計画している歴史文化施設の「さきがけ」となるのが目的だ。同時に市の歴史にちなむ新しい名物を生み出すきっかけにもしたい。この施設には地域活性化のための活動も期待されているのである。昨年の展覧会では駿府城本丸内の家康公お手植えみかんを使ったみかんケーキが配られて話題になったが、今回は同じ素材を用いたサブレが好評である。生地の中央にみかんが入れ込んであり、在来種のさわやかな香りと、うすい酸味がうまくからみあっていて、とても美味しい。

静岡県のお菓子として全国に知られているのは、浜松春華堂のうなぎパイだ。昭和三十六（一九六一）年の発売以来、もう半世紀以上の歴史がある。浜松だったらウナギでしょ、という特産品との相乗効果がこのお菓子の地位を不動のものにした。水戸には梅の名所偕楽園にちなむお菓子がある。これも浜松のパイと同じころの発売だという。

静岡市が、お手植えミカンにちなむお菓子を活用しない手はない。家康公が手ずから植えたといわれる四百年の古木（県指定天然記念物）だから、超稀少である。でも、原木は一本しかない。そこで提案。これを増やしてまわりを駿府城ミカン園とし、その実を素材にお菓子を作るのだ。天守台の石垣の下、白いみかんの花咲く散策の場で、歴史文化のまち静岡の香りと味をいっぱい味わってもらおう。

〈二〇一六・二・二八〉

30段　蛇には茹で卵を供えないでください

円錐形の美しい山容で知られる奈良県の三輪山は古代天皇家と深い関わりのある聖地である。麓にある大神《おおみわ》神社の境内には御神木の杉の大木があり、その前には神様のお使いとされる巳神《みがみ》様、つまり蛇の好物とされる卵が毎日たくさん供えられる。蛇と三輪山とのつながりは、このような話で裏付けられる。

イクタマヨリビメという美女のもとに立派な若者が夜な夜な通ってきて、姫を孕ませた。正体を知ろうと、麻糸の先に針を付け、男の衣にさしておいたら、糸は鍵穴を抜けて三輪山にある神社にまで続いていた。そこで若者は三輪山の神だと分かった（『古事記』）。これは、全国に伝わる「蛇婿入り」という話の簡略化されたもので、たとえば、静岡市の木枯らしの森の由来では、こう伝えられている。

むかし、藁科川上流の長者の娘にどこからか通ってくる若者がいた。娘は妊娠してしまったので長者はその正体を知りたくて、男の着物に糸をつけた針をさし、そのあとをたどると大きな杉の洞に通じていた。男はそこに住む大蛇だった。しかも中から、話し声が聞こえてきた。

「あの娘に子種《こだね》をおいてきたが、おれの正体は誰も知るまい」

長者は怒ったけれどどうしようもない。やがて娘は女の子を産んだが、蛇の子を育てるわけにはいかないと、両親は小舟に赤ん坊を乗せて川に流した。娘は川岸を泣き叫びながら追いかけていったが、やがて小舟は転覆してしまい、川中の小さな島となってしまった。母親が我が子を恋い焦がれたというので、この島を焦がれしの森といった。それが今の木枯らしの森である。

三輪山は雨をもたらす水の神とされる。その祭祀は王の重要な役目であり、水の神を蛇で表すのはアジア全域に見られる信仰だ。三輪山の神話が全国の伝説の起源になったというよりも、もともと三輪山周辺にも全国に共通する類話が伝承されていたのだろう。大神神社の神職に、蛇は本当に卵を食べるのでしょうかと尋ねてみた。お供えの卵はあとで拝殿裏手の石垣の所に持って行くそうだが、「下には卵の殻が落ちている、卵を飲んだ蛇は石垣の上からわざと落ちて、体内の卵を割り、殻を排出するんです、堅く茹でた卵を飲み込んだら、蛇にとって大変なことになります。だから、茹で卵は絶対に供えないでくださいと、お願いしています」ということだった。〈二〇一六・三・一三〉

31段　津波に耐えたガレオン船

宮城県の石巻漁港対岸の岬に「慶長遣欧使節ミュージアム」というテーマパークがある。略称はサン・ファン館。伊達政宗の家臣、支倉常長（一五七一―一六二二）らを乗せて太平洋を渡ったサン・ファン・バウティスタ号の展示が中心だからだ。一九九三年に復元された同船は長さ約五十五㍍、総トン数五〇〇㌧のガレオン船で、内部の見学もできる。同船の復元は、支倉常長と遣欧使節の事績の再発見による宮城県活性化のために計画された。費用は約二〇億円、半分は県民の寄付であった。公園を含む事業全体には九〇億円という巨費が投じられたが、バブル期のただ中だったことが幸いしたといわれている。

五年前の大津波のとき、専用ドックに係留されていたサン・ファン号は二八本のロープのうち、わずかに残った四本のおかげで流失を免れた。その時、職員がスマホで撮影した写真が掲示されていた。見ると、船が浮かぶ海面が、見学のために設けられた回廊の屋根（次ページ写真左側）と同じ高さだ。大きく引き伸ばされた粗い画面は、まるで荒海を行く船を描いた西洋画のようで、この船の数奇な運命を象徴しているような気がした。

サン・ファン号は静岡県とも若干の縁がある。慶長十六（一六一一）年五月、その二年前に房総沖で遭難したスペイン船の救出と送還に対する答礼使としてセバスチャン・ビスカイノが来日し、駿府城で家康に謁見した。この時の贈り物の一つが久能山東照宮にある西洋時計である。じつはビスカイノには大きな野心があった。日本の東に未知の金銀島があると信じ、なんとかそれを発見したかったのである。彼は幕府の許可を得て日本の沿岸を測量したが、その途中で嵐にあい乗船が破損した。しかし修理のための金がない。ちょうどキリシタン政策が厳しくなり始めた頃で、幕府の援助も得られなかった。

復元されたサン・ファン・バウティスタ号（宮城県石巻市）

　そこに手を差し伸べたのが独自外交を計画していた伊達政宗である。ビスカイノは造船を指導するかわりにその船で帰国することになり、船大工を動員し大砲を備えたサン・ファン号を建造した。政宗の使節として支倉常長がこれに乗ってメキシコに渡り、スペイン経由でローマに行って法王に謁見した。サムライ、支倉常長は向こうで大評判だった。

　その間、サン・ファン号はいったん帰国し、再度メキシコに行って常長らを迎え、フィリピンに寄港した。ところがオランダに対抗していたスペインにサン・ファン号船は買い取られてしまった。常長らは便船を得て無事帰国し、七年の旅を終えた。だが、日本ではキリシタン禁圧の嵐が吹いており、洗礼を受けていた常長に居場所はなかった。子孫は堅く口を閉ざし、彼の快挙は埋もれてしまった。

サン・ファン号出帆の地に立つ
支倉常長像（宮城県石巻市月浦）

二百数十年の時を経て、常長の業績再発見のきっかけをつくったのは、明治の遣欧使節団だった。彼らは常長のことを現地で初めて知ってびっくりしたらしい。以後、支倉常長と慶長遣欧使節についての研究が進み、人知れず保管されてきた関連資料は、今では国宝に指定されて仙台市博物館の特別室に展示されている。そして常長一行を乗せて太平洋を二往復したサン・ファン号も復元されたのだった。

伊達政宗はなぜ、使節団を派遣したのか。東北の王者として独自に貿易を、というのが最大の目的だったが、最近の研究によると、常長出発の二年前に東北地方を襲った大震災の復興に資するという思いもあったとされる。また意外にも使節団派遣に江戸幕府も関与していた。幕府御船手《おふなて》奉行配下の役人が乗船していたし、仙台領の月浦《つきのうら》から出帆したサン・ファン号が、最初の航海から戻った時には浦賀に入港している。歴史小説家の隆慶一郎は、このことと家康が駿府の御数寄屋で政宗に茶を振る舞った（「駿府記」慶長十八年四月十三日）という歴史的事実を重ね合わせ、使節の派遣について二人が駿府城内で相談している場面を創作している（『捨て童子松平忠輝』）。さすがにうまく組み立てるものだ。

はるばるヨーロッパに行った一行の内、帰国せずに現地にとどまった人もいた。現在、スペインのセビリアの近くに、ハポンという姓を持つ人々が六百人ほどいるそうだ。ハポンはスペイン語で日本という意味である。みな自分たちはサムライの子孫であることを誇りにしている。教会に残っている洗礼台帳にハポンという姓が現われるのは常長以降、というのがその根拠だ。洗礼を受けたことを証明する台帳は、日本だったら、お寺の過去帳に相当しよう。しかもハポン一族は幼児期に蒙古斑があるという（太田尚樹氏による）。

　宮城県は出帆四百年を記念して、平成青少年遣欧使節団をスペインに派遣した。十人の高校生は現地でハポンさんの家にホームステイし、アジの蒲焼を作って振る舞うなど大いに交流を深めたという。現地には出発地、月浦にあるのと同じような支倉常長像が建っている。〈二〇一六・三・二〇、二一〉

32段　静岡県がツクシの食べ方を説いた

　日当たりのよい原っぱや土手の斜面などにツクシがたくさん顔を出している。肌色の茎の上に細長い頭がのっかっているので、ツクシンボとかホウシゴなどといわれるが、漢字では土筆と書く。なるほど、うまい当て字をしたものだ。小さいころ、母親の実家近くでこれを摘んできて、オヒタシにして食べたが、美味しかったという記憶はない。

「昭和二十年八月静岡県食生活指針」（農文協復刻）と題した冊子がある。刊行の理由は次のとおり。敗戦後のドイツやイタリアではすべての道義は食糧難から破壊されているから、日本の国民生活の安定には食糧問題は緊急課題であり、全県一丸となって努力と英知を以てこれを解決すること、そして「徒《いたず》らに配給を待つまでもなく（中略）乏しきに耐える為にあらゆる知識応用を働かせて我々が明朗なる新生活の創造を樹立する事こそ将来日本の再起をにぎる鍵」であると書かれている。敗戦後の厳しい食料事情を何とか乗りきろうと、県民に配布されたものらしい。

内容を見ると、玄米飯の炊き方（わずかな配給米は精米前の玄米だった）、とうもろこし団子、海水利用の簡易豆腐、さつまいもパンなど、白米以外のさまざまな食べ物が列挙されている。カボチャも主食に準じただけでなく、甘味のもととして重宝された。すり鉢でするなどしてから水で薄めて煮立たせる。そこに小麦粉を水で溶いたものを小さくちぎって入れ、これが浮き上がったきたら食べる。要するにカボチャベースのすいとんを汁粉として食べたのである。もちろん砂糖など一粒も入っていなかった。

ツクシも身近で入手できる貴重な食材の一つとされている。茎についているハカマをとってから水にさらして苦みをとり、味噌和え、からし和え、酢の物にするとあるが「平和時代には酒、しょうゆで煮たものに卵を落として卵とじにしたものである」と注がついている。平和な時代、という表現がなんだか切ない。

春の日差しを浴びるツクシ
（愛知県豊橋市）

ツクシの卵とじは愛媛県山間部の郷土料理にある。湯がいてからイリコ（煮干し）の出し汁と一緒に砂糖と醤油で煮込んで、といた卵をサッとちらす。春の香りを味わうために普段は使わない卵を奮発した料理（『聞き書き愛媛の食事』）だったそうだ。

ツクシは、大地の力が湧きだす春の象徴である。食糧

難の時代のはるか昔から、日本人の間にはその若々しい生命力をいただくという気持ちがあったのだろう。〈二〇一六・四・三〉

33段　六十歳は、おじいさんじゃない

渡し船というと、「村の渡しの船頭さんは、今年六十のおじいさん」で始まる童謡「船頭さん」（武内俊子作詞）が思い浮かぶ。でも六十歳をとうに超えた私としては、おじいさんとは言われたくないという見栄のせいか、この歌詞には若干の抵抗感がある。

街道をつなぐ渡し船は、橋が整備されれば消えていく。沼津市の狩野川河口近くにあった我《が》入道《にゅうどう》の渡し船は、明治期以来親しまれてきたが、一九七一（昭和四十六）年に港大橋がかけられたために廃止された。しかし、その風情を惜しまれて平成九年に復活、休日に観光客を運んで人気を集めている。

川には橋があって当然という世の中に逆らうように、豊橋市内を流れる豊川沿いに、牛川の渡しがある。これはれっきとした市道二四四号の一部なのだ。東岸にある小屋で船頭が待機しており、川岸には「船よび板」が掛けてある。これを木鎚で叩けば、乗せてくれるという合図になる。牛川の船頭は櫓を漕ぐのではなく、竹竿で川底を突いて操船する。

この渡し船は江戸時代からあったというが詳しい記録はない。一九六八（昭和四十三）年の写真には、女子学生と自転車を乗せた平底の木造船を、姉さんかぶりの女船頭が操っている様子が見える。当時は

夫婦で船頭をしていたという。九二年から船は強化プラスチックにかわり、現在はその二代目で定員は十一名。自転車も載せてくれる。運航は市の直営から民間委託となったが、やり方は昔のままで、二人の船頭が交代で担当する。

先日この渡しを体験してみた。この時の船頭、荒津圭伺さんは勤め始めてわずかに四か月だが、手慣れた操船で説明も上手だ。それもそのはず、じつは船頭をやりたくて勤めを辞め、豊橋の歴史などを勉強しながら募集があるまで四年も待ったという。もともとカヌーが趣味だという筋金入りの舟好きである。平成二十六年度の利用者数は七千三百十一人、一日平均二十人だが、天候によっては誰も来ない日もあるそうだ。渡し船を利用しなくても、自動車なら五分ほどの迂回ですむのだから、見方をかえれば贅沢な施設だ。子どもたちが対岸に遊びに行くこともある。船の上は公的には市道だから、狭いながらも「路上で遊べる」という、昔懐かしい空間になる。はるばる大阪から乗りに来た人もいたし、サイクリングに組み込むのを楽しむ人もいる。そうそう、荒津さんは奇しくもちょうど六十歳。でも、おじいさんと呼ぶ人は誰もいない。私も意を強くしたのである。

今なお運行され、乗客を運ぶ牛川の渡し船（愛知県豊橋市）

〈二〇一六・四・二〇〉

34段　猿は山のエネルギーを引寄せる

島田市の東光寺は、寺院の名が地名にもなっている。寺と関係ある人々が住み着いたのが村の起こりなのだろう。東光寺は比叡山延暦寺ゆかりの天台宗で、鎮守として延暦寺と同じように日吉神社を祀っていて、祭日には背後の山上にある奥宮から神輿が渡御し、猿舞が奉納される。四月十四日が本来の祭日だが、現在はそれに近い土曜日になった。

四月九日、桜が満開の東光寺の里を訪れ、久しぶりに猿舞を見てきた。境内に赤い欄干で囲った四畳半の舞台を設け、そこで大きな幣束を持った二匹の猿が昔ながらの舞を舞う。猿は村で生まれた男の子が演じるのだが、この村ではなぜか男の子の数が少なく、今では女の子も役を勤める。これは県内各地の民俗芸能に共通する傾向だ。登場する二匹の猿は夫婦とされるが、親子だともいう。演じたのは島田市立六合小学校の二年生と三年生の姉妹で、神輿を前にした神事では緊張の様子が見えたが、猿面をつけて舞いだせば、もう立派な主役である。六合小学校の生徒たちも校外学習ということで舞台を取り囲み、拍手をおくっていた。

猿舞には猿回しの意味もあるが、東光寺の場合は古代の寺院で演じられた舞楽の系統を引いているといわれる。猿が主役なのは、日吉神社のお使いが猿とされているからだが、本社にあたる日吉大社にも伝わっていないユニークなものである。ただし夫婦の猿が登場する芸能は、浜松市の水窪町に伝わる西浦田楽にもあり、面白い所作で見物をわかせるが、これには田畑に害をなす猿を押さえる意味があるとされる。また焼津市藤守の田遊びでは、猿がご神体の獅子をあやす。長野県には、猿の衣装を着けた少年が大きな幣束をもって獅子を導く獅子舞がある。猿は山の豊かなエネルギーを地元の神様に提供し、幸せを村に呼び込んでくれると思われたのだろう。

東光寺は平安時代に開創され、二十五もの堂塔を有する天台宗の大寺院であり、歴代今川氏があつい信仰を寄せていた。しかし、武田氏の侵攻によって一山焼失、慶長年中に再興されたが江戸時代中ごろに再び焼け、現在の本堂は藤枝の田中藩主によって再建された。

武田氏といえば、山梨県では絶対的な存在だが、静岡に対してはとんでもないことをしてくれた。東光寺だけでなく焼津市花沢の法華寺も焼かれたし、駿府の今川邸も焼き払われた。だから、甲府駅前にある威厳たっぷりの信玄像に対抗し、静岡駅前には静岡文化を象徴する今川義元像を、というのが私の年来の主張である。〈二〇一六・四・一七〉

35段　竹の子の木の芽和えは和食の神髄

知人から朝早くに、「竹の子を持って行きたいけど、今いますか」と電話があった。もちろん「待ってます」と返事をした。掘ったばかりの竹の子を、米ぬかと茹でてアクを抜いてくれてある。一緒に届けてくれた山椒の芽を加え、さっそく木の芽和えにして食べた。竹の子は今では真空パックが何時でも買えるが、採れたての味は次元がちがう。こんなに美味しい竹の子は本当に久しぶりだった。季節感あふれるまさに旬の食べ物である。ユネスコ無形文化遺産となった和食の神髄がここにある。

雨後の竹の子、というように竹の子の成長は早い。出始めた竹の子の上に手ぬぐいを置き忘れ、翌日行ってみるともう手が届かなかったという話がある。天竜川上流の廃村に行った時のことを思い出す。住む人がいなくなって壊れかけた民家に足を踏み入れたら、腐った畳の下から竹が生えていて、その先が屋根を突き破っている。建物の崩壊はもう目前だった。

竹の子は日本神話にも登場する。伊耶那岐命《イザナギノミコト》が亡き妻伊耶那美命《イザナミノミコト》を追って黄泉《よみ》の国を訪ねた。暗闇に横たわる無残な妻の姿を見てしまったため逃げ帰ろうとしたら鬼女が追ってきた。そこで髪にさしてあった櫛を背後に投げ捨てたところ、筍《タケノコ》が生えだしたので鬼女がそれを食べている間に距離を稼いだとある。いまの孟宗竹《もうそうちく》は十八世紀に中国から入ってきたものなので、ここに出てくる竹の子はマダケのものだろうという（廣野卓『食の万葉集』）。

大きくなってしまった竹の子の皮は、一枚一枚よく干して食べ物の包装用に使った。遠足の弁当のおにぎりをこれで包んだのは、いつ頃までだったろうか。竹皮にはさんで蒸した羊羹は東海道の名物だった。ずっと以前、静岡市井川の山村で、明治生まれのおじいさんからこんな話を聞いた。子どもの頃は甘いおやつなどなかった。たまに親が買ってくる黒砂糖を包んであった竹皮をなめて、ささやかな甘味を感じたものだったという。

先日、旧東海道の宇津ノ谷を歩いていたら、家の庭先に大勢が集まって竹の子を茹でているのが見えた。久しぶりに家族が集まって竹の子狩りをしたのだろうか。街道に面した茶店でも竹の子を売っていた。散りかけた桜の木の向こうの斜面では、茶畑の手入れをしている人がいる。もう新茶の季節になったのである。〈二〇一六・四・二四〉

36段　水力稼働の製茶工場に昭和の姿が見える

緑色の風の中でお茶摘みがまっさかりだ。共同製茶工場では、コンピュータ制御で一貫作業をこなす大型機械が香り豊かな新茶を生み出している。だが、最近は自分で栽培した茶を自分の思うままに仕上げ、それを好んでくれる顧客を作ろう、という動きが目立ってきた。小型の製茶機械による個人施設の意義が見直されつつある。

明治も後半になると、江戸時代以来の手揉みの技は極限にまで発達し、生産量も急増した。そこで埼玉県の高林謙三による粗揉機の発明をきっかけに、製茶の各工程に対応する機械が次々と開発されていく。それまでは生葉の蒸し器と、揉みながら乾燥させるための焙炉が置かれただけのチャベヤ（茶部屋）に、作業の動線に合わせて各種の機械が据えられると、呼び方もチャコーバ（茶工場）へと変わっていく。しかし作業中は手揉み時代同様に、常に茶葉を手に取ってにおいをかぎ、感触を確かめつつ微妙な調整をする必要があった。「機械を使った手作り」という一見矛盾した言葉がぴったりの作業だった。

初期の機械は人力で動かしたが、第一次世界大戦後、人件費の高騰にともなって水車、石油発動機、

今も現役で稼働している水力利用の小型製茶機械（島田市内）

電気モーターなどが導入されていく。江戸時代以来の技術を応用した水車はとくに山間部の渓流沿いの茶工場で活躍したが、やがて電気の普及でモーターに置き換えられ姿を消した。わずかに一か所だけ、今は電力で動かしているが、水力利用の設備一式がそのまま残っている茶工場が浜松市天竜区の瀬尻にあって、美しい斜面の茶畑とともに観光にも貢献している。ところが、なんと今でも水車から動力をとり実際に製茶をしている茶工場が志太地区に残っていた。山からの湧水を高所のタンクに溜め、導水管を地下に引き込んで水車を回す。そこで生み出されたエネルギーが、梁に設置したプーリーとベルトを介して機械に伝達される。随所にかけられたベルト、一連の小型製茶機械、毎年の製茶時期をチョークで記した板壁、これらがくすんだ茶色を基調とする空間に並んでいる。昭和の旧態をそっくり残す、県内唯一、いや全国でも稀有な現役水車利用の茶工場であり、お茶王国静岡の歩みを語るかけがえのない産業遺産である。

　これを動かしているのは、ともに九十歳の御夫婦である。なんとしても稼働状態のまま次の世代に引き継げるよう、県と茶業界は、お茶王国の誇りにかけて積極的に後押しをしてほしい。かくいう私も及ばずながら微力を尽くすつもりだ＊。〈二〇一六・五・一〉

＊現地からの移転ではないが、ここで述べた水力使用のチャコーバを島田市のお茶の郷ミュージアム内に再現した。

37段　シェークスピアも家康も、ともに没後四百年

シェークスピアの「ヴェニスの商人」は、子どもの頃に絵本で見た。法廷で金貸しのシャイロックが手にナイフをもっている。その前に男装のポーシャが立っていて、借金のかわりに肉を切ってもよいが、血は一滴もとってはならぬ、と言う場面だ。その後の結婚指輪をめぐる喜劇は子どもの本では省略されていた。

今年二〇一六年はシェークスピア没後四百年である。昨年、徳川家康公四百年祭が行われたが、あれは年忌の数えかたなので、家康も没後四百年となる。シェークスピアは一六一六年四月二十三日に死去、和暦では元和二年三月八日、五十二歳だった。家康の命日は四月十七日だから、一か月余しか離れていない。だからといって何か歴史上の問題があるわけではないが、それぞれが地球の反対側で同じ時代を生きていたと知るだけで楽しい。

「ヴェニスの商人」の中で、友人バサーニオのためにシャイロックから借金をしたアントーニオーが、返済のあてにしていたのは自らが経営する貿易船の利益だった。劇中のセリフによると「トリポリスに一隻、西インドに一隻、（中略）、三隻目をメキシコに、四隻目はイングランドに出しているとか、

いや、そのほかにも、やたらにあちこちにばらまいているらしい」（福田恆存訳、新潮文庫版）という状態で、別な個所ではリスボン、バーバリ、インドという地名も出てくる。その船がすべて難破したと伝えられ、借金返済は不可能と思われたことから例の人肉裁裁判になるのだ。ときはまさに大航海時代、一六〇〇年にはイギリス東インド会社が設立されている。南蛮船は九州や堺だけでなく、三保の沖にも、神奈川県の浦賀にも来ている。家康は駿府からこうした情勢をにらんでいた。

家康の側近として仕えた英人ウイリアム・アダムズ（三浦按針）は、一五六四年生まれ、なんとシェークスピアと同じである。アダムズはスペインが落日に向かうことになる無敵艦隊撃滅の戦いにも参加し、のちオランダで活躍した。彼が日本に漂着したとき乗っていたのもオランダ船だった。アダムズは家康に仕える一方で東インド会社と雇用契約を結び、また自ら朱印船の船主としてベトナム方面にも渡航している。本国人との情報交換のなかで、同時代の劇作家の名前を知った可能性がないわけではない。当時大流行の出雲のお国の歌舞伎踊りを駿府城内で見ながら、アダムズがシェークスピアの人気ぶりを家康に語っていたなんていう妄想も、小説なら許されるだろう。

〈二〇一六・五・八〉

水路を行きかうゴンドラ
（イタリア・ベネチア（ヴェニス））

平成28年（2016）夏

雨桜神社流鏑馬。現在は不定期に行われる（掛川市下垂木）

馬上から天地四方を射る所作をする古式流鏑馬（富士宮市）

38段　古式の流鏑馬は戦闘集団の単位か

中央競馬に十六年ぶりに誕生した女性ジョッキー、藤田菜七子さんが、可愛すぎると評判だ。競馬といえば、相良の砂浜でも恒例の草競馬が先月開催されたが、競技としての競馬は西洋渡来である。しかし同じ漢字を「くらべうま」と読めば、日本で昔から行われていた神事となる。二頭の勝ち負けによって吉凶を占ったもので、馬とばし、などともいった。これがもとになり、疾駆する馬上から弓を射て的に当てるという矢馳馬《やばせうま》が始まり、鏑矢《かぶらや》を射ることから流鏑馬《やぶさめ》と書かれるようになった。

鎌倉時代、源頼朝は自らが好んだ巻狩りにふさわしい装束や、三か所に立てたヒノキ板の的を射るなど、関東の流鏑馬様式を整えさせた。やがて鉄砲の時代が来ると騎射は時代遅れとなり、流鏑馬は神社などで地域の安全、豊作を祈る神事として伝えられるのみになった。江戸時代、八代将軍吉宗は武士の剛毅な精神を取り戻そうと流鏑馬を再興し、旗本の小笠原氏がその方式を継承した。これが現在の小笠原流の流鏑馬である。

五月五の真夏を思わせるような晴天のもと、富士宮市の富士山本宮浅間大社で流鏑馬が行われた。柵の両側は見物人でぎっしり、いい写真を撮ろうと何時間も前から撮影スポットに陣取っていた人もいる。これはマスコミの季節ネタの定番だから、伝統の衣装をまとい見事に矢を放つ場面が各社の紙面を飾った。ただしこの小笠原流の流鏑馬は、日ごろから鍛錬を重ねている一門により、昭和二十九年から当社に奉納されるようになったものだ。

　マスコミ諸氏はあんまり関心がないらしいが、同じ馬場で午前中に行われる「古式流鏑馬」に注目してほしい。戦国時代、武田勝頼が流鏑馬維持費を以前のように保障すると記した文書があり、少なくとも四百年以上も前から続いてきた神事なのである。しかも、前日から関係者は身を清め、甘葛《あまずら》の煎じ汁をいただいたのち、端午の節句にふさわしく神前に供えておいたショウブとヨモギを襟にさして流鏑馬を行なう。平安時代の京都賀茂社の競馬でも、大量の菖蒲が用意されて馬場の御殿を葺いたり、騎手の鞭につけたりしたという。さて、拝礼後に馬場に出た射手は弓に矢をつがえて天地四方に向け、止まったまま的を射るのだが、かつては実際に走る馬の上から射ていた。今は五騎で行われるが、最盛期には十五騎が出た。記録によると、一騎は射手を含めた十人以上の小集団で構成されていた。この小集団はそもそも何の組織だったのだろうか。

　遠州にも湖西市の女河八幡宮や袋井市浅羽町の梅山八幡などに古風をとどめる流鏑馬がある。なかでも掛川市上垂木の雨桜神社に伝わる流鏑馬は、浅間大社とよく似たところがあってたいへん興味深い。同社は古くから雨乞いの神社として知られ、境内の桜の古木を揺すると雨に恵まれると伝えられ、水の神をまつる祇園祭が行われる六月（現在は七月）に、専用の馬場で七騎による流鏑馬が行われてきた。稚児がきらびやかな装束を着て馬上から的を射るもので、江戸時代から多くの観客を集める有名な祭りであった。

　雨桜神社の流鏑馬にはこんな由来が伝わっている。むかし、村の旧家でもと武士だった中村家の庭の大榎を伝わって、天から獅子が降りてきて麦を食い荒らした。困った中村家では周辺の村々に土着していたかつての仲間を集め、七人で力を合わせて獅子を退治した。この七騎が祭礼に際して流鏑馬を行なうことになったとされる。雨桜神社は、お供えや祭り組織に非常に古い形式を伝えているので、流鏑馬はそうした昔からの祭りに加え、戦乱の時代に村に住みついた武士たちによって導入されたのではないかと思われる。

江戸時代の記録では、流鏑馬一騎には、馬上から矢を射る稚児、馬を引く人、用具を持つ人など十人から二十人ほどの人手が必要で、一族や近所の人まで動員した。富士宮の浅間大社では一騎は十二人で構成されており、馬に乗る代官（射手）、槍持ち、草履取り、的持ち、馬の口取り、弓持ち、刀持ちという役があった。これは戦国時代の実際の戦闘単位を反映したものらしい。というのは、小田原北条氏の家来、岡本八郎左衛門が参加した元亀二（一五七一）年の閲兵式の記録を見ると、本人は立派な兜と具足を着用して騎乗し、徒歩の武者四人を従える。さらに旗や槍を持たせた足軽八人と従者二人がつく。これで主従合計一五人。まさに流鏑馬の一騎に相当する内容ではないか。

当時の武士は農村に住んでいて、戦時のみ武装し一族（血縁者）、郎党（従者）を引き連れて戦国大名の指揮下に入った。勝利すれば従来の権利を保障され恩賞として新たな土地の権利が与えられる。静岡市の安倍川流域の村々に、安倍七騎といわれた旧家がある。かれらは今川・武田・徳川の世を巧みに生き抜いたのだが、一騎それぞれの実態はこのようなものであったろう。古式流鏑馬は戦陣に向かう騎馬武者の、今風に言えば一セットの姿だった。〈二〇一六・五・一五、二二〉

39段　王国創世神話と現実の国造り

福井市内のすし屋で聞いた話である。夜、ある人が福井駅に着いたら、薄暗いベンチに座っている人がいる。なんでこんな時間に、と思って近づいたら、なんと白衣を着た恐竜が本を広げ、左手に頭蓋骨を持っているのだ。一瞬びっくりしたが、これは福井県が力を入れている恐竜の国づくり（これは私の勝手な命名）の一環だと、納得したそうだ。

ベンチで研究中の恐竜博士（福井駅構内で）

いま福井県勝山市にある恐竜博物館が大人気。幹線道路から少し入った丘陵に位置するので、休みのときなど、周辺道路が車で一杯になってしまい、あきらめて帰る人も少なくないという。先日訪れた時は平日だったのでゆったり見学できた。恐竜の卵を模したという銀色に輝く半球状の建物の内部に、恐竜骨格が並ぶだけでなく、精巧な恐竜ロボットが観客に向かって吠えたり、首を動かしたり、じつによくできている。もちろん科学的な説明や数多くの展示品も魅力的だし、迫力ある映像も臨場感があって面白い。この博物館は「かつやま恐竜の森」の一部で、周辺には森の中で実物大の動く恐竜に出会えるディノパークとか、体験型の恐竜発掘ランドなど、恐竜がらみのいろいろな施設があり、「恐竜溪谷ふくい勝山ジオパーク」の中核になっている。

福井県が恐竜の聖地となったのは、一九八二年に女子中学生が、手取層とよばれる古い地層から肉食恐竜の歯の化石を含んだ石を拾ったことがきっかけだった。その後、発掘のたびに大きな成果があがり、研究の視野は世界に広がって、展示内容も大いに充実した。

少女による劇的な発見は、恐竜王国の創世神話である。神話はやがて現実の世の中へとつながる。そして王宮（博物館）ではアイデアにあふれた宰相（プロデューサー）と優秀な家臣団（スタッフ）のもとに国力を強化し、今や学習と観光の場として日本中にその威名を轟かせるまでになった。国力拡大の戦略も一貫している。福井駅ビルの壁面には恐竜の絵が描かれ、駅前では巨大恐竜のレプリカが雄たけびをあげている。例の、ベンチに座る白衣の恐竜は、恐竜博士というらしいが、市民と暮らす恐竜一家の中の変わり者かも、なんて思ってしまう。これだけ徹底すれば、県民だれもが恐竜を共通の財産と考え、この資源を最大限に活用して王国のさらなる繁栄をめざそうと思うのではないか。

静岡県にも、花の都、お茶の都、食の都がある。都はそれを支える人民の共感のもとにそれぞれの王国の核となるのだが、王国の未来像がいまいち見えてこないのが残念だ。〈二〇一六・五・二九〉

40段　おもかる石で運勢を占う

沖縄県名護市は細長い沖縄本島のちょうど真ん中に位置する。米軍基地の移設で揺れる辺野古は東側の太平洋岸にあり、市の中心部がある名護湾沿いの地区は東シナ海に面している。
その名護湾には、ちょうど今頃になると近くにイルカの群れがやってくる。昭和五十年代まではサンゴ礁に囲まれた湾内に群れを追いこんで一斉に捕獲していた。イルカはコビレドンドウという大型の種類で、地元ではピトゥともヒートも呼ばれる。人々は春先になると船や銛の手入れをしながら、ピトゥが来たぞという声が響きわたるのを心待ちにした。ピトゥをリーフの内側に追い込むと、かつては町長の合図で銛を持った人々が一斉に海に入り、壮絶な格闘を展開した。肉は仲間内で配分する。この大イベントをピトゥ狩りといった。

今年もピトゥが来るだろうか、これは住民にとっての最大の関心事だから、沖縄独特の女性神職であるノロに、ピトゥが来てくれるように祈ってもらった。これをピトゥ御願《ウガン》という。湾に面した集落の一つ、数久田《すくた》では、海を見下ろす位置に御願所があり、そこにビジュル石という丸みを帯びた一抱えほどの石がまつられている。ピトゥ狩りの季節が近づくと、この石を持ち上げてみて、軽く感じればピトゥが来る、重いときは来ない、という占いをした。ビジュルとは十六羅漢の筆頭、賓頭盧《びんずる》尊者のことで、沖縄各地では津波などで流されてきた不思議な石を賓頭盧尊者になずらえていろんな願を掛けた。賓頭盧尊者の木像は静岡県内でも多くの寺に安置され、参拝者が自分の身体の不調な個所と同じところをなでて平癒を祈る。いつも頭をなでられる木像はピカピカ頭になる。これがびんづる頭の由来だ。

ビジュル石のように、持ち上げた時の感覚で願い事が叶うかどうかを占う習慣は、全国に見られる。浜松市の細江町には「おもかる大師」という石像があるそうだし、滋賀県の彦根城入り口にある地蔵堂にも、さまざまな念を受け止めて表面が光った石が座布団の上に鎮座している。ミャンマーでも、黄金に輝く巨大なパゴダで有名なシュエダゴン寺院の一角に「おもかる石」があり、年輩の女性が一心に祈りながら持ち上げているのを見たことがある。石の重さをどう感じるかは、持ち上げる前の本人の予測次第、だから心の中にすでにある結論の再確認ではないか、なんていう皮肉は言わないとしよう。

〈二〇一六・六・五〉

41段　早朝に響いた納豆売りの声

　意外にも中国で納豆が人気だそうだ。以前、中国人留学生に苦手な日本の食べ物は何かと尋ねたら、ほとんどが納豆だと答えた。そこで次の授業に人数分の納豆を準備して、さあ、食べて見なさいと押し付けたことがある。ひどく不評だったことはいうまでもない。

　それが、いまでは健康によいといって需要が高まり、日本産だけでなく現地企業も製造に参入しているという。食の好みを左右する大きな要素の一つはその臭いだ。うまそうに見えても、いやな臭いだと思えば、食欲はなくなるが、逆に慣れてしまえば「はまる」ことになる。中国人も納豆にはまりつつあるということなのだろう。健康志向は国と民族を超える、現代の普遍的価値観になっている。ところが、現地生産品には、全く粘らないなど「納豆もどき」のようなものも出回っているので、日本納豆としての品質を守るために国際規格を定めようという動きがあるらしい。

自家製を街頭で売るミャンマーの納豆（カチン州のミッチナで）

現在売られている納豆は小さなカップか発泡スチロールの容器に入ったものがほとんどだが、以前は経木《きょうぎ》で三角形に包まれていた。早朝、「ナーット、ナット、ナットー」という声が聞こてくる。呼びとめて「三つちょうだい」なんていうと、まっ黄色な辛子を経木の隙間にたっぷり入れてくれたものだ。少年雑誌の漫画にも、主人公が納豆売りをしながら家計を助けていた場面があったが、これは細長く藁に包んだタイプで、東京人にはこの型が一般的らしい。

ミャンマーにも納豆がある。中部のカローという高原地帯で、朝の散歩をしていたら頭に籠をのせた女性が「ペーポー、ペーポー」と言いながらやってきた。籠の中を見せてもらったら大きな木の葉の上に納豆のかたまりが載っている。大豆を茹でてバナナなどの葉に包んでおくと、自然に発酵してネバネバが生じ、独特の臭いも出てくる。ペーポーはミャンマー語で納豆の意味だった。ふと子どもの頃を思い出したものだ。

私が親しんできたのは糸引き納豆で、いわゆる納豆菌によって発酵させたものだが、浜松にはむかしから有名な大福寺納豆という名物がある。三ケ日町の大福寺で作られ、浜納豆とも呼ばれる。各地のお寺で作られるこのタイプは別名寺納豆ともいい、発酵には麹菌が使われる。堅くしまって塩辛いけれど、アツアツのご飯にはよくあう。甘納豆という菓子があるが、あれは老舗菓子店の店主がハマナットウのハマをもじってアマナットウとしたのだそうだ。もちろん甘納豆は発酵食品ではない。

〈二〇一六・六・五〉

42段　おしゃれなまちと日本海海戦の英雄

思えばずいぶん昔のことだが、大学受験の前日、福岡県の受験生と相部屋になった。ホテルの個室なんて想像もできなかった時代だ。互いに地元のことを語り合ったなかで、いちばん印象的だったのは、彼の祖父だったか、近所の老人だったかは忘れたが、日露戦争の最大のヤマ場、日本海海戦が沖合で展開されていた時、双方が撃ち合う大砲の音が陸上まで響くのを聞いていたそうだという話だった。海戦は一九〇五年五月末だから、確かに、祖父母が生きていた時代のことである。戦闘を指揮した東郷平八郎は、世界でもっとも有名な日本人となり、輸出用の茶箱のラベルにも肖像が描かれたほどだが、もちろんこの大提督と静岡茶とは関係がない。

東郷は昭和九（一九三四）年に東京で死去、遺徳をしのぶ東郷神社が昭和十五年に創建された。場所は明治神宮に近い旧鳥取藩主の屋敷跡で、現在の地名は神宮前である。最寄駅は山手線原宿駅だが、周辺には謹厳な東郷平八郎のイメージとは真逆な雰囲気がみなぎっている。神社のすぐ下がファッションのまち、竹下通りで、若い人たちで大賑わいなのだ。この地区をおしゃれなまちとして世に出した雑誌、

『アンアン』『ノンノ』にちなむアンノン族が一九七〇年代からこのあたりを闊歩したからだが、アンノン族が死語になった今でもなかなかの人出で、おじさんの一人歩きにはちょっと勇気がいる。しかし東郷神社の境内に通じる階段には神社名を記した派手なのぼりが林立し、社務所では日本海海戦の圧勝にちなんだ勝利のお守りが売られているのは、なかなか抜け目のない運営方針と見える。

原宿から遠くない市ヶ谷駅近くには東郷元帥記念公園がある。こちらは、東郷が明治十四年以来住んでいた屋敷の隣接地で、元帥の没後に記念会から寄付された土地をもとに開園したのが始まりだという。園内を歩いていたら、一抱えほどの石の脇に、千代田区有形民俗文化財「力石」という看板があるのが目に入った。力石とは、かつての若者組（のちの青年団に相当する）の仲間が互いに持ち上げては力自慢をしあったもので、全国に見られる。石には五十七貫目（約二百十三キロ）と彫ってあるが、区で実際に計量してみたら実は百四十六キロだったと、ちょっと興ざめな解説が書かれている。どこの村で使われていたものかは分からないそうだが、東京の真ん中にも、全国の農村と共通する暮らしがあったことがわかる。東京は一口では語り切れない、渾然とした空間なのである。〈二〇一六・六・一九〉

43段　熊の手には不思議な力がある

静岡駅前から車で安倍川沿いに北上して三十分ほどのところに牛妻という古い集落がある。道路脇の「不動の滝」という標示に従って渓流沿いの道を歩くと、杉木立の向こうに二段になった滝が見えてくる。高さ十二㍍、夏にはもってこいの涼み場所だ。ところが、眼前にいかにも恐ろしげな「熊出没注意」という看板がある。東北では至る所にこうした看板があるけれど、こんな身近にもと思うと、ちょっと腰が引けてしまった。

最近、熊をめぐるニュースがやたらに多い。ついに「人食い熊」まで登場した。北海道のヒグマの恐ろしさはよく知られているが、里山に出没するツキノワグマについては、何となく愛嬌のある存在というイメージが強い。なにより「くまモン」という超人気者がいる。じつは九州の熊は絶滅したと考えられ、静岡県内でも、伊豆半島では明治末年頃に最後の一頭が捕られたとされる。しかし、南アルプスとつながっている静岡市から遠州山間部にかけては、かなりの数がいるらしい。

熊の出没を告げる看板（静岡市葵区牛妻）

熊を狙う猟師のお目当ては、熊の胃（じつは胆嚢）で、金と同じ価格だ、といわれたほどである。旧城西村（浜松市天竜区）には、こんな伝説がある。

むかし、猟師が獲物を求めて山奥に入ったところ吹雪になってしまった。途方にくれてさらに山奥に行くと一つの洞穴があった。中に入ると親熊と二匹の小熊がいたが、熊は害を加えることはなく、猟師は雪が止むまで待つことにした。その間、猟師が腹が減ると親熊は手を差し出してなめさせてくれた。とても良い味がした。三、四日すると雪が止んだので、猟師は熊にお礼を言って家に帰った。このことを友人に話したところ、それはよい金になる、そこに案内しろと言う。命の恩人を殺すことはできないといって断ったのだが、獣だからいいじゃないかという友人に負け、二人で出かけて親子三頭を撃ち殺してしまった。猟師が、これをなめさせてくれたのだといって親熊の手を持とうとすると、死んでいるはずの熊が猟師の喉笛にかみついて殺してしまった（『静岡県伝説昔話集』）。

冬籠りの穴を掘るために熊の爪は強靭である。お産に際して熊の手でおなかをさすると安産するといわれ、水窪町の助産婦さんは乾燥させた熊の手を受け継いでいる。裾野市では、子どもの夜泣き封じには熊の手を枕の下におくとよいといった。中華料理で熊の手が超高級料理とされる理由と、どこかでつながるのだろうか。〈二〇一六・六・二六〉

44段　明治のトンネルの「穴賃」は六厘

どこかの古いお屋敷にまぎれこんだような気がしませんか。レトロな電灯に照らされたドーム型の天井はレンガで覆われ、広い室内の向こうには半円形のおしゃれな窓越しに庭園らしき緑が見える。これ、じつは登録有形文化財「明治宇津ノ谷隧道」、通称「明治のトンネル」の内部なのです。庭のように見えたのは隧道《ずいどう》の出口。ヒンヤリとした空気に満たされた内部は暑さしのぎには絶好の空間です。この夏は無料で楽しめる隧道（古風な言い方がまた楽しい）歩きをお勧めします。せっかくですから宇津ノ谷

内部にレンガをまいた明治のトンネル
（静岡市駿河区宇津ノ谷）

の古い町並みを散策し、厄除けの十団子で知られる慶竜寺にも参拝、というコースはいかがでしょうか。

東海道の難所といわれた宇津ノ谷峠にトンネルが開通したのは明治九（一八七六）年。山道の上り下りという難儀が軽減され、明治新時代のありがたさが実感されることになった。トンネルの長さは六八丈二尺（二百メートル余）、あわせて取り付け道路も整備された。宇津ノ谷側、岡部側と両方から始まった掘削工事だったが、なぜか予定の長さを掘り進んでも出会えなかった。当時の測量技術が未熟だったためとされるが、すれ違ってしまうことを避けるために、わざと食い違うようにしたともいわれる（『東海道宇津ノ谷峠』）。総工費は約二万五千円、その六割以上は地元の有力者七人による結社（出資組合）が負担した。そのかわり通行料を徴収し、毎年千四、五百円くらいの収入があったという。当時は橋なども地元負担で架けて通行料をとったことが多い。それを橋賃といった。ではトンネルの通行料金はなんといったのか。旧制静岡中学校の生徒が実家の掛川に往復したとき、ここを通ったのだが、その日記に「ウツノヤ穴賃」と書いてあった。最初はなんのことかわからなかったが、なるほど、感覚的によくわかる表現だ。ちなみに初期の料金は、人が六厘、大荷車が三銭二厘だった。

ところが、明治二十二年に東海道線が全通したことで荷物の往来が激減し、結社の経営は苦しくなった。おまけに同三十二年に照明用カンテラの失火によりトンネル内の壁を支えていた枠材が燃えて通行できなくなった。そこで内部にレンガを巻くなどの改修工事が行われて明治三十七（一九〇四）年に再開通した。これが今の「明治のトンネル」である。その後、昭和五年に「昭和のトンネル（着工は大正十五年）」が開通、さらに同三十四年に、そこより平坦な場所に昭和第二トンネルが完成、現在はその脇に平成のトンネルが設けられている。宇津ノ谷峠は一世紀をかけて進化してきたトンネルの展示場ともいえよう。〈二〇一六・七・三〉

45段　戦国大名たちの夢の跡

テレビＣＭで人気の白い犬のお父さん、初めて登場したときにはあまりの荒唐無稽さにびっくりしたが、今では不思議に違和感がない。あえてＣＭに乗せられていえば、都会で暮らすお父さんの実家は、福井県の一乗谷だそうだ。ここは戦国大名朝倉氏の本拠地で、朝倉氏は時代の先端をいく法令を出すなど、北陸の雄として強大な勢力を誇ったが、一五七三年、織田信長によって滅ばされた。焼失した館や城下町は土中に埋没していたが、大規模な発掘によって繁栄時の状況が明らかになり、戦国期の絵画などを参考に当時の町並みが復元されて歴史観光の場として賑わっている。

遺跡を見たあと、近くの蕎麦屋に入ったら、入り口にあの白い犬の写真が置いてある。偶然にも、例のCMのバージョンの一つで、お父さんが実家に里帰りをするという想定の撮影現場となった古民家だった。地元はロケを大歓迎したらしい。朝倉館の脇の道の、あの椿の花の下で吉永小百合さんが電話するシーンを撮影したとか、早くも有名人にまつわる伝説が生れつつある。ここは公的な施設だから、正規のガイドブックに企業のPRになるようなことは載せにくいが、熱心なボランティアの説明の中では観光客がいっせいにうなずく話題として活用されている。ちょっと硬い雰囲気の遺跡見学に、思わぬ魅力が加わった。

　戦国の世に滅び去った大名といえば、われらの今川氏が筆頭格だ。本拠地は、東の小京都ともいわれた駿府（静岡市）であるが、それ以前、あるいは並行して重要な拠点とされていたのが、藤枝市北部の葉梨川上流域である。川沿いの平坦部には多くの寺院が建立され、防衛のための花倉城が築かれた。また、あちこちに家臣団の存在をうかがわせる松井屋敷、矢部屋敷、左近屋敷などの地名が残り、市場と呼ばれる場所も二つある。町屋の存在は確認できないが、この空間に今川氏の城下町があったことは間違いない。そういえば、朝倉氏の城下町も、一乗谷川を挟んだ細長い地域に展開しており、居館の背後には山城があった。城下町の入り口を示す城戸《きど》の巨大な石組が今も残っている。葉梨ではそこまでの遺構は見つかっていないが、伝承や古地図を確認しながら詳細な調査を行なえば新たな発見があるかもしれない。葉梨地区に限らず、駿河・遠江全域にわたって山城や古い寺院、中世芸能などの所在地を結び合わせ、失われた今川王国を再現してみたいものだ。〈二〇一六・七・一〇〉

46段　台湾南部紀行

〈大航海時代、日本人の国際結婚〉

茶文化研究の仲間と台湾の南部に行ってきた。やっぱり暑い。最初に降り立った高雄は、すでに北回帰線の南側、つまり熱帯に属するのだから、当然ではある。台湾といえば、バナナだ。最近はお座敷芸にまで昇格してしまったバナナのたたき売りの口上は、戦前まで日本の植民地であった台湾から安価に入ってきたバナナがあってこそだった。ところが最近身の回りにあるのはフィリッピン産などが多い。台湾バナナのねっとりとした深みのある味わいは、たたき売りレベルをはるかに超えてしまった貴重品になっている。

台湾という地名の由来ははっきりしない。この九州ほどの大きさで、柿の種のような形の島が台湾といわれたのは中国の清朝時代からで、日本人の間では古くは高山国あるいは高砂国と呼ばれていた。欧米人はフォルモサといった。海上からこの島を見たポルトガル人がフォルモサ（美しい）といったことによる。実際、長い航海の果てに眼前に緑したたる島影を発見したときには、こんな感慨が浮かんだのではあるまいか。

高雄の北四十キロほどに台南市がある。ここは台湾でもっとも早く開発されたところで、鎖国前の日本からも多くの商船が訪れ、銅や鉄を売り、中国産の生糸や武具作りに欠かせない鹿革を購入していた。

貿易の覇権をめぐって日本、ポルトガル、スペイン、オランダなどの間で激しい争いが展開されたが、日本はまもなく鎖国の時代に入ってしまう。

その頃、大活躍したのが明の鄭芝龍と日本人女性との間に生まれた鄭成功である。清によって滅ぼされた明王朝の再興を願い、江戸幕府にも何回か援軍の依頼をし幕閣でも検討されたようだが、願いはかなわなかった。そんなゆかりもあって、彼を主人公とした近松門左衛門の「国性爺合戦」は好評を博した。なかでも虎退治の場面が人気を呼び、竹林から現れた虎を少年国性爺が見事おさえるという虎舞

上 / オランダの拠点跡地に建てられた鄭成功の像（台南市赤嵌城で）
中 / 旧嘉義神社の社務所と祈願札（嘉義市内）
下 / 高級茶の産地は日本の中山間地の風景を思わせる（阿里山）

として、岩手県から四国に至る太平洋岸に分布し、南伊豆町の小稲では八月に演じられる。

戦国時代から鎖国に至るまで、日本にやってきた外国人との間に生まれた子どもは大勢いただろう。家康の外交顧問だったイギリス人三浦按針は、姓の由来ともなった神奈川県の三浦に日本人妻をもち、子どものジョセフはのちに二代目三浦按針を名乗った。市川雷蔵の当たり役、ニヒルな剣士眠狂四郎（原作柴田錬三郎）は、ころびバテレン（改宗した外国人宣教師）と日本人との混血とされるのだが、ありそうな話にも思えてくる。

〈台湾の若者に大人気の和風建築〉

常葉菊川高校の甲子園出場が決まった。頑張ってほしい。昨年公開の台湾映画「ＫＡＮＯ　１９３１　海の向こうの甲子園」は、ＫＡＮＯ（嘉農＝嘉義農林学校）の野球部が日本人監督のもと、民族を超えた団結力によって甲子園準優勝を勝ち取ったという実話である。台湾でも大ヒット、南部の重要都市嘉義の駅前ロータリー中央には、金色に輝くピッチャーの像が建てられ、その台座には「棒球源郷在嘉義」すなわち嘉義は野球の源境であると書かれている。嘉義はヒノキなど木材の産出で有名で、かつては多くの日本人が住んでいた。戦後、彼らの宿舎だった二十八棟の和風木造家屋が荒れ果てていたのを、嘉義市が十数億円を投じて整備し、二〇〇五年に「檜意森活村」を開園した。外観はそのままに食堂や土産物売り場に転用され、夏に欠かせない「氷」の幟がはためく。ＫＡＮＯのロケに使われたこともあり、とくに若者に人気のスポットになっている。

嘉義にはほぼ原形のまま残っている和風建築がもう一棟ある。旧嘉義神社の社務所だ。日清戦争の結果、日本の植民地となった台湾には内地と同様な形式で、鎮座地の地名を冠した神社が次々と造営された。これらは戦後取り壊されたが、ここでは社務所と参道、狛犬が木立の中に違和感なく納まっていて、建物は史蹟資料館として公開されている。しかも門には注連縄が張られ、絵馬掛けには健康を祈願する札がかかっていた。そもそも、この場所は台湾原住民の祭壇があった聖地だった。現在、かつての嘉義神社本殿跡地には、芸術センターと展望台を兼ねた高さ六十二メートルもある射日塔という近代的なビルが建っているのだが、「射日」は、こんな神話に基づいている。

むかし、天空には太陽が二つあった。そのため昼夜の区分はなく、人びとは大いに苦しんだ。そこで三人の勇士が太陽の一つを射落とすために旅に出た。長年の旅の果てに三人は死んでしまったが、息子たちが親の遺志を継ぎ、とうとう大きい方の太陽を弓矢で射落とすことができた。その結果、落とされた太陽は月となり、世の中に昼夜の区分ができた。

射日塔の前には狛犬と同じ配置で二匹の雲豹《ウンピョウ》、別名台湾トラの像がある。しかも狛犬と同様に、阿吽《あうん》の形をとっている。狛犬の原型はライオンで、仏教とともにアジア各地に広がったが、ここは仏教とは無縁の原住民の信仰をもとにした施設だ。同じ場所に異なった信仰が幾重にも重なりあった不思議な空間である。

〈日本の植民地経営と巨大ダムの恩恵〉

台湾を日本が統治していた時代、台湾総督のもとにさまざまな分野の専門家が集められ、台湾の民政や産業振興に関わった。世界の植民地獲得競争に遅れて参戦した日本は、台湾経営が西欧諸国から見下されないよう気を配ったといわれる。もちろんここで生み出される富は、最終的には内地に送られるものではあったが、直接ことに当たった官僚や技術者のなかには、今日に至るまでその業績が高く評価されている人が少なくない。とくに、烏山頭《うさんとう》ダムの建設を推進した土木技師、八田與一に寄せられる敬意はまさに別格だ。台南市内から車で三十分足らず、公称一億四千万トン（現在は八千万トンという）の水を湛える水庫（ダム）は、複雑に屈曲した碧い湖面近くまで木々がしげり、その美しさから珊瑚潭ともよばれる。ダム建設の背景にはこんな物語がある。

台湾の南部、十五万平方メートルに及ぶ嘉南平野は水に恵まれず、わずかな水を足踏み水車でくみ上げるような貧しい農村地帯であった。もし、ここに水が供給されれば、やせた土地は一転豊饒な耕地へと変わる。八田は、常識を超える巨大ダムと水利網建設を企画した。大型土木機械や土砂運搬のための蒸気機関車などを使用した大工事は、着工から十年を経て昭和五（一九三〇）年に完成する。この水を最大限に利用するため考えられたのが、三年単位の輪作だった。一年目は水稲、二年目は甘藷、三年目は給水無しで雑穀を作るという組み合わせである。いま台湾西岸を走る高速道路の両側には、その恩恵を受けた緑の耕地が一面に広がり、点々と日本向けのウナギ養殖場なども見える。

当時、五千四百万円にのぼった工事費は政府と受益者である農民が半分ずつ負担した。そのためもあり、現在もダムと水利は農民たちが結成した組合が管理している。建設の歴史を物語る写真パネルの前で、前組合長の徐金錫さんが八田の業績を熱く語ってくれた。目下、ダムをユネスコ世界文化遺産に登録申請しようという運動をしているとのことだった。

ダム完成後の昭和十七年五月、八田はフィリピンに綿作灌漑事業の指導に赴く途中、乗船が撃沈され、五十六歳で亡くなった。妻の外代樹《とよき》は戦後、ダムの放水口に身を投げ夫の後を追った。いま、八田と技術者たちが暮らした日本家屋が八田の郷里である金沢の職人の協力を得て復元され、八田邸の庭には赤ん坊を抱いた外代樹の像が建っている。

〈茶文化に見える台湾の複雑な歴史のこと〉

台湾でもっとも美味しいお茶は、阿里山《ありさん》高山茶だとされる。ほのかな甘み、独特の香りが愛好家を魅了し、偽物が出回るほどの人気だ。ただし阿里山という山はない。台湾でいちばん高い玉山（三九五二㍍）近くの山々の総称である。ちなみに、真珠湾攻撃命令となった「ニイタカヤマノボレ」の新高山は、この玉山の日本名である。一帯は阿里山森林遊楽区に指定され、休日には豊かな自然を求める人々が押し寄せる台湾の人気観光スポットになっている。

高山茶を名乗るには標高千㍍以上の高所で作られることが条件だ。阿里山茶作りの名人、羅志松さんが住む太和という集落も、標高千三百㍍を超えている。周囲の斜面は一面の茶畑、もちろん手摘みである。遠くに玉山の頂が見え、空には薄い虹色に輝く彩雲があった。

世界最高といわれるウーロン茶を作る台湾だが、産業としての茶の歴史は古くない。十七世紀以降、主として福建省から移住してきた人々が持参した茶の苗を増やしていったとされ、できた茶は大陸に運んで仕上げていた（谷本陽三『中国茶の魅力』）。やがて日本統治が始まると、砂糖、バナナ、樟脳（楠から製造）などとともに茶は台湾の重要産業に位置付けられ、アメリカにも大量に輸出された。しかし敗戦とともに茶業は衰退、あらためて品種改良や製造法の研究が進められ、高級ブランド化に成功したのである。

　茶工場の庭先に直射日光を避ける覆いがある。その下に摘んだばかりの茶葉をしばらく広げてから、二十一度に保たれている室内で丸いザルに移して棚に並べる。この萎凋《いちょう》という工程で独特の香りが形成される。ザルはガランと呼ぶので、どんな漢字をあてるのかと質問したら、お茶に詳しい中国語通訳も「わかりません。ガランは台湾語です」という。台湾語とは、かつて高砂族といわれていた先住民の言葉なのだろうか。いや、そうではない。大陸南部から移住してきた人々の言葉が日常語として変化したもので、日本語の単語も混入している。表記する時は漢字とアルファベットを混ぜるそうだ。

　旅の最後に昨年開館したばかりの故宮南院に行った。南部地域の振興のため、台北にある故宮博物院の分院として設けられたもので、展示テーマの一つが日中の茶文化である。ここで日中とは、台湾・中国・日本を意味する。先日、蔡英文総統は、台湾の先住民に対し、過去四百年にわたる不当な差別を謝罪し、自治や言語保護のための法案を制定すると発表した。台湾には異質な過去が幾重にも積み重なっている。〈二〇一六・七・二四～八・一四〉

47段　国際化をめざすかんなみ猫おどり

江戸時代は天保の頃の話だそうだ。函南町軽井沢の藤蔵さんが隣村に行った帰り道、藪の中から妙な話し声が聞こえてきた。

「トラもミケもクロも、みんな揃ったようだ」

「シロ、お前笛を吹け」

「夕飯に熱いオジヤを食わされて舌をやけどしたから今夜は吹けない」

「しょうがないな、それじゃお開きにしよう」

などと言っている。家に帰ってよく考えてみると、みんな猫の名前だ。女房に、「うちのシロに何を食わせた」と聞くと、晩飯の残りのオジヤだという。藤蔵さんは、とんだ化け猫を飼ってしまった、なんとか追い払ってしまおうと思った。女房が「あんたの藪の中の話が本当なら、シロは人間の言葉がわかるはず」と言う。そこでシロに向かい「夜更けに笛を吹いたり踊ったりする猫を飼うわけにはいかない」と言った。その日の夕方、シロは姿を消したという（『伊豆の民話集』より）。

村はずれで猫が踊るとか、人語を聞き分けて飼い主の恩に報いたという話は全国にあるし、殿様を落雷の危機から救った猫は、あの彦根の大スター「ひこにゃん」になっている。軽井沢のシロの話で町おこしを、と企画されたのが「かんなみ猫おどり」だ。参加者が思い思いの猫顔になって猫おどりを踊り、

猫おどり海上でのペイントサービス（函南町）

もう二十九回目になった。八月七日の日曜日、函南中学校グランドの会場をのぞいてみた。木彫りの猫を安置した神輿の脇のテントでは猫顔のペイントをしてくれる。ヒゲ三本の単純なものから白塗りの完璧な猫まで、化け方はさまざまだ。夕方近くなっても肌がジリジリするような強い日差しの中をいろんな猫が集まってくる。

この猫おどりは、いま国際化をめざしている。昨年、有志二十人ほどが、ベルギーのイーペルという町の猫祭りに参加してきた。織物業が盛んだったイーペルではネズミ対策にたくさんの猫が飼われていたが、ペストが大流行したとき、町の人は魔女の仕業だと考え、魔女の使いとされる黒猫をつかまえて、呪いを解くために町の塔の上から投げ落とした。これが年中行事化して十九世紀初めまで受け継がれてきた。こうした歴史を踏まえ、今から八十年ほど前に、本物のかわりにぬいぐるみの猫を落とすという祭りとして復活し、世界中から猫好きが集まるようになったそうだ。

ベルギー行に参加した一人、杉山サヨリさんによると、向こうではパレード形式が中心なので、実際に踊りをする函南町の猫おどりは大好評だったという。函南猫おどりは来年で三〇回目となる。できれば世界中から猫を呼びたい、と実行委員会は考えている。〈二〇一六・八・二一〉

48段　なんだか恐ろしい気がするポケモンＧＯ

　ポケモンＧＯが世界的大流行になっている。配信当初のマスコミの熱狂ぶりはすごかったが、このごろ落ち着いてきたのは、もうすっかり定着したという証拠なのだろう。

　このあいだ、久しぶりに三保の松原に行った。なにせ世界文化遺産だから、なかなかの人出だが、松どころか、みんなスマホをのぞいていて、景色を見ている人など、ほんの一握りだった。両親がそれぞれスマホを持ち、子どもが後ろからついて行く。ポケモン捕獲を親子の会話の種にしたいのか、親が子どもそっちのけで勝手にやっているのか、どっちでもいいけど、なんだか変だ。ポケモンをゲットした後に、このゲームの本当の面白さがあるらしいが、その前に、夢中で捕獲に取り組んでいる光景は、いささか空恐ろしい。

　ドイツの有名な民話を思い出す。ハーメルンの笛吹き男である。ハーメルンという町にネズミが大発生して住民が困っていたところ、色どりあざやかな服を着た男が現われ、報酬をくれるならネズミを追い払ってやると申し出たので、町の人は男にお願いした。男が笛を吹くと、町中のネズミが出てきて男の後について川に行き、みんな溺れ死んだ。ところが町の人は約束を無視して報酬を払わない。男はいったん姿を消したが、再び現れて笛を吹くと、今度は町の子どもたちがみんな家から出てきて男の後について行ってしまった。子どもたちは洞窟に閉じ込められたとも、五体ばらばらにされたともいうらしい。

どこそこに行けば、珍しいポケモンがゲットできるという情報が飛び交っていて、そういう所にはわんさと人が集まる。これを被災地の復興に役立てようという計画もあると聞く。被災地復興、過疎地への誘導、それは目的としては悪くないが、逆の利用法もあることを忘れてはいけないだろう。現に、外食チェーンは自分たちの店に客が集まるような仕掛けをすると報じられている。ドイツの笛吹男の話は十三世紀のことだが、現在はスマホの中から、呼び寄せの笛の音が聞こえてくる。

ロシアのプーチン大統領は、これはアメリカが軍事機密を得ようとする陰謀だといって非難している。独裁的な政治家が、こんなことをいうのは、逆にポケモンGO、あるいは類似の仕組みに大変な魅力を感じとっているからに違いない。つまり、権力者にとって、「使える」ツールだということなのだ。世界中の若者が、みんな下を向いて歩いていく、その行きつく先は、大きな川か、出口のない洞窟か。

〈二〇一六・八・二八〉

49段　ミャンマーの仏教遺跡と地震被害のこと

ミャンマーでM六・八という地震が起きた（二〇一六年八月二十四日）。同時に報じられたイタリアのアマトリーチェほどの人的被害がなかったせいか、マスコミの続報もきわめて少ない。しかし荒野に三千ものパゴダや寺院が林立するバガンの世界的な仏教遺跡が被害を受けたとあれば、何度も訪れたことがある私にとっては他人ごとのようには思えない。ミャンマーでのお茶の調査にいつも同行しても

バガンの仏教遺跡（ミャンマー）

らっているオン・ニュンさんに電話してみたら、彼が住んでいるマンダレーも大きく揺れたとのことだったが、ネット上でこんな話が飛び交っていると教えてくれた。

　バガンでは一九七五年にも大地震があって仏塔群が大きな被害を受け、当時の軍事政権が修復を行なった。ところが今回の地震では古代の創建時の部分は傷んでいないのに、その新しい修復個所が壊れてしまった。しかも、鉄筋コンクリートで補修してあるはずが、一部から鉄筋ではなく塩化ビニールパイプが出てきたというのだ。

　バガンは今から千年ほど前にビルマ族の統一王権として成立したバガン朝の本拠地である。内陸交通の大動脈、イラワジ（エーヤーワーディ）河に沿い、かつては緑も豊かであったが、今では土ほこりが舞いあがる乾燥地帯になっている。すでに崩壊しかけた建物もあるが、内部に仏像が安置され、美しい壁画が残っている寺院も少なくない。ユネスコは早くから壁画などの補修を行っており、世界遺産への登録を期待していた＊。そこに新政権が誕生し、ようやく登録準備が進められようとしている矢先に起きた地震だった。遺跡の復旧について、アウン・サン・スー・チー国家顧問は、ユネスコの専門家とともに計画的に行うべきで、性急にやらないほうがよいと言ったと報じられている。これは重要な指摘だと思う。

というのは、私たちは勝手に「遺跡」と呼んでいるけれど、これらの仏塔や寺院は、現在も多くの人々が信仰を寄せている、いわば生きている空間である。ここに限らずミャンマー国内には、朽ちかけた仏教建築や仏像がたくさんあるが、修復方法は乱暴で、セメントを貼り付け、きれいな色を塗ってしまうことが多い。私たちからいえば、とんでもないことに見えるが、それはあつい信仰心から出たものだから非難はできない。とはいえ、同時に数百年を経てきた貴重な文化財でもあるという認識はぜひ持ってほしい。こういう場面で日本の文化財保護の考えや修復技術がおおいに役立つと思われる。

〈二〇一六・九・二八〉

＊二〇一九年に「バガン」の名称で正式登録された。

50段　埋められ、掘り出される駿府城天守台跡のこと

駿府城天守台の発掘作業が四年計画で始まった。静岡市はその過程を広く公開することで市民の歴史意識高揚や観光にも役立てようとしている。徳川家康によって築かれた駿府城天守は一六三五年に焼失したが、土台である天守台だけは明治になってもその姿を留めていた。それがなぜ、完全に取り壊されて更地になっていたのだろうか。

明治二年（一八六九）年、版籍奉還によって全国各地の城郭は国の所管となったが、政府はとくに保存すべきもの以外は廃城とした。幸い駿府城（当時の正式呼称は静岡城）は保存対象となったものの、

三の丸（外堀の内側で市立葵小学校などがある）の大部分は麦畑、茶畑で、信じがたいけれど乳牛の放牧場もあり、本丸と二の丸（現在の駿府城公園）は雑草が生えるにまかされていた。その後、政府は全国の残りの諸城も廃城として、旧藩主、県、市などに払い下げることにした。明治二十二年、成立したばかりの静岡市は、わが市の今あるは、まさにこの城の存在のおかげであり、「市民の静岡城における感情は最も深い」という理由で払下げを希望、費用は本丸と二の丸をあわせて当時のお金で一万円余、その八割ほどを市債を発行して賄った。市民の城に寄せる愛着の深さだろうか。だが、せっかく市有地となった城跡は相変わらず利用されないまま小作に出されていた。

日清戦争勝利後、陸軍増強の流れの中で静岡市に連隊を設置するらしいと聞いた静岡市は、これを地域振興の絶好機ととらえた。連隊は兵士二千人ほどで編制されるから、消費人口が一挙に増えるだけでなく、面会に来る家族が落とす金もばかにならない。市は駿府城本丸と二の丸を陸軍省に献納し連隊誘致に成功した。明治二十九年のことである。諸施設建設のため、天守台の取り崩しと本丸堀（内堀）の埋め立てが行われた。埋め立てに必要な土砂は本丸の土手、天守台のものを使用し、余った土砂は練兵場の盛り土などに使用した。のべ約二万人（日当は二十銭）が作業に従事したという。この時に明らかになった天守台の築き方は、巨大な石を表裏二重に積み、その隙間に小石を入れて非常に堅固なものだったという（旧版静岡市史）。作業は、土石を堀にどんどん投げ入れるという荒っぽいものだったらしい。翌年に連隊が発足、「風静かなる静岡も治に居て乱を忘れじと、ここに戍《まも》りを置《おか》れたる、是ぞ三十四聯隊」という歓迎歌もできた。戦後、跡地は学校、駿府会館、公園と変遷した。堀を埋め、また発掘する、い

ずれも時代をにらんだ静岡市（市民）の意思による。〈二〇一六・九・二八〉

＊天守台発掘の過程で、規模の大きさ、未知の天守台跡と金箔瓦などの発見が相次ぎ、全国的に注目されている。ＮＨＫ総合歴史秘話ヒストリア「駿府城大発掘」二〇一九・一〇・九放映参照。

51段　タイ北部で見た三つのお茶

〈その一　国境地帯のウーロン茶〉

タイの北部、ミャンマー国境に近い標高千㍍のメサロンに、茶一〇一公廠と名乗る製茶工場と広い茶畑がある。経営者、羅美琴さん（五十六歳）は、名前のとおり中国系の女性で、高級ウーロン茶だけでなく、茶を使った健康飲料も手掛けるなかなかのやり手だ。タイには一般に熱い茶を飲む習慣がない。それなのに、よりによってこんな辺境で、なぜ茶が作られるようになったのだろうか。そこには戦後の複雑な国際情勢があった。

　第二次大戦中は日本を共通の敵として協力しあってきた中国国民党と中国共産党であるが、戦後の主導権をめぐって激しい内戦に突入、敗れた蒋介石政権は台湾に逃れた。しかし雲南省など中国西南部にいた国民党軍の一部は、そのまま現地に留まって共産党と対峙し続け、ビルマ（ミャンマー）、タイ、ラオスが国境を接する、いわゆる黄金の三角地帯で麻薬や密貿易を糧に生きのびていた。その中心地であるミャンマーのチャイントンは、今でもさまざまな思惑をもった人々が、国籍など関係なく入り混じって生きている特別な都市である。以前現地でミャンマー軍人から紹介されて会うことができた地元有力者は、複数の携帯電話を持ち、それぞれ違った言語で応対していた。しかも彼の富の源泉は「イギリス軍が洞窟に隠した黄金」を手に入れたものだと言っている、裏世界で活躍する典型みたいな人だった。

羅さんの父親も敗残の国民党軍の一員としてチャイントンで活動中、リス族の女性と結婚した。余談ながら、あの麻薬王として有名だったクンサーも旧国民党の軍人とシャン族の女性との間に生まれている。彼らを率いていた段希文将軍は、タイ国軍の指揮下に入ることを選び、一九七〇年から七五年にかけて共産ゲリラ（タイ国側の表現）と戦闘を続けた。いわばタイ国定住を条件にタイ国軍の代理戦争をしたのであろう。そして配下の兵士とともにタイ国籍を得てメサロンに定住しここで生涯を終えた。

羅さんは中国語とタイ語ができる。若いころバンコクに出て通訳をしていたが、知り合った台湾人から、メサロンでよいウーロン茶を作り、台湾に売ったらどうかという話をもちかけられた。二十五年ほど前のことである。そこで台湾から苗や製茶機械を取り寄せ、今では高品質の「高山茶」ができるようになった。茶摘みは先住民のアカ族の女性を雇い、地元の雇用創出にも貢献している。高山茶という商品名は台湾では高級茶の代名詞だが、たしかにここは高山である。パッケージも台湾で印刷し、製品のほとんどが台湾に輸出されている。

〈その二　変貌する漬物茶ミアンの産地〉

タイの北部ではミアンと呼ぶ茶の漬物が愛好されてきた。塩などを加えて口中に含み、いつまでもほうばっているのが一般的な利用法だが、ガムのように噛んで残った繊維質を吐き出したり、ショウガや砂糖などを加えて食べてしまうことも多い。

全く同じものを隣国ミャンマーではラペソー（湿った茶という意味）というが、同国の北部高地でこれを作っているパラウン族はミアンと呼び、隣接する中国雲南省のプーラン族もやはりミアンという。東南アジアから中国西南部にかけて、食用茶ミアンが広い範囲に見られ、飲み物としての茶と並ぶ独自の茶文化圏を形成していたのだが、近年、食べる茶はミャンマー以外では少数派になってきて、タイのミアンは、もう若者には人気がない。でも慣れ親しんできた年配者のファンは多く、市場ではこぶし大の塊が五バーツ（一六円）ほどで売られている。

タイ第二の都市、チェンマイから車で一時間半、標高千㍍ほどに位置する百三十軒あまりのメイカンポン村は、近隣に知られたミアン生産地である。最近は日本でいう民宿が盛んで、斜面に密集する家々は、どれも外国人向けのトイレやテラスを新設して受け入れに力を入れており、コーヒー栽培も拡大し始めた。それでも家々の庭先にはミアンを漬け込むための直径・深さともに一㍍ほどのコンクリート製の容器がいくつも置かれている。蒸した茶葉をこれにびっしり詰め込み、水を注いで空気を遮断して、重しを載せて乳酸発酵させる。半年から一年後に独特の臭いを発する漬物茶として市場に出すのだ。

ここを訪れたのは八月末、小雨の中をミアン畑に案内してもらった。といっても日本の茶畑とは全く違って、茶の木は灌木の下生えに過ぎず、しかも点々とあるだけで、コーヒーの木も混在している。地元のミポンさんが摘み方を見せてくれた。右手の人差し指にはめた手製の刃物で、葉っぱを一枚ずつ切

ミアン用の茶を摘む
（タイ国。チェンライ郊外で）

り取り、左手に持った竹紐の輪の中に次々と重ねていく。その作業の早いこと、早いこと、文字通り目にもとまらぬすご技だ。葉がこぶし大にまとまったところでしっかり縛る。これがそのまま加工、販売の単位になる。

山奥の村だが、景気は悪くなさそうだ。多角的な経営に乗り出したからだろう。欧米人の姿もちらほら見える。でも、鉄砲水が出そうな渓流沿いの斜面にごちゃごちゃ立ち並ぶ集落景観にくらべれば、日本の茶畑と清流のほうがはるかに魅力的に思える。時代に素早く対応する姿に、タイ人のしたたかな国民性が見える。

〈その三　タイで現地生産される日本茶〉

タイ最北の都市、チェンライ郊外に日本でもおなじみのタイのビール会社、シンハが経営する広大な公園がある。入口近くのなだらかな丘の上には、あたりを睥睨《へいげい》するように巨大なシンハ（獅子）の像が鎮座し、その前ではカップルが自撮り棒を掲げてポーズをとっている。背後には見事に手入れされた茶園が広がる。

ここの一角に建設されたマルゼンフーズ（タイランド）は、静岡市に拠点をおく丸善製茶が立ち上げたシンハとの合弁会社だ。豊富な茶葉を原料に、タイで初めて日本式の蒸し製煎茶の生産を始めた。タイでは熱い緑茶を飲む習慣はほとんどなく、少量ながら山間部で作られているのは中国式の釜炒り茶である。しかしこの会社は、日本から生産ラインを持ち込み、日本人技術者の指導で蒸し製煎茶を作り、葉茶あるいはティーバッグ、さらに微細な粉末茶にして業務用にも提供する。茶工場を案内してくれた同社の田辺保さんは静岡からの単身赴任。たった一人で現地スタッフを率いているが、彼らの優秀さに満足げだ。ティーバッグはタイ全土に数千の店舗を構える日本大手コンビニの店頭で売っており、購入者にはシンハ製の水ボトルを一本おまけにつける。中にティーバッグを入れれば、タイ人の嗜好に合わせて甘くした従来のペットボトル茶とは異なり、健康によく、冷たい高級日本茶になる。何か所かのコンビニに寄ってみたが、売り切れ店があったほどの人気だ。

現地スタッフを指導する田辺保さん
(タイの日本茶生産工場で)

　タイ人は日本茶は飲まないだろう、という既成観念を打破しただけでなく、現地生産してコストの低減にも成功した。まだ未開拓の青い海原に新しい市場を求めよ、というマーケティング手法の一つ、ブルーオーシャン戦略の実践ともいえよう。

　そういえばつい先日、フランスのブルターニュ地方に鹿児島県枕崎市の鰹節製造業者の共同鰹節工場が完成した。原料のカツオはフランス人漁師がとってくる。ヨーロッパで和食に対する関心と評価が高まっているが、和食の本質、「うまみ」のもとになる鰹節は、日本の生産状況がヨーロッパの食品安全規準にあわないために輸出できなかった。それでは、現地で作ろう、というのが発端である。なかなかやるなあ、と思った。

　世界の緑茶需要は右肩上がりなのに、国内生産量は下落傾向にある。だが、静岡では業界あげて将来像を描いて協力体制を構築するという動きが見えてこない。飲み方、作り方、売り方、あるいは美しい茶畑と茶作りの現場への参加型観光戦略など、多方面から青い海を求める努力が必要ではないか。

〈二〇一六・九・一八〜一〇・二〉

52段　アジアとのつながりを示す龍勢花火

　遠くに見える櫓の上でゴマ粒ほどの人影が作業をしている。一五㍍を超える長い竹竿の先に弾頭を付けた手作りのロケット花火をセットしているのだ。やがて花火の名前や提供者を伝える口上が響き渡り、最後に「ゴケーンパーツ（御献発）」という声があがる。すかさず点火されたロケットが白煙を噴きながら空中に駆け昇る。一瞬閃光が輝き、青、橙、黄など、とりどりの煙が青空を背景にまるで滝のように流れ下る。大龍勢《おおりゅうせい》の名のとおり、まさに、天空を飛翔する巨大な龍である。

　毎年、静岡市清水区の草薙神社例大祭に行われる打ち上げだが、今年は秋雨前線と台風に邪魔されて二度も延期され、九月二十五日にようやく本番となった。予定が変わったにもかかわらず、龍勢を見ようという人びとが押し寄せ、見物場所は大賑わいだ。昼の部の打ち上げ予定は十二発。準備にはそれぞれ十五分くらいかかる。隣にいた女性が茹でラッカセイをわけてくれた。むかし祖母に食べさせてもらった味がする。脇に新ショウガが見えたので、おねだりし味噌を付けて食べた。ひねショウガとはちがって筋もなく、適度な辛さがとてもおいしい。最近の花火は息をもつかせず数千発を打ち上げるという豪華なショーになったが、こんな具合に時間をおいて上がるのを待つというのも楽しいものだ。

　龍勢は、県内では藤枝市に朝比奈龍勢があり、あとは埼玉県と滋賀県に類似のものがあるだけの全国的にも珍しい花火である。農民ロケットともいわれるように、かつては火薬も手作りで、弾頭にいろんな仕込みをする。この段階が楽しくてたまらないのだが、実際には計算通りにいかないことが多い。点火と同時に爆発したり、途中で腰折れになったりする。長い尻尾は空中での姿勢制御用で、最後は落下傘を開いてゆっくり落ちてくるので、皆で回収に行く。うまくいった組はニコニコ顔で意気揚々と戻ってくるが、失敗組はいうまでもなく硬い表情だ。当事者には申し訳ないが、この様子もなかなか面白い。

天空を駆ける大龍勢（静岡市清水区草薙）

　東南アジアにも龍勢にそっくりな花火がある。ただし東南アジアでは斜めに据えた発射台から打ち上げる。打ち上げの目的はラオスでは雨季前の雨乞いだといわれているが、日本では狼煙《のろし》だという人が多い。始めた人も時期も全く記録がないが、戦国時代から江戸時代初期には火薬の原料の硝石を東南アジアから輸入していた。徳川家康が駿府城でアジア外交を展開していた頃の副産物だった可能性も全否定はできない。〈二〇一六・一〇・九〉

53段　秋風が吹きぬける明光寺峠

信州諏訪湖から流れ下る大天竜の流れを生かし、年貢米を海辺まで効率よく下ろしたい、こう考えた徳川家康は、角倉了以《すみのくらりょうい》に対し富士川と天竜川に水運を開くよう命じた。富士川水運は早くに実現したが、長さ二百五十キロの天竜川は途中に多くの難所があり、部分的には開通したものの、信州から掛塚湊（磐田市）まで直送するのは簡単ではなかった。幕末になってようやく通しで荷物が下るようにはなったが、途中の危険な個所では、いったん荷物を下ろして馬の背で運び、再び船に積むという状況だった。人を乗せた船がそのまま下ることができるようになったのは大正八（一九一九）年からである（『天竜川流域の暮らしと文化』）。

ただし全通以前でも北遠地方と下流部との物資輸送は行われていて、山林資源が掛塚に向かい、塩や味噌などの生活物資が上流に送られた。とくに明治以降は王子製紙や久根鉱山中心の大量輸送が行われたが、秋葉ダムの建設によって舟運の時代は終わった。

静岡県最北部の水窪町も水運の恩恵を受けていた。その中継地が水窪川との合流点にある大井で、荷物はここから陸路で運ばれた。大井は天竜の河畔から立ち上がった急な斜面に開かれた集落だが、もの静かな家並みの中央を通る道には錆びた鉄骨のアーチが三基もかかっている。商店街や歓楽街の入口にあたる所にアーチをかけるのが流行した時期がある。たぶんここにも「歓迎」とか、「大井銀座」などと書かれた板がついていたのだろう。交通の要《かなめ》として賑わった夢の跡である。

下流から生活物資を積んで上がってきた船が大井の下に着くと、船頭が船端を叩く。その音を聞いて女衆が背にショイコをつけてハマ（水辺）まで下り、重い荷物を背負って坂を上る。そして集落の背後に刻まれたつづら折りの八丁坂を峠まで運び上げる。この一連の労働をハマショイ＊といった。上りきったところが、そこにある寺の名にちなんだ明光寺峠である。この先の道は比較的平坦なので、荷車の出番になる。重い荷を積んだ荷車がいつも同じところを通るので、硬い石にもわだちが刻まれた。これを歯道といったが、今ではほとんど埋もれてしまった。

明光寺境内には鉱山労働に起因する遠州じん肺訴訟が平成八年に和解したことを示す記念碑がある。人と荷車が行きかい、汗のにおいが立ち込めていた峠道も、いまではひっそりと静まり返っている。

〈二〇一六・一〇・一六〉

＊一九九五年から住民による地域おこしとして往時を再現する「浜背負い祭り」が隔年で開かれていたが、浜松市との合併で補助金が減ったことと参加者の高齢化によって二〇一九年秋が最後になった（『中日新聞』二〇一九・九・一二夕刊）。

54段　カメムシの群れが大雪を予報する

紅葉にはちょっと早いとは思ったが富山県の黒部峡谷にでかけた。名物のトロッコ電車は両側吹き抜けだが、今回は窓付きの車両に席をとった。沿線の美しい景色を富山県出身の女優、室井滋のユーモアあふれた説明（もちろん声だけだが）で味わっていると何か飛んできた。払いのけて落ちたのをみると灰褐色のカメムシである。カメムシは亀甲虫とも書くように、小さい六角形で亀の子に似ている。気が付くと一匹だけでなく、窓ガラスにも張り付いていて侵入のチャンスをうかがっている。よく見ることだからこのときは、気にも留めなかった。

クサギカメムシ（富山県の宇奈月温泉で）（藤枝市郷土博物館）

黒部の旅の定番は宇奈月温泉泊まり。立派な部屋に通されたところまではよかった。ところが、ここにもヤツがいたのである。さすがに畳の部屋の中には見えないが、外の景色はどうかなと障子をあけて脇の小部屋に出たら、いるわ、いるわ、はんぱな数ではない。窓は閉めてあるから進入経路は不明。おまけに変わった臭いがする。今はやりのパクチー（コリアンダー）そっくりだ。宇奈月温泉にタイ料理を食べに来たわけではないから、ホテルの主人に、虫がひどいですよ、とやんわり文句をつけた。すると、「お客様がお見えになる前にカメムシ・バスター（ということは日常的なことなのだ）の係に申付けまして、室内に入っていた虫はすべて取り除きました。一匹ずつガムテープにくっつけて丸めているんです。ひどいときには道路を歩いているとシャワーのようにぶつかってくるほどです」という。いっぽうで、カメムシが大発生する年は雪が多いといわれているとの説明である。昔の人は身近な異変にも季節の変化を読み取ろうとしていたことがわかるが、そんなことはこの際関係ない。仕方がない、珍しい体験だとあきらめて料金を割り引けなんてケチなことは言わないことにした。

ところで、カメムシにもたくさんの種類があり、自分の身近では緑色のカメムシに悩まされることが多い。悪臭を放つのでヘクサムシという大きな声では言いにくい呼び方もある。正式の名前が気になったので、帰宅後に欅平《けやきだいら》（トロッコ電車の終点）の自然観察の拠点、ビジターセンターに電話してみた。すると、あれはクサギカメムシといって、クサギにとりつくタイプで、大量発生はほぼ例年のことだという。クサギは文字通り強い臭いがあるが、葉っぱは食用になる。カメムシ駆除の方法はないのですかと尋ねたら、それが見つかったらノーベル賞ですと、真面目に答えてくれた。〈二〇一六・一〇・二三〉

55段　臭いクサギが飢饉に人を救う

浜松市の引佐地区は来年のＮＨＫ大河ドラマの主人公、直虎で沸き立っている。このあいだ久しぶりに訪れたところ、新東名や三遠道路が開通したためか、地域のあまりの変貌ぶりに驚いた。引佐地区の集落はそれぞれに長い歴史をもっている。そのひとつ、東黒田には村の入り口に古いお堂が建っていた。

青年達が寝泊まりしたり、村の大切な相談事の会場にもなったといわれている。特に呼び名はなかったらしいが、近畿地方ではこのようなお堂を惣堂と呼んでいた。惣というのは、中世に発達した村の自治的な組織のことだから、このお堂も、そんな役割を果たしていたのかもしれない。

遠州には、神社の祭りのやり方に近畿地方と大変よく似た部分がみられる。お堂の存在は駿河とは異なる独自の地域性を知る上でも貴重な建物だと思ったものだ。あれはどうなったかと東黒田に行ってみたら、お堂は確かにあった。ただし、場所は移され、建物自体も新しい。いささか残念だったが、それでも、ふるさとの歴史をなんとか後世に伝えねば、という思いは見てとれる。（第143段参照）

あちこち歴史探訪をしていたら、ショッキングピンクともいえそうな鮮やかな赤い花をつけた灌木が目についた。クサギである。葉をちぎったりすると臭いのでクサギという名がつけられた。あのクサギカメムシが好んで生息する木だ。クサギは、秋になると星形をした白い花が咲き、やがて青い実がガクの中央に付く。赤い花に見えたのは、じつはこのガクである。もちろん鑑賞用にもされる。いろいろ用途があって、染料に使われたり下痢止めにも効いたが、なによりも飢饉に備える大切な保存食になった。

クサギの新芽は柔らかいが猛烈に苦く、その苦味はいつまでも口の中に残る。ところが、熱処理すると苦味が消え、天ぷらなどにすると美味い。そこで、山の人たちはこの若い葉を集めて蒸し、よく乾燥させたものを大量に保存しておいた。食べる時には水でもどし、雑穀に混ぜて炊きこんだり、あえ物にする。熱心に地域おこしの運動をしている柴田宏祐さんに、豆と煮たものを食べさせていただいたことがある。柔らかい固まりになっていて、葉っぱというよりも、長時間煮込んだおでんの昆布、という感じである。味付けがちょうどよかったこともあり、なかなか美味しかった。これなら主食の補いとして、じゅうぶん役立つ。嫌われ者のカメムシの名前についたおかげで失墜したクサギの名誉はこれで挽回できるだろう。〈二〇一六・一〇・三〇〉

56段　お茶の花を茶室の生け花に

茶畑に花が咲いているのを見かけることが多くなった。なぜだろうか。花が咲き、実が成るということは、来年の新茶にまわすべき養分の無駄遣いである。そこで収穫後に剪枝《せんし》をして、花の元になる部分を切ってしまう。これは茶農家の基本作業だ。茶の花が目立つのは、すなわち放棄茶園が増えたためである。

藤沢周平は初期の短編『空蝉《うつせみ》の女』（文春文庫）で、茶の白い花を幸せ薄い女性の運命に重ね合わせている。主人公のお幸は、眼の前の山茶花《さざんか》と茶の木の枝の間を飛びまわっている蜂の姿をみながら思う。「初めての霜が降りる頃、ひっそりと小さな花をつけるだろう。（中略）冬の花はどうしてみな白いのだろうか」と。

でも、私の感覚でいえば、茶の花の花弁はどちらかというと厚いほうだし、決して弱々しい感じはしない。しかも、中央のおしべのかたまりは、上等なゆで卵の黄味のように濃厚な色合いで、小さいながら白と黄色の対比がじつに美しい。むしろ強い自己主張を感じる。それは当然だろう。茶の木は遠く西南中国の亜熱帯の強い日差しのもとで花を咲かせていたのだから。

茶の花　右は菊川市倉沢、左はミャンマーのカチン州で撮影

　写真は二つともに茶の花だが、大きな違いがある。右は静岡県内のもので、めしべがおしべの中に埋没している。左はミャンマーのインド国境近くのもので、めしべが立っている。植物としての茶は日本でも中国でも、すべてカメリア・シネンシスというひとつの種に属するのだが、地域的には葉の大きさや葉脈の表れ方、遺伝子の構成などに差異がある。それらを比較すれば、源境とされる中国雲南省からどういう経路を経て各地に広がっていったのかが明らかになる可能性がある。めしべとおしべの形の違いなどをもとに、日本の茶は外来種ではなく、早い時期から自生していたという説があった。しかし、現在では、ある時期に外国から持ち込まれたものだろうと考えられるようになっている。

　ところで、茶の原産地周辺は、ツバキ、サザンカの故郷でもあり、三者はともにツバキ属という親密な仲間である。ツバキとサザンカはその花を愛でる人が多く、多様な品種が作りだされたが、ひとり茶の花だけは、咲かせてならぬと虐待の日々を余儀なくされていた。それが、皮肉にも茶作りをあきらめる農家が増えたために、茶の花が再認識されている。仲間たちは茶花として茶室を飾っているではないか。茶の花も、もう孤独ではない。文字通り鑑賞用の「茶花」となれるよう、品種改良をすることで、茶の新しい用途が生まれるのではないか。

〈二〇一六・一一・六〉

57段　日本人と里芋の長い付き合い

寒くなった。連想ゲーム風にいえば焼き芋、芋といえばサツマイモとなるのだが、この芋は薩摩という地名がついているように、十七世紀ころに九州に入ってきて次第に普及したものだ。ジャガイモも同じころに外国から入ってきた。どちらも南米が原産地であり、大航海時代の大きなうねりに乗って、はるばる日本にやってきた、いわば同期生である。

この二つのイモが日本人に知られる前、芋とはサトイモのことだった。その原産地は東南アジアで、今でも現地で重要な主食となっているタロイモなどの仲間である。おそらく焼畑にともなう栽培植物として日本列島に持ち込まれたのではないかと思われ、時代的には縄文時代にまでさかのぼるらしい。数千年にわたる栽培の歴史の中から、いろんな品種が生れたし、中国から新たに渡ってきたため唐芋《とうのいも》と呼ばれるものもある。えぐみが強いが収量が多いシマイモ、いも飯用の赤芽、あるいはヤツガシラなど、収穫時期や味わいの違いに着目し、いくつものタイプが作り分けられてきた。

そんな歴史を背景に、里芋は日本人の暮らしに深く浸透し、とくに年中行事やお祭りなど、伝統行事の儀礼食には欠かせない食材となっている。年越しの晩につくる煮しめには必ず里芋を入れる所があるし、お正月の雑煮には、里芋が不可欠だ。お月見のお供えも、本来は里芋が中心だった。また旧暦十月の亥の子という年中行事では、米と里芋を混ぜた餅を作る例がある。おそらく里芋の収穫祭といった意味合いがあったのだろう。冬が来る前に畑から掘りあげた里芋は、家の近くの水はけのよい場所に穴を掘って入れ、上に藁をかぶせておくと長く貯蔵できる。保存がきくという意味でも大切な食料だった。

　里芋の煮ころがしのなめらかな舌触りは、子どもの頃の食卓の風景を思い起こさせる。塗り箸で挟もうとしてもうまくいかないし、突き刺そうとしてもつるりと皿の外に逃げてしまう。何べんも箸で追いかけて行儀が悪いとしかられたものだ。冬の祭りを見に行くと、控所の囲炉裏の灰には、茹でた里芋を串にさして砂糖味噌をつけたのが何本も立っている。思わずおなかが鳴りそうなよい香りと、囲炉裏の暖かさが心地よい。神様とともにいただくような気がする最高の御馳走である。〈二〇一六・一一・二三〉

58段　嫉妬の泡が池の底から湧き出す

　古い街道を歩きとおすという街道ウオークの人気を反映して、休日には旧東海道を大勢の人が地図を片手に歩いている。私の自宅は旧東海道沿いにあるので、声をかけて説明してあげたい気になるが、これはもう少し歳をとってからの楽しみにとっておこう。

　江戸時代にもあった旅ブームを先取りするかのように寛政九（一七九七）年に刊行された「東海道名所図会」には、県内各地の名所旧跡がたくさん紹介されている。東海道と清水の港への道の分岐点、追分にある姥《うば》ケ池もその一つである。

池の大きさは三間四方（十八畳）ほどで、傍らに松と榎の古木がある。文禄二（一五九三）年二月八日、亀氏《かめうじ》なる者の妻が嫉妬に狂い、この池に身を投げて死んだ。その怨霊が池に留まり、往来する人が「姥、姥」と呼ぶと底から水が湧きあがってくる。さらに「姥、甲斐なし（意気地がないぞ）」というと水音はいっそう高くなって泡が立つ、とある。これは今から二百年以上も前の情報である。

地元の伝承では、長者の子どもが百日咳に苦しむので、乳母が屋敷内にまつってある弁天様に祈ったところ咳は次第に軽くなった。ある日、乳母がちょっと目を離したすきにその子が池に落ちて死んでしまった。それを嘆いた乳母は後を追って入水したが、その時「私の魂はここに留まり、百日咳に苦しむ子どもを助けてやる」と言い残した。以後、お参りすれば咳は治り、「姥よ」と声をかけると、池の底からブクブクと泡が出るようになった。

戦前の写真を見ると、名所とはいえ大きな松の木の下に小さなお堂が田んぼの中にあるのみだった。近年は周辺の開発が進んで家が立ち並ぶようになり、毎年九月に行われていた祭りも昭和三十六年を最後に絶え、大きく繁った木々の下に、この一角がだけが取り残されていた。それでも、子どもの病気平癒などを願ってお参りする人は多い。

池のすぐ脇に住む井上和子さんの話では、このあたりは天然ガスが出るので、それを利用していた家があったという。はるか昔は巴川河口部の湿地帯だったことを考えれば、このメタンガスが、池の底から湧き出すという泡の正体だったようだ。それに凄味を加えたのは、嫉妬深い妻の話である。だが、これは離婚された先妻が後妻に入った女性に仕返しをする後妻《うわなり》打ちという習俗の断片で、姥が池のウバは、うわなりのウワが変化したのではないか。同時に、かわいい孫を死なせてしまい、これからは子どもの咳を治すといって死んだ「咳のおばあさん」という、全国にある伝説にも通じている。伝説はさまざまな要素から成り立っているから、その謎を解きながら歩くのも旅の楽しみである。

〈二〇一六・一一・二〇〉

59段　恋人に贈る茶の実の髪油

多様な茶の実紋
（金園者『図解いろは引標準紋帳』より）

人類は、はるかな昔、アフリカにいた一人の女性から始まったという説がある。そこまでいかなくても、わが家の祖先が何者だったのかを調べる時、大きな手掛かりになるのが家紋だ。手元に『図解いろは引標準紋帖』（昭和三十二年、金園社）と題する和綴じの本がある。ずいぶん前に古書店で購入したものだが「静岡県静岡職業訓練所」という印が押してあるので、この本はそこで染物や着物の仕立ての技術を学ぶための参考にされたのだろう。

　これにはなんと四千九百もの家紋とその呼び名が載っている。先日、茶の実のことを話題にしたばかりなので「チ」の項を見たら、茶の実紋とよばれるものが三十四あった。茶の実の下に葉先が折れた葉がついているのは「葉折れ茶の実」、蝶に見えるのは「替り茶の実蝶」など、あんまり見かけない紋もある。これだけのバリエーションがあるということは、かつては茶の実そのものが身近なものだったことを示している。

最近、茶の実から作る食用油とか、茶油を精製した高級化粧品などが話題になっている。茶は椿の仲間で、小ぶりだが種子の形もよく似ている。中国湖南省には油茶の木というのがあって、その実から油をとっているが、これはサザンカの一種である。日本でも昔はサザンカを油をとるために栽培していたのだが、花が観賞用に珍重されるようになって油はとらなくなった。椿・サザンカ・茶はツバキ属の三姉妹ともいえる近い関係にあり、もちろん茶からも油がとれる。あの「ちゃっきりぶし」に茶油がでてくるのを御存じだろうか。

「ちゃっきりぶし」（北原白秋作詞）は三十番まであるのだが、ほとんどの人は、清水の次郎長と茶の香りという一番しか歌えない。ところが第十八番の主役は茶の実油なのである。

茶の実とんとろりんと、しめ木にかけて、可愛いいおまっちの、じつはおまっちの髪あぶら

これが作られたのは昭和二（一九二七）年。その頃はまだ茶の実から油がとれることが世間に知られていたとみてよい。静岡市の藁科川上流域では、次の方法で茶の実から油をとっていた。まず茶の種子を竪臼でゴリゴリやって皮をむき、次に踏み臼でこなしてからカゾ（楮）をふかす釜で炒り、さらにセイロで蒸かす。ついでシュロや紙で包んで油筒というものに入れ、圧力をかけて油を絞った。これでテンプラをあげたり、洗髪にも使ったそうだ。さて、新たに商品化された茶の実油は、革新を迫られてい

る茶業界の救世主になれるだろうか。〈二〇一六・一一・二七〉

60段　ときに美しく、ときに力強い文語表現

一気に寒くなった。冬が来ると、連想ゲームみたいに小学校の時に習った文部省唱歌「冬景色」の歌詞が浮かんで来る。

　さぎりきゆるみなとえのふねにしろしあさのしも

まるで呪文だが、あの頃にはこんなふうにしか聞こえなかった。音楽の時間は、先生が弾くオルガンに合わせ、音の並びどおりにひたすら大きな声を出せばよかった。音楽室の壁にはもじゃもじゃ頭に目をひんむいたベートーベンや、白い長髪にパーマをかけたようなヘンデルなど、西洋音楽家の肖像画がかかっていて、歌うとは叫ぶこと、と思い込んでいる子どもたちを見下ろしていた。今でも昔のままの雰囲気の音楽室が残っている学校では、あそこにはオバケが出る、という子がいるそうだ。そんな中で習ったのがこの歌である。当時は意味などさっぱりわからなかったし、先生も歌詞の説明などしなかった。あるいはあったかもしれないが、分かるように噛み砕いてくれなかったのだろう。

高校で文語の授業が始まって、狭霧、消ゆる、港江、白い、霜とつながる美しい冬の海辺の光景だということがようやく理解できた。この歌は現在も共通教材として小学校五、六年生が習うそうだから、ぜひ、流麗な日本語として内容をしっかり理解させてほしい。

いっぽう、今は歌われないが、「月なきみ空に、きらめく光」で始まる「星の界《よ》」は、「人智は果《はて》なし、無窮の遠《おち》に」（杉谷代水作詞）などという、とてつもなくむずかしい内容だった。もちろん意味などわかるはずがない。ただしメロディーは、「いつくしみ深き」で始まる讃美歌だから、教会での結婚式でおなじみだ。

現在では、多くが正規の授業から消え去った童謡や小学唱歌だが、子どもたちがお年寄りの施設を慰問する時には歌えるようにしていくという。もちろん、すごく喜ばれるそうだ。小さい頃に記憶に刻み込まれた文語表現は、ときに上質な絹織物のように、ときに強靭な麻布のように、未熟な脳を包んでいたのだと思う。その感触がある程度の年齢を経ると、不思議に実感としてよみがえってくるのである。なんでも「うまっ、やばっ、はやっ」など不完全な単語の羅列ですましてしまう短文交換世代に、いまはむずかしくても、のちのち必ず生きてくるような、美しく、力強い日本語をしっかり教えておくべきだろう。〈二〇一六・一二・四〉

61段　郷土の伝統を伝える教育と学問の力

浜松市立清流中学校で、先週の火曜日、一年生の父母対象のユニークな参観会が行われた。午前中は授業、午後は体育館での郷土芸能の発表会となるのだ。遠州の山間部には、戦国時代以前の中世文化の名残りを色濃く残す「おこない」と呼ばれる民俗芸能があちこちに伝承されている。年の初めにあたり、翁が村を訪れて祝福を与えたり、米つくりの一年を模擬的に演じて豊作を祈るなど、複雑な内容をもっていて、遠州から三河にかけての一帯はそれらの宝庫として全国的に知られている。だが、こうした芸能を伝承してきた山間の集落では過疎化が進み、芸能を次代に伝える子どもたちが、もうほとんどいないという地区が多くなった。

神沢のオクナイの練習をする清竜中学校の生徒たち（浜松市天竜区）

清流中学校では、学区内に伝わる青谷の遠州大念仏、懐山《ふところやま》のオクナイ（オコナイのこと）、神沢《かんざわ》のオクナイという三つの芸能をとりあげ、生徒たちがどの芸能のどんな役をやりたいのか希望をとる。そして毎週それぞれの保存会の人たちの指導を受けて舞・笛・太鼓を練習する。祖先から伝わってきた伝統を、学校全体で継承していこうという、明確な目的をもった授業なのである。板の間にすわるのも大変だが、役割の中では笛がいちばんむずかしい。女生徒に練習について尋ねてみたら「家でも練習します、好きですから」という答が返ってきた。その成果を親たちがスマホをかざしながら見守っている。

じつは神沢のオクナイは戦後にいったん途絶えてしまったのを、昭和五十年に地元の子どもたちに教えるというかたちで復活させた。その中心である石原重利さん（七六歳）によると、自分が子どもの頃に見ただけのオクナイを復元するにあたって、大いに役立ったのが新井恒易氏の『中世芸能の研究』（新読書社、一九七〇年）という本だったという。新井氏は昭和十七（一九四二）年、すでに世間に知られていた寺野のオクナイの調査に来て、神沢にも同様な芸能があることを知り、渋川から徒歩で峠を越えて神沢を訪れて概要を確認し、同十九年の正月にその実際を見た。敗戦の前の年である。「すでに食料の欠乏ははなはだしかった」けれど、禰宜さんの家に一晩泊めてもらい、行事の詳細を詳しく記録した。それが、復活にあたってのよりどころになった。ひたすら事実を探求していく学問の力が、思いがけずその研究対象をよみがえらせる重要な役割を果たしたのである。

子どもたちが演じる神沢のオクナイは、来年一月二十二日に雄踏文化センターで開かれる静岡県民俗芸能フェスティバルで披露される。ぜひ、ご来場のうえ声援の拍手を贈っていただきたい。

〈二〇一六・一二・一一〉

62段　名刀、義元左文字を静岡に招きたい

来年の大河ドラマは「おんな城主直虎」ということで、今年の「真田丸」に引き続き静岡県でも戦国時代への関心はますます高まっている。といっても浜松市が中心ではあるが。こうした流れに乗ったのだろうか、江戸東京博物館で「戦国時代展」が開催中だ。先日、見に行ってきたがお目当てはただ一点、

「義元《よしもと》左文字《さもんじ》」と呼ばれている刀である。織田信長の生涯をもっとも具体的に描き、かつ信頼度の高い史料「信長公記」には、桶狭間の合戦での分捕り品である「義元不断（普段）さされたる秘蔵の名誉の左文字の刀」を信長が手に取り、何度も試し切りをしてから愛用したとある。のちに信長は刀を磨りあげて茎《なかご》（柄に収まる部分）に「永禄三年五月十九日義元討捕刻彼所持刀織田尾張守信長」と金象嵌《ぞうがん》を施した。あの義元に勝ったのだという信長の高揚感が伝わってくるような表現だ。

この刀は無銘ではあるが九州の刀工、左文字派の作で、有名人の手から手に数奇な運命をたどっている。もとは戦国武将三好政長が所持し、次の所有者武田信虎（信玄の父）が娘との婚儀を機に義元に贈った。そして織田信長が本能寺で倒れたのち松尾大社の神官の手を経て豊臣秀吉へ、さらに息子の秀頼から徳川家康に贈られた。明暦の大火（一六五七年）で江戸城が焼失した際、この刀も焼けたが再生され、徳川宗家《そうけ》の重宝として受け継がれてきた。明治になって織田信長が建勲《けんくん》神社にまつられたので宗家から同社に寄進され、現在は重要文化財に指定されている。刀剣女子といわれる若い女性の間で日本刀の人気が高まっているせいか、展示場でも特別に整理用のロープをセットして混雑に備えていた。

今川氏は駿府育ての親ともいうべき存在である。とくに最盛期に君臨した義元は再来年が生誕五百年という節目の年になる。信長に討たれたために全く損な役回りを強いられてきたが、この節目の年を義元及び今川氏をきちんと評価する機会とし、小京都ともいわれた駿府の歴史と文化を全国に知らしめたい。ただ、まことに残念ながら今川氏関連の資料は、古文書以外はきわめて少ない。滅びた者の悲哀である。今川氏隆盛時代に建立され竹千代少年が学んだとされる臨済寺も、じつは二度の戦火を受けており、現在の本堂は一五八七年に再建されたものだ。だからこそ、想像を超える流転の物語に彩られた義元左文字の一振を、なんとか静岡に呼び寄せたいと思うのである。〈二〇一六・一二・一八〉

63段　虎造の石松が森の茶の認知度を高めた

森石松は、清水次郎長の子分で、ちょっと間の抜けたところがあるおかげで、大衆娯楽の主役の一人となっている。石松がこれほどの人気者になったのは、広沢虎造の浪曲、清水次郎長伝のおかげだろう。浪曲は今ではすっかりマイナーな芸能になってしまったが、ラジオしかなかった時代、ＮＨＫの「のど自慢素人演芸会」には、かならず得意の一節をうなる人が登場したものだ。「うなる」とはよく言ったもので、独自の節回しに講談のような語りがからみ、三味線との掛け合いにも味わいがある。そんな浪曲界で、戦前から戦後しばらくまで、一世を風靡したのが広沢虎造（二代）である。

昭和九（一九三四）年のことだった。森町茶業青年会のメンバーは、伝統ある森の茶をなんとか広めたいと考えた。そこで清水次郎長の口演で人気絶頂の虎造に、次郎長の子分で、郷土出身とされる森石松を主役にした浪曲をやってもらおうと思いついた。虎造に面会し趣旨を話したところ快諾を得たのだが、条件がひとつあった。出だし、つまり客の耳を一気にひきつける枕の部分を作ってほしいというのである。その結果、青年会長の島房太郎が苦心の末に書き上げたのが、「秋葉路や花橘も茶の香り、流れも清き太田川」で始まり、「遠州森町よい茶のでどこ」とつながっていく「石松金毘羅代参」の枕である。虎造がこれを森町でお披露目すると大変な評判となり、やがて森のお茶は、石松を仲立ちに大いに認知度をあげることになった（島の回想記より）。

ところで、時代をさかのぼると、江戸時代に遠州の村々の様子を書き上げた「遠淡海《とおとうみ》地志」に、森の茶についての面白い記述がある。筆者は森町で名主を勤めた山中豊平《とよひら》という。彼は森の産物である茶について、「安倍茶と唱ふ。是は駿州安倍郡の産の名をかりたるもの也（原文はカタカナ）」と書いている。近くの胡桃平の項にも安倍茶を産すとあるから、森町の山間部一帯で作られる茶が、おそらく太田川の水運を通じて福田《ふくで》湊《みなと》に運ばれ、海路江戸に行き安倍茶として流通していたと推測される。あるいは安倍茶の増量用に使われたのかもしれない。そのころ安倍茶、駿河茶というのは江戸の茶商の間でブランド品だった。今のように産地表示が厳しくない時代だから、遠州産でも安倍の茶として通用したのだろうが、このことは森の茶の品質が、かなりよかったことを示している。「遠淡海地志」から百五十年、森の茶というブランド独立の快挙には虎造と石松が大きく貢献していたのだった。〈二〇一六・一二・二五〉

平成29年（2017）酉年

神饌としてささげられる生きたニワトリ
（磐田市浅間神社）

色紙で表した鳥が米粒をつつきに来たのを追い払う（静岡市葵区日向の七草祭）

飲食店の入り口で歓迎するニワトリ
（タイ国チェンライ郊外）

64段　にっくき鳥は地の果てに追い払え

今年は酉《とり》年。めでたい鳥の話題にあふれているが、あえて迷惑な鳥のことを考えてみよう。富士山本宮浅間大社では、正月四日の夜に一年間の豊作を祈る田遊びが行われていた。嘉永四（一八五一）年の記録には、種桶に入れた米二合を撒きながら、「大明神の苗代に下り居て、すくい食う小鳥、拾い食う小雀」をはじめ、もろもろの悪しきものを残らず東西南北に追い捨てるといった意味の唱えごとをしたという。同社は一宮として駿河の国の安全を守るもっとも重要な役割を担っていたから、新年の田遊びは国内の豊かな実りにつながるを大切な儀式であった。

昨年の秋、菊川市で文字通り黄金色に実った稲田からスズメの群れが一斉に飛び立つのを久しぶりに見た。あれでは農家はたまらないだろうが、昔はありふれた光景だった。森鷗外の「山椒大夫」には、母を探して遠く佐渡島に渡った厨子王が、鳥追いをしている母親と再会する場面がある。ボロをまとった盲目の女性が手に長い竿を持ち、干してある粟の穂を食べにくる雀を追いながら「安寿恋しや、ほうやれほ、厨子王恋しや、ほうやれほ」と歌っているのを聞いて、母だと知るのである。

こうした実際の作業がもとになって、スズメなどを追い払うための儀礼が生れ、それが芸能化していった。土地によっては「きやつこそ、にっくきやつ」と歌うなど、まことに実感がこもっている。追い払う先は、その当時僻遠の地と考えられていたところである。焼津市の藤守の田遊びでは、南の海や九州の果て、北陸からついには天の彼方まで追い払うといい、浜松市水窪町の西浦田楽では、南は観音浄土、西は阿弥陀浄土など、仏教的な色彩が強くでているが、いずれも想像もできないほど遠い所、ということだろう。

鳥追いは、害をなすものを追い払うという点に主眼があり、それが拡大すると、身の回りの災厄など、悪いことをすべて追い払うという意味ももつようになる。江戸の町では元旦から十五日くらいまでの間、編笠をかぶって顔を隠した女性が三味線をひきながら門付けをした。これが鳥追い女であり、時代劇には欠かせない役の一つになる。万歳がめでたい文句を並べて家々を祝福して歩くのに対して、鳥追い女は、災いを払って平穏な日々をもたらすという、対照的な役目をもっていた。

あらためて思うのは、日本人にとって言葉がいかに大きな力をもっていたか、ということである。

〈二〇一七・一・八〉

65段　井伊氏ゆかりの井戸が焼津にある

大河ドラマ「おんな城主直虎」が始まり、浜松駅前には「浜松出世の館」なる施設を開設、地元として盛り上げに力を入れている。井伊氏は彦根の殿様として知られるが、その発祥の地は浜松市の引佐町である。井伊氏の守り神は渭井《いい》神社といって、平安時代以来の歴史をもっており、しかもその背後には二つの巨岩を中心にたくさんの岩が地表に露出した天白磐座《てんぱくいわくら》遺跡がある。ドラマの第一回では、霊気に満ちたこの空間が効果的に使われていた。

一九八八年、考古学者の辰巳和弘さんは、巨岩の周辺に古代の祭りに使われる模造の小さな土器が点々と落ちているのを発見し、ここが引佐の豊かな水田を潤す水源をまつる聖なる場所であり、井伊氏がその姓のとおり水と深い関係にあることを明確にした（しずおかの文化新書『湖《あわうみ》の雄井伊氏』）。この遺跡の存在は、井伊氏の初代、井伊共保が近くの井戸から誕生したという伝説とあいまって、井伊氏が古代からの水の王国の継承者であることを示している。

子どもの頃、近くにあった井戸枠に体を預けて底をのぞいたことがあるだろう。はるか下に丸く切り取られた小さな空が見える。井戸は天と地を結ぶ神聖な場所で、同時にこの世と異界との通路でもあった。古井戸を埋める場合には必ず節を抜いた竹を差し込んでおくものだと言う。霊が通う路を完全に遮断してしまわないためだ。京都の六道珍皇寺《ちんのうじ》の井戸は平安時代の歌人、小野篁《たかむら》が地獄と行き来した所と伝えている。

日本各地には、歴史に名を残した人が生れた時、その水で産湯をつかったと伝える井戸がたくさんある。異界から特別なパワーを貰って偉人になったということだろう。存亡の危機に直面していた井伊家は、直虎が徳川家康にお目見えさせた直政の奮闘によってその後の隆盛のもとを築いた。直政の息子、直孝が産湯をつかったという井戸が焼津市中里にある。直政の側室が、当時群馬県の上野箕輪城にいた直政のもとに向かう途中、中里の村松家で出産したときの話だという。村松家は江戸時代には誕生屋敷と呼ばれ、近くにまつられた小さな祠はカモンの宮といったそうだ。カモンは掃部すなわち井伊家の当主を表す。井伊家はこの地を大切にした。中里の氏神である若宮神社は、寛永六（一六二九）年に直孝の武運長久を祈念して再建されたものだし、昭和五十三年には井伊家の末裔が祖先をしのんで詠んだ歌を刻んだ石碑が境内に建立された。〈二〇一七・一・一五〉

66段　光と美食の駿府城下町めぐり

長崎の出島とは、オランダ人たちが閉じ込められていた扇形の狭い空間、そんなイメージをもっていたのだが、昨年の暮れ、実際に行ってみたら意外に広い。周囲が埋め立てられて島ではなくなったが、海に面していた南側には塀と水路があって、区画は明瞭だ。総面積は小学校のグランドくらいになろうか。出島は江戸幕府の鎖国政策にともなってポルトガル人を収容するために埋め立てられた土地で、その造成にあたったのは長崎の有力商人たちだった。一六三九年にポルトガル人の渡航が禁止されたのちは、オランダ商館が置かれることになり、以後は西欧に向かって開かれた唯一の窓になった。明治になってからは教会が建設されたりしたが、近年発掘調査が進み、数多くの絵画・文献をもとに往時が復元された。展示されているビジュアルな資料や出土品とともに長崎観光の目玉の一つである。

その日、歌の文句ではないけれど、長崎は雨だった。入り口近くに番傘をさした侍姿の案内人が立っていた。サムライとは寡黙なもの、という雰囲気を漂わせている。なかなかの芸達者と見た。長崎では大勢の観光ボランティアが活躍し、「長崎さるく」を運営している。「さるく」とは長崎の方言で、ぶらぶら歩きのことだ。気軽に市内観光ができるように、いろいろなテーマに沿った五十近いコースが設定されていて、ガイドがより深く歴史や見どころを案内してくれるものもある。夕食後、「夜のライトアップめぐり」というコースに参加してみた。傘をさして集まった参加者は九人。集合場所の出島から、まず、すぐ近くの長崎港に行く。イルミネーション輝く大型クルーズ船を遠望し、レストランのガラス越しに中国人観光客が山盛りのカニを食べている姿を横目に見て長崎県美術館でコーヒータイム、最後はライトアップされた荘厳な大浦天主堂を見上げた。陰影が織りなす立体感は、昼間では見られないもうひとつの美しい顔だ。夜景観光は今や新しい観光ジャンルである。

静岡市内でも駿府城内に復元された二つの櫓が毎晩ライトアップされているが、これを目当ての観光客はあまり見たことがない。なんともったいないことか。「光と美食の静岡城下町めぐり」を企画しよう。まず無料開放されている県庁別館の展望台にあがり、静岡市内の夜景を家康気分で見下ろしてから駿府城の櫓を訪れる。さらにスペイン風ドームが美しい市役所本館などをめぐり、最後は静岡おでんと桜えびのかき揚げを味わうのである。この企画を実現させる大前提に何が必要かは、誰もが知っているのだが。〈二〇一七・一・二二〉

67段　年中行事になりかかっている恵方巻き

二月三日は節分。恵方すなわちその年の縁起の良い方向を向いて太い海苔巻きにかぶりつくと幸せになるという、いささかお行儀の悪い習慣が、野火のように広がって今や国民的な年中行事のひとつになろうとしている。もとはといえば、大阪の海苔屋さんが地域の習慣をうまく生かして販売促進のために広めたものだという。それが全国チェーンのコンビニの大々的な宣伝にうまく乗ったのだと知れば、ちょっと興ざめな点もないわけではない。しかしクリスマスにしてもバレンタインにしても、背景には業者の戦略があって定着したのだから、今は若干の違和感があっても、次の世代には当たり前になっている可能性もある。昔からの習わしなのだといっても、その始まりはいろいろで、意外に新しいものもあるからだ。

　じつは海苔巻きずしの歴史も決して古いものではない。始まりは江戸時代の中ごろ以降のことで、干《かん》瓢《ぴょう》を巻きこむのが本来だった。やがて色々な具を使って断面に美しい模様が現われるような工夫がこらされ、祝い事に欠かせない郷土料理になった。大阪の太巻き寿司も、本来はこのようなもののひとつだったのではないか。そこからの展開こそが、大阪商人のたくましさの表れだといえよう。

　海苔そのものは古代から食用になっていたが、今のような板海苔になったのはこれも江戸時代なかごろだといわれる。商品として運搬や販売に便利な形が考え出され、ちょうど庶民の食として広く普及し始めた寿司とのコラボが海苔巻きになったのだろう。

　海中の岩などに自然に付着する海苔を、人工的に木の枝を立てて大量に増殖させるという養殖技術は東京湾で開発され、江戸時代末期から明治にかけて全国に広まった。静岡県でも浜名湖の海苔が知られるようになったし、愛知県の三河湾でも幕末から本格的に養殖が始まり、のちに三河海苔というブラン

回転式海苔すき機（愛知県豊橋市の民俗資料収蔵室で）

ドになった。

その中心だった豊橋市前芝などの漁村は、埋め立てられて昔の面影がなくなったが、当時の道具は残っている。なかでも回転式海苔スキ機が面白い。収穫した海苔は庖丁で細断し、専用の小さなすだれの上に広げて乾燥させる。その手作業を遠心力を利用した機械でスピードアップする仕組みだ。これが発展して全自動の機械になる。いま各地で催されている海苔作り体験でこれを見せることができれば、人のわざが機械へと発展していく格好の教材になる。恵方巻きの背景も広いのである。〈二〇一七・一・二九〉

68段　万人の力を合わせた村歌舞伎

むかしは村ごとに青年団があり、地域の祭りで中心的な役割を果たしていた。今でも祭礼を実質的に運営する組織を祭り青年というが、その実態は「もと青年」の集まり、という感じになってしまった。

本物の若者が村にあふれていた時代には、祭りの余興としてドタバタ喜劇を演じたりしたものだが、もっと前は若者組が芝居を買った。つまりプロの劇団を招いて祭りを盛り上げたのである。それに応えたのが、地方で結成された一座で、幕府の許可を得て興行した大芝居に対して小芝居《こしばい》といわれた。

大当たりをとった歌舞伎は、江戸土産の役者絵などを通じて地方で評判になる。華やかな役者の衣装や所作は最新のファッション、それを小芝居の一座が村々をまわって披露する。みんなうっとりと見惚れたに違いない。小芝居の役者の中にはその土地が気に入って住みついた者もおり、この本職の指導を受けた村人たちによって歌舞伎が地方に定着していった。おそらく十八世紀以降だろう。全国各地に伝わる村芝居は、江戸や大坂での人気狂言がこのような背景をもって地方に普及した結果である。

「奥州安達ケ原三段目」の一場面（浜松市雄踏文化センターで）

遠州人は、みんな芝居好きだ。昔からいろんな芸能を継承してきたという土地柄である。現在も佐久間の浦川＊、引佐の横尾、湖西、雄踏と四か所の一座が健在である。そのうち毎年正月に定期公演を行っている雄踏歌舞伎は、正式には雄踏歌舞伎「万人講」と名乗っている。万人講とはその名の通り、大勢の人びとが協力し合うという組織である。旧雄踏町宇布見《うぶみ》万人講の中心となった中村留次郎（昭和八年没）は、なんと歌舞伎の一座に入って一緒に公演をしてまわり、二代目坂東国四郎という芸名までもらったほどだった。自ら台本の収集などにも力を入れ、こんにちの万人講の基礎を作った。

　雄踏歌舞伎は大正十一年に開場した大衆娯楽の殿堂、喜楽座を舞台に活躍した。喜楽座は戦後に西遠劇場と改名して一新を図ったが、映画などの新しい娯楽に押されて同二十七年に閉館、雄踏歌舞伎も絶えたかに見えた。しかし平成元年に復興の機運が起こり雄踏歌舞伎「万人講」として翌年に再興された。地元で健在だった経験者二人とともに、全体の指導を豊川市を拠点とする市川少女歌舞伎の師匠、市川升十郎氏に受けた。ところが復活したまさにその年、経験者のお二人がともに亡くなった。雄踏歌舞伎の伝統は、まさに辛うじてつながったのであった。今年の定期公演は一月二十二日、会場は満席。晴れ姿を見に来た家族の前で堂々たる演技を見せた小中学生が、こうした思いを受け継いでいく。

〈二〇一七・二・五〉

＊浦川の歌舞伎は一九八九年に復活したが、二〇一九年九月の定期公演を機に活動を停止。住民流出、出演者減少、費用不足などが原因（『中日新聞』二〇一九・九・一二付け夕刊）という。

69段　恐ろしさが「もったいない」に勝つ

節分の豆まきが行われたのは有名神社だけではない。小さな氏神さんの境内でも、子どもからお年寄りまで、年男・年女がまく豆や菓子を空中で受け止めようと、手をいっぱいに伸ばしての激しい争奪戦が展開された。そんな混雑の中で普段はあんまり顔を見ない人から、お孫さんはいくつなの、などと声を掛けられたりする。節分は昔ながらのお付き合いが復活する夜でもあった。

新暦とほぼ一か月遅れの旧暦だと、節分は元日に近い。翌日の立春を年の始まりとすれば、節分は年越しの日にあたる。わが家では、節分の夜には大晦日と同じように、ひりょうずと昆布の煮付け、それにナマスを作るのが昔からの習慣である。農村では囲炉裏に一二個（旧暦時代は一三個の年もあった）の大豆を並べ、それぞれの月に見立てた豆の焦げ具合で月ごとの天候を占うことも行われた。明日から始まる新年の豊凶を豆が予告してくれるのだ。

日本人にとって、大豆ほど多様に利用されている作物はないかもしれない。煮豆、納豆、豆乳、ゆば、豆腐、油揚げ、黄な粉など、いくらでも例を挙げられる。未熟な状態ですら枝豆として楽しめる。何よりもしょうゆ、みそは和食のもっとも基本となる食材だ。英語で大豆のことをソユビーンというのは、江戸時代に日本から輸出されたしょうゆの材料、つまり、しょうゆ豆という意味である。田の畔《あぜ》に植えれば土地の有効活用になり、根粒菌は他の作物の生育をうながす。大井川上流の井川地区では、神様を祭る時、一升枡に大豆を盛ってそこに幣束を立てた。米がとれない所では、大豆が命を支えた。だからこそ、豆には特別な力があり、鬼すなわち邪気を追い払うのに有効だと考えられたのだろう。

節分の豆まきのことを、古くは「豆うち」といった。室町幕府の将軍もみずから豆を打ったとされ、当時からすでに「鬼は外、福は内」という唱え言も行われていた。豆を思いきり打ち付けることで、目に見えない邪気を追い払うことになる。この夜、辻に出て自分の年の数だけの豆を投げ、振り返らずに帰ってくるという習慣もあった。これは豆に邪気を背負わせてはらい捨てるということである。

どうせ打ち捨てる豆なのに、手間をかけて炒り豆にするのはなぜか。それは、生のままだと、芽をだす可能性があるためだろう。鬼に触れ、まがまがしさをいっぱいはらんだ豆が成長したら、これは恐ろしいことになる。ずっと昔には拾った豆を食べるようなことはしなかったのではないか。もったいないよりも、恐ろしさの方が勝っていたはずである。〈二〇一七・二・一二〉

70段　旅するサンマと郷土料理の味

今年は熊野灘のサンマが不漁で、特産地の三重県熊野市では、恒例の「さんま祭り」には他県産のサンマを使ったという報道＊があった。不漁続きの原因は、海水温の変化や他国による乱獲など、いろんな要因があげられているが、真相はよくわからない。

サンマといえば、ひと昔前には金網の上でもうもうと煙を上げているイメージがあって、それを野良猫にさらわれて大騒ぎ、というのがマンガの定番であった。煙の原因はサンマがたっぷりと蓄えている脂のせいだが、それがサンマの味の決め手だから、ぱさぱさしたのは少しも美味くない、というのが静岡県をはじめ関東以北での評価である。ついでにいえば、内臓の苦みが大根おろしと絶妙に合っていて、酒飲みでなくてもこたえられない。ところが、最近は魚売場で、内臓は全部捨てて、という注文をする

熊野灘の名物サンマずし（和歌山那智勝浦町で）

主婦もいるそうで、「奥さん、それはないよね」と魚屋さんがぼやいたという話を聞いた。

ところが、サンマは、三陸沖から伊豆半島近海を経て南下するにつれ脂肪分が減少していく。たとえていえば長旅の疲れで痩せてくるのだ。だから、熊野灘のサンマは寿司に漬け込むには、むしろふさわしい。さきの記事にも「南下に伴い適度に脂が落ち、うま味が増す」と書かれている。旅するサンマは地付きの魚とちがって、とれる地域によって脂の付きかたが異なるため、各段階でもっとも美味しいと思われる食べ方が工夫される。これが、郷土食の特徴となり、お国自慢の背景ともなる。さんま寿司は、まさに熊野ならではの郷土食なのだ。

伊豆半島周辺でもサンマ漁は盛んであった。明治から大正にかけて、大量に捕れたサンマは開いて干物にして出荷する。伊東市富戸では、主婦たちが夜なべ仕事に千匹、二千匹を処理したが、そのときの明かりにサンマの油を使ったそうだ。作業中に出る大量の内臓を石油缶にためておき、上に浮かんでくる黄色い油をすくって小皿に入れ、灯心を立てて火をつける（静岡県『富戸の民俗』）。これだけで土間での作業ははかどった。

駿河湾内では、秋になって西風が吹き出すとサンマは岸近くに押されてくるといわれており、漁師たちはその風が吹くのを心待ちにした。西伊豆の村々では十一月初め、氏神に奉納する三番叟が終えると、今度は熊野灘に出漁し、現地で数か月間操業しつつ売りさばいた。この時のサンマは、まさに熊野名物の寿司にふさわしい魚体になっていたはずである。〈二〇一七・二・一一〉

＊『中日新聞』二〇一七年二月九日付け。サンマ不漁はさらに深刻化し、海水温の変化、乱獲、あるいは周年変化などさまざまな見解が出されている。

71段　男の子も雛祭りを祝った

三月三日のひな祭りは、女の子の成長を祈るものとされ、ガールズ・デイと英訳することもある。ひな祭りが近づくと茶箱からひな人形を取りだす。蓋をあけた時の樟脳の臭いが懐かしい。人形の顔を包んでいる綿をはずし、手には勺や扇を持たせる。さて、男雛、女雛、どちらが右側だったか、など母子で言い合うのも、楽しいひと時だった。

ただし、ひな人形が豪華なものになったのは、それほど昔のことではない。北遠では「ひいな様のかけじ」といって、内裏様や三人官女、お供え物などを一枚の掛け軸に描いたものを吊るして祝った。上流階級の嫁入り道具であった段飾りの平面版である。また、素焼きの人形に美しく色を塗ったツチビナ（土雛）も広く普及していた。これらは身近な郷土資料館などでみることができる。

ひな人形のなかで異彩を放っているのが、藤枝や焼津などの志太地区に広くみられるひげ天神という人形である。これが三月のお節句に、しかも男の子に贈られるのだ。ひな人形を飾った隣に、立派なヒゲをはやした天神さまが何体も並ぶ。なかには赤ちゃん程の大きさのものもある。その顔は、お肌つるつるの若者なのに、俗に天神ひげといわれる真っ黒なヒゲがたっぷり生えている。この違和感がなんとなくユーモラスである。

志太地区では以前から土人形がたくさん作られていたのだが、幕末期からは桐材で家具を作る時に出る挽き粉を正《しょう》麩《ふ》糊《のり》で練り合わせて作る練人形が盛んになった。これがさらに発展すると、ビロードなどの布を貼り付けたビロード人形にかわり（『藤枝の練人形』）、その発展形として今のような立派なひげ天神が生まれた。

立派なひげの天神様（藤枝市中里で）

じつは駿河にはもともと男女とも、三月に初節句を祝う習慣があり、五月にはとくに男の子の祝いはしなかったところもある。男の子に天神人形が贈られるのは、天神様すなわち菅原道真が学問の神様だからだ。伊豆各地では、一月二十五日の初天神に、子どもたちが集まって天神様の掛け軸を拝み、学問上達を祈る天神講という行事が盛んである。福井県では、江戸時代の藩主の勧めで天神様を家々でまつり、名物の焼きカレイを供えて祈る。天神人形は、天神様の祭り、あるいは天神講を下敷きにしたもので、男児の出世を祈るものだったのだろう。そこで志太地区の頭のよい人が、男の子にも内裏様に負けない立派な人形を贈らないと可哀そうだ、などという

売り込みをしたのかもしれない。〈二〇一七・二・二六〉

72段　牛が石に化した伝説の背景

まだ春は浅いけれど、さすがに日差しは力強くなった。静岡市清水区大内《おおうち》は、鎌倉時代、北条氏の陰謀で鎌倉を追われた梶原景時が、一族そろって地元の豪族に討たれた所である。慰霊のために建立された梶原堂の近く、牛ケ谷と呼ばれる所に桃林寺がある。寺の名は、中国の周の武王が軍用の馬を南に帰し牛を桃林の野に放して、もう戦はしないということを示した故事（『書経』）に因むという。世界情勢がきな臭くなってきた昨今、こういうゆったりした気持ちが欲しいものだが、それにしても、なぜ、ここが牛と関係があるのだろうか。

それは桃林寺の背後百㍍ほどの所に、牛石という二㍍くらいの、まさに牛の背中を思わせる大きな石があるからだ。なんでも、静岡市の北にそびえ雨乞いの山として知られる竜爪山からやってきた牛がここで石に化したそうだとか、いやいや、梶原景時の荷物を運んでいた牛だったなど、いろんな伝説が付随している。

さらに興味深いことに、桃林寺の近くに牛欄寺という牛がらみの名を持つ寺があり、この寺名も牛石に因んでいる。江戸時代の地誌に、近くの雄牛ケ窪という所に鎮守神の牛頭《ごず》天王社あり、と書かれている。そこは本堂の背後で、先年まで小さな池があり、傍らに牛石があった。牛石は砂防工事のために本堂前の庭に移されたが、その際に一部が欠けてしまった。それでも、言われて見れば牛に見えなくもない。ちなみに、こちらは雄牛、桃林寺のは雌牛だと言われている。

桃林寺の牛石を背後から見る
（静岡市清水区）

どちらも牛の形をした石が信仰の対象となっていた。思うに、それは雨乞いに関係していたようだ。近世まで牛を犠牲に捧げて雨を祈るという風習があり、竜爪山とその周辺で実際に行われていた。たとえばこの二つの寺からそれほど遠くない船越村では、江戸時代に日照りが続いて困ったので、牛の頭を竜爪山に納めに行って雨を祈ったという記録がある。

牛頭天王は水に関わりのある神で、明治以降、津島神社あるいは祇園社と改名されたが、多くは水辺にある。焼津市花沢では、沢沿いに大きな石が埋まっていて、その一部が地表に露出している。六月末の津島さんの祭りに、この石の上に台を設けてサカキを飾る。そこに村の代表が愛知県の津島神社からいただいてきたお札を祭り、水難・疫病除けを祈る。これをヒントにしてみよう。牛石とは、牛頭天王を祭った場所あるいは雨乞いの儀礼の場だったのではないか。雨乞いの牛と牛頭天王、これらが一体化して、本来は祭場に使われていた石が、じつは牛が化したもの、という伝説が生まれたらしい。

〈二〇一七・三・五〉

73段　メキシコ紀行

上 / 遺跡の上に建設されたメキシコシティー
中 / 太陽のピラミッドを望む（テオティワカン遺跡）
下 / サイザルアサの繊維を精製する（観光農園で）

〈あふれる色彩と厳しい現実〉

二〇一七年の二月末から三月初めにかけてメキシコの世界遺産遺跡めぐりのツアーに参加した。メキシコといえば、トランプ大統領がこだわっている国境の長大な壁のことがすぐに思い浮かぶ。建設費用はメキシコに払わせるなんて、アメリカはずいぶん尊大なことを言うものだ。歴史をふりかえれば、サンフランシスコも、テキサス州も、メキシコの領土だったところにアメリカ側からの入植が進んだ結果、現在の国境線になったのである。ところが現地に長年住んでいるガイドの話では、トランプ大統領は、不法移民取締りのために海兵隊を貸そうか、ということまで言っているそうだ。どうもメキシコ側にも、弱みがあるらしい。

じつはメキシコからアメリカへの越境者のうち、メキシコ人は二割程度で、実際には隣接するグアテマラやその東のホンジュラスの人が多いという。そういえば日本のテレビでも、まずメキシコにもぐり込み、そこでアメリカへの越境チャンスを狙っている若者たちについてのレポートがあった。つまり、メキシコに入ってくる不法入国者を、通過点であるメキシコが満足に取り締まれないのが、アメリカの不満の種なのだ。メキシコにすれば、厄介者はさっさとアメリカに出て行ってくれたほうが助かるというのが現実である。国と国との格差がこうした人の流れを生み出しているということは、日本ではなかなか考えにくい。

現在、首都メキシコシテイーの人口は九百万に近く、それに周辺の人口を合わせて二千万ほどの巨大都市圏を形成している。市街地からはみ出した人々は周辺部にスラムを形成し、さらには手つかずの傾斜地にも住宅を造りだした。宅地開発というような計画的なものではなく、空閑地であった山麓に住みつき始め、上へ上へと居住地を拡大させている。近年は少しずつインフラ整備がされているとはいうが、まだまだ水道はもちろん電気、排水施設もない劣悪な環境がほとんどだ。ところが、家々が斜面を埋めつくしている光景は、観光客の目からは奇妙なほど美しい。パステルカラーの住宅群は、まるで、おとぎの国である。あれも世界遺産だ、と言われれば、信じてしまう人がいるかもしれない。
メキシコ人の色づかいはすごいの一言である。一般住宅でも赤、黄色、緑、紫など塗り放題、加えて、ちょうど満開だったジャカランダの紫色も、およそ日本人の感覚とは違っている。あふれる色彩と社会の厳しい現実が今のメキシコである。

〈古代都市を支えた泉〉

マヤ文明は、メキシコ南部からグアテマラ、ホンジュラスなどを中心に、二千年近くにわたって独自の文化を発展させた。精緻な計算に基づくマヤ暦や、人間の心臓を神に捧げる習慣が有名だが、象徴的なのは、分立する多くの部族がそれぞれ信仰の中心として建設した巨大なピラミッドである。なかでもメキシコ市から五十キロほどのところにあるテオティワカン遺跡は、紀元前二世紀頃から造られた都市で、最盛期には二十万人がここで暮らしたと推定される。なぜか、八世紀には住民が忽然と姿を消してしまったが、そのあとに入ってきたアステカ人が、そびえたつ巨大な施設を前にして、これは神々が建てた神殿に違いないと考え、自らの神話にもとずいて月や太陽の神殿と命名した。
そのひとつ、高さ六十五メートルの太陽のピラミッドは、二四八段もの急な石段を上ると頂上に立つことができる。足を踏みはずして落っこちたら大ケガ間違いなしだが、苦労した結果のご褒美は大きい。そこから壮大な都市の遺構が見下ろせる。ここまで来た、というささやかな達成感のせいか、いろんな国の観光客が互いに笑顔で写真を撮りあっていた。

　現在はきれいに復元・整備され、きちんと切石で覆われているピラミッドだが、マヤ文明が滅んでからはジャングルの木々に覆われたり、自然崩壊して巨大なボタ山のようになっていた。緑の小山に見える日本の古墳も、本来は表面に石が葺かれ、遠目には白く輝く荘厳な建造物だったことを思い出す。

　ユカタン半島の中部にあるウシュマル遺跡では、目立った川もないため、地中に大きな甕のような形の穴を掘って雨水を貯めていたという。そういえば、かつて水不足に苦しんでいた磐田原台地でも、深さ三、四㍍もある徳利型の貯水槽を地下に設けて天水を貯めた。上部に丸い枠を設けて手こぎのポンプを据え付けたから、外見は本物の井戸である。ところが、あのゴジラを生み出したアメリカの水爆実験による放射能雨騒動は、天水に頼る暮らしに大きな不安を与え、簡易水道に切替える契機になった。

　雨は、天と地を結び人間の命を支える。いわば、目に見える形での神の恵みである。だから雨乞いのために大切な牛や馬をいけにえとすることは日本でも見られたが、マヤの社会では、人間を捧げたこともあった。石灰岩地帯にあるマヤの都市は、水を確保するため、セノーテと呼ばれる泉の近くに築かれた。それを代表するチチェン・イツァー遺跡では、切り立った崖に囲まれたセノーテを聖なる泉として崇め、雨乞いのために処女を投げ入れたと言われ、実際に人骨が発見されている。


〈メキシコと家康との深い関係〉

　メキシコといえば、すぐに思い浮かぶのがテキーラだ。その原料となるリュウゼツランの仲間にサイザルアサという植物がある。この繊維から作られた縄は麻のように強靭で、とくに水に強いことから、かつては船具として大きな需要があった。メキシコ原産だが、現在はアフリカでも生産され、カーペットなどに加工されて日本でも広く使われている。

　コロンブスがアメリカ大陸を「発見」したのは一四九二年、そのわずか三十年後にコルテスがアステカ帝国を滅ぼすと、スペイン人たちが一気にメキシコに押し寄せ、スペイン王が任命する副王のもとで植民地経営に乗り出す。スペイン人の大規模土地所有を認め、そこに囲い込んだ先住民や周辺居住の農民を使用して、メキシコ人の主食であるトウモロコシを始め、種々の農産品を生み出した。この独特の制度をアシエンダという。あえて訳せば荘園ということになる。

　メキシコは、一八二一年にスペインから独立、度重なる政変や社会改革の結果、スペイン人支配の象徴のようなアシエンダは消えて行ったが、一部は当時のままのたたずまいを留め、リゾート施設に生まれ変わった。そこでは観光客に、サイザルアサの製造工程を昔ながらの手作業で見せている。繊維を取るために、台に植えこんだ鉄の歯に、ほぐした葉を打ち付け、力いっぱい引き抜く。日本の千歯《せんば》こきと同じ原理である。作業する男性は、白い衣服に立派な口髭を蓄えている。西部劇で盗賊団に痛めつけらる典型的なメキシコ農民の姿だ。今でもこの服装が普通なのかと尋ねたら、いや、これは観光用のユニフォームだという答だった。

　メキシコと日本との交流は、家康の時に始まった。スペインはメキシコ征服から間もなくフィリピンをも領域に加え、太平洋横断航路を軸にアジア進出を強力に推し進めた。その波が日本にもやってきたのである。フィリピンからメキシコに向かう途中で遭難したスペイン人たちを、家康は伊東で建造させた洋式帆船でメキシコに送り帰す。そのお礼の時計（久能山東照宮蔵）が届けられたのが一六一一年である。訪れた外国人の目を見張らせたという駿府城は、家康外交にとって、国威発揚のための迎賓館としての意味もあった。家康時代の日本とメキシコ、ひいてはその本国スペインとの国際関係は、このほど正式に建設が決まった＊静岡市の歴史文化施設（博物館）のもっとも重要なテーマになる。

＊二〇二一年度の開館をめざしていたが、予定地から戦国時代末期と思われる道の遺構が発見され、遺構を破壊せずに展示に活かすために計画を変更し、開館年度を一年遅らせることになった。

74段　都会に暮らす野鳥たち

暖かくなるにつれ、都会でも野鳥の活動が活発になる。いろんな鳴き声が飛び交うなかで、「ピキピーピヨ、ピョーツィーヨグルル」という、澄んだ美しい声が聞こえてきた。向かいにあるビルの上に、あたりを睥睨している小鳥がいる。双眼鏡で見ると、頭から胸にかけてが鮮やかな青色で、腹のあたりは茶色である。イソヒヨドリだ。複雑な鳴き声は私には表現できないので、『野鳥の図鑑』（中村登流著）の表現を借りた。ヒヨドリとはいっても、大きさがヒヨドリくらい

イソヒヨドリ
（静岡市葵区伝馬町）

というだけで、分類上はヒタキ科に属する。

本来は文字通り磯辺にいる鳥なのだが、このところ、内陸部に入り込んできて、最近とみに増えた高層マンションを格好の居場所にしているらしい。多くの磯がコンクリートで固められている今では、ビル街も磯と同じさ、と思っているのかもしれない。

野鳥が巣立つ頃というと、何年も前の、とある光景を思い出す。頭上の電線にとまったヒヨドリが激しい鳴き声をあげている。あたりを見回すと、私の車のフロントガラスの上で小さな鳥が「遊んで」いた。傾斜のきついガラスの上をよちよち登っていき、上からスーと滑ってくる。ヒヨドリの子どもだ。飽きずに何度も繰り返しているので、上から親鳥が、いい加減にやめなさいよ、と言っているように見える。でも、子どもは夢中だ。ものすごく人間臭いので、思わず笑ってしまった。

ところが、野鳥に詳しい隣人に話したら、そんな呑気なことじゃないよと言われた。子ヒヨドリは巣立ち直後で思うように動けず、車に不時着してしまった。そこから必死に飛びあがろうともがいているのが、まるで遊んでいるように見えたのだった。いったん飛び立った巣にはもう戻らず、自力でなんとか生きのびねばならないという厳しい運命に、必死で立ち向かっていたのである。〈二〇一七・四・二〉

75段　自然には逆らわない先人の知恵

静岡市から西の県境まで、海岸線に沿って走る国道一五〇号。とくに掛川・磐田市の南部では平坦な道が続く。大波に襲われれば逃げ場がない。そんな海からの脅威の避難場所として造成されたのが浅羽地区（現袋井市）の中新田と大野にある命山である。中新田の命山は、現在は住宅に囲まれて目立たないが、本体の高さは五㍍ほど、頂部の標高は七㍍で、山というには若干こころもとないけれど、文字通り命を守る最後の拠りどころになったはずだ。

　これが築かれたきっかけは、延宝八（一六八〇）年の秋彼岸に猛烈な台風によって引き起こされた高潮で大勢の死者が出たことだった。このあたりを支配した横須賀藩では城の櫓の一つが流失し、その西側にあたる旧浅羽町一帯だけで死者三百人余りに上ったとされる。築造にあたっての詳細な記録はないが、おそらく地元民の共同作業の成果だろう。発掘調査によると、砂と粘土質の土とを交互に積み重ねるという工夫が見られるという。

上/2016年3月に完成した命山「希望の丘」
下/江戸時代に造られた命山（袋井市中新田）

　命山は、さきの東日本大震災で一躍注目を浴びた。災害対処の本質をみごとに表現した先人の知恵を生かさない手はない。中新田の命山の近くには、あらたに現代版の命山が昨年三月に完成して「きぼうの丘」と命名された。円形の築山は復元された古墳のように見える。予想津波高に対応して標高十㍍を確保、一人あたり一平米として四百人が収容できる計算だ。

この周辺にはさきに完成していた湊命山（千三百人収容）のほか新たに二つが加わり、四つの現代版命山が、文字通り住民の命を守ることになった。力づくで津波を押しとどめる巨大な防潮堤の建設は不安解消にはなるが、絶対安全ではないことを私たちは学んでいる。財産よりもとにかく命を、という考え方は、古くからの日本人の自然観を受け継いだものだ。命山は海岸地帯の景観保全という面からも、きわめて現実的な対策といえよう。〈二〇一七・四・九〉

76段　豊作を約束してくれる赤ちゃん

日本人の暮らしは稲作によって成り立ってきた。米を食べる人はもちろん、それを税として取り立てる権力者にとっても、豊かな実りの秋を迎えることは切実な願いであった。これをかなえてくれるのは、稲の神様である。そこで年の初めに、一年間の米つくりの様子を演じ、こうあってほしいという豊作への思いを込めた芸能が発生した。これを田遊びという。静岡県は全国有数の田遊び伝承地である。

そのひとつ、藤枝市滝沢の八坂神社で毎年二月に行われる田遊びに、「孕み早乙女」という演目がある。稲は一年生の植物だから、神様も毎年新たに生まれる。その出産から子育てまでを演じるのである。白衣をかぶった妊婦役の男性がむしろの上に屈《かが》み、まわりで子どもたちがはやす。そして赤ちゃんに見立てた木の人形を股間から取り上げる。リアルな出産シーンは全国的に有名だ。母親となった男性は、こ

生まれたばかりのタロッコを取り上げる
(藤枝市滝沢の田遊び)

のタロッコと呼ぶ赤ちゃんを寝かせ、その前で竹竿の先に餅をさした鍬で耕す所作をしてから、タロッコを抱き上げる。そしていかにも、いとおしげにあやすのである。

県内各地の田遊びにも、赤ん坊が登場する。水窪町の西浦では半紙に顔を描いた赤ん坊を背負い、「ネンネンボーシは、へぼいよう」と悪口を言う人を箒で叩く。引佐町「川名のひよんどり」では、背負った人形に汁かけ飯を食べさせる。いずれも稲の神様が丈夫に育って欲しいという願いを表したものだ。

滝沢の演目はすべて男子だけで行われてきたが、昨年から女子も参加するようになった。日取りも休日に変えるなど、郷土芸能の世界も自己変革を迫られている。だが、伝承地の多くは山間部にあり、集落そのものが存続の危機に直面しているという現実は厳しい。〈二〇一七・四・一六〉

77段　茶摘み歌が日本を意識させる

京都府宇治の黄檗山万福寺といえば、中国風のたたずまいで知られる。江戸時代初期に中国から日本に渡ってきた隠元禅師が開き、中国での修行のあり方を移植したからである。当時、寺内では中国語が使われたが、今でもお勤めは明《みん》時代の発音で行われるという。一画にある祠の前には、「鍵がかけてあるので華僑の方は受付まで」という張り紙があった。中国人の参拝者も多いらしい。

この寺の雰囲気は次の俳句によって強く印象付けられたといってよいだろう。

山門を　出れば日本ぞ　茶摘み歌

作者は一字庵菊舎という江戸時代中期の女流俳人で、朝顔の句で広く知られる加賀の千代女と並び称される実力者だ。菊舎は二十四歳で夫と死別、尼僧となり、亡き芭蕉にならって諸国を行脚した。この句は寛政二（一七九〇）年三月に万福寺に詣でたときのもの。中国風の寺の外では、宇治茶を摘む娘たちの歌声が聞こえる。ああ、ここは日本だったという、俳味にあふれた句である。

菊舎が敬慕した芭蕉にも、宇治の茶に関する句がある。

山吹や　宇治の焙炉の　匂ふ時

焙炉は蒸した茶葉を乾燥させる道具、そこから立ち上る新茶の匂いが心地よい。外では鮮やかな黄色い花をいっぱいつけた山吹の細い茎が風に揺らいでいる。

緑あふれる茶園と、そこから聞こえてくる茶摘み歌。初夏の日差しに、わずかに汗ばんだ娘たちの肌の色がまぶしい。そして、鼻腔をくすぐる新茶の香りと、緑色を引き立てる山吹の黄色。季節のうつろいを五感すべてで感じ、ことばで表現できる日本人の感性が、二つの短い詩にあふれている。

〈二〇一七・四・二三〉

78段　芭蕉や西鶴も駿河の茶を知っていた

柑橘系の香料は現代人にも人気がある。みかんの白い花は、子どもにとって「優しいかあさん」の思い出だと歌われたが、仲間である橘の花は万葉の時代からその香りが愛されていた。平安歌人は、五月を待って咲く花橘に、かつての恋人の袖の香りを思い出すと詠んだ（『古今和歌集』）。

その花橘をしのぐほどの香りが駿河には漂っている、といったのが松尾芭蕉である。

駿河路や花橘も茶の匂ひ

この句に普遍性があるのは、芭蕉が活躍した江戸時代の前期、すでに駿河茶の存在が広く世間に知られていたからだ。芭蕉と同時代の文豪、井原西鶴の『西鶴諸国ばなし』にも、江戸麹町で安倍茶を扱う商人がでてくる。やや時代は下るが、江戸の茶商の引札（商品案内）には、安倍や足久保の茶が銘柄品として挙げられていた。

なぜ、駿河茶の評価が高かったのか。それは足久保（静岡市葵区）の茶が、将軍家に納入されていたという事実があったからだろう。さらにさかのぼれば、駿河・遠州の山間部では戦国時代から茶が生産され、現物年貢として徴収されていた。徳川家康の時代、駿府に集められたこれらの茶は、商人に払い下げられて江戸に出荷されていたと思われる。

残念ながら、徳川家康が駿河の茶を愛飲したという記録は見つかっていない。しかし、駿河茶は、聖一国師が中国から持ち帰った茶の種を足久保に播いたのが始まり、という由緒があった。このことは国師の正式の伝記には記載がないが、将軍家買い上げの理由づけに、この伝承が強調された可能性もある。一㌔百八万円という景気のいい話題で始まった今年の新茶シーズン、お茶の香りを味わいながら、こんな歴史に想いを馳せるのも楽しい。〈二〇一七・五・七〉

79段　お茶がとりもつ人間関係

この季節、知り合いに新茶を贈る。普段あまり会うことのない人と、便りを交わす大切な機会だ。新茶には、新芽に秘められた成長のエネルギーを体内に取り込み、一年を健康に過ごすという特別な意味がある。しかし、お茶が仏教と関わる飲み物、ということもあって、葬儀に来てくれた人へのお礼に広く使われ、静岡をはじめ東日本では、結婚式などめでたい時にはお茶は出さない。仙台のお茶の老舗でも、近くで葬式が出ると聞くや、すぐにお茶の注文をとりに行ったそうだ。遠州大念仏では、新盆の家の庭先で「あの世からの長い旅のあと、お茶をいただいてうれしい」と、亡くなった家族の霊からの、供養のお茶に対するお礼が歌われる。

しかし、新潟県十日町市には、正月にお茶を贈る例があった。村内全戸が互いに年始回りをするとき、それぞれ紙袋に入れたお茶を持って行く。袋には「煎茶」とか「年賀」と書いてあるが、お茶は高価なので、普段お茶の代用にしている、豆を鞘ごと乾燥させたものをかわりにした。袋は封を切らずに、そのままよその家にまわすことも多いので、「なんだ、おれのお茶が戻ってきたぞ」と言ったものだと、お年寄りが話してくれた。

大井最上流部の井川（静岡市葵区）では、深い渓谷を渡るために橋をかけたが、これは両岸から木材をせり出して中央で結合させるという刎橋《そりはし》で、よそから来た人は足がすくんでしまう恐怖の懸け橋だった。橋の維持管理は役人の仕事である。万治三年（一六六〇）頃、地元の郷士、海野氏から年始の祝儀に「煎茶」を贈られた担当役人の礼状が残っている。当時は今のような急須で淹れるお茶ではなく、煎じて飲むという、文字通りの煎じ茶だった。お茶は同じ空間にいる人だけでなく、遠く離れた人とも、香りと味わいを共有させてくれる得難い仲介者なのだ。〈二〇一七・五・七〉

年始回りに使われたお茶の袋とその中身（新潟県十日町市で）

80段　主が逃げ出した雨乞い池

水芭蕉といえば尾瀬。学生時代、山開き直前に行ったことを思い出す。大きな緑色の葉に包まれた真っ白い花が湿原のそこかしこに咲いている。つい、ちり紙をまいたみたいだと情緒のないことを言って先輩から叱られた。名曲のイメージを壊してはいけない。

静岡市の郊外に高山という標高七百㍍ほどの山があり、市民の森として親しまれている。頂上近くに池があって、岸辺に水芭蕉が咲いている。地元、水見色の婦人部が平成七年に尾瀬湿原ゆかりの群馬県片品村から二十四株を貰い受けて植えたのが始まりだという。

この高山の池は、伝説の池である。むかし、水見色の杉橋長者の一人娘のもとに毎晩通ってくる男がいた。怪しんだ家人は、男が帰るときにその着物の裾に糸を縫い付けるよう娘に言い含めた。翌朝、糸をたどっていくと高山の池に消えている。怒った長者はたくさんの焼石を池に投げ込ませたので、池の主は安倍川対岸にある鯨が池に逃げ込んだ。

これは有名な三輪山伝説の変型で、池の主はジャであるとか、牛であるとか言われていて、山中で雨が降りそうになると、ウシンボウが出ると恐れたものだった。牛を捧げて雨を祈ることは、さきに触れたとおりで（72段参照）、この池は雨乞いの場でもあった。麓の村むらでは、日照りで困ると、池に生えているマコモを切ってきて軒に挿したり、氏神に供えたりした。すると必ず雨が降ったといい、マコモは降雨のあとで池に返しに行った。

池は周りに生える植物が溜まっていって次第に狭くなり、やがて湿地にかわってしまう。この池も今は周囲がずぶずぶになっていて、いずれは消えてしまう運命と思われる。住みかが失われそうになれば、池の主はどこかに避難する。焼石を投げ込まれて逃げ出したという伝説も、池が沼に変わり始めたことの象徴的な言い回しなのだろう。〈二〇一七・五・一四〉

81段　無常を感じさせる野辺の煙

俳優や歌手のだれそれさんが亡くなったいうニュースが最近増えたように思う。でも有名人の訃報は常に報じられていたはずだから、増えたのではなく、自分と時代を共有してきた人の減っていくことが気になる年齢になったということだ。

昨年、タイ北部のチェンマイ郊外にお茶の調査に行ったとき、たまたま村の葬式に遭遇した。寺の境内に金紙や銀紙で飾り立てた高さ五㍍はあろうかと思われる立派な仮屋が置かれ、その正面に遺影が飾られている。働き盛りの男性が病院で急死したとのことだった。まわりのテントでは参列者の接待で主婦が大忙しだ。「さあ、食べて」と私にも勧めてくれた。寺の中から僧侶の読経の声が聞こえてくる。

このあと、全員が仮屋を載せた台車に長い綱を付け、村はずれまで引いていくという。野次馬のようで御遺族には申し訳ないが、めったにない機会だから、あとを追った。火葬場は二十分ほど歩いた道路脇の広場だった。いちばん奥まった所に石造りの台座があり、その上に屋根つきの頑丈な炉が設けてあ

タイ国の火葬施設
(タイ国・チェンマイ郊外で)

る。参列者は吹き抜けの建物内の石のベンチに座る。その向かい側にある同じような建物に台車から下ろした棺を安置し、しめやかな読経のうちに遺族が拝礼する。やがて、男たちが棺を炉に納めて薪を積み油をかける。その上にさきほどの仮屋を載せる。点火するや仮屋はたちまち激しい炎に包まれる。それを見届けて参列者は村に戻り、当番にあたった人が灰になるまで火の番をする。

棺を運ぶための村共有の台車、それを引いての野辺送り、村はずれでの火葬、徹夜の火の番など、かつて日本でも行われていた習慣だし、当番は遺骸が生焼けにならないよう、火力の維持に気を遣ったと聞いている。思いがけず、遠い異国の野辺の煙に、世の無常を感じさせられたのだった。

〈二〇一七・五・二二〉

82段　「虎が雨」の降る日

五月二十八日は、「虎が雨」いって、必ず雨が降るという言い伝えが、とくに神奈川県下にある。建久四（一一九三）年、曽我兄弟が父の仇、工藤祐経を富士の裾野で討ったのがこの日である。兄十郎はその場で死に、弟五郎は捕らえられた。十郎の恋人の名を虎という。虎の嘆きの涙が、この日の雨になった。即物的に解釈すれば、ちょうど田植えの頃だ。雨が欲しいという農民の気持ちが生み出した話ということになる。しかし、虎は実在の女性である。鎌倉幕府の公式記録『吾妻鏡』に、六月一日に虎という大磯の遊女を召し出して事情を聞いたが、罪になるような点はなかったので釈放したと書かれている。

幼い時からひたすら仇討ちを考え続け、ついに宿願を成就した兄弟の話は、『曽我物語』として全国に広まった。話の大筋は事実に基づいているが、物語としては、肉親の愛情や恋人との別れなど、いたるところで涙腺を刺激する構成になっている。物語を人々に語り聞かせながら漂泊の旅を続けた女性たちの工夫だったかもしれない。

静岡市内に兄弟ゆかりの場所がある。清水区平沢《ひらさわ》の平沢寺《へいたくじ》である。ここに兄弟のいとこである宇佐美禅師がいたが、兄弟の死を知るやただちに富士の裾野に駆け付けて弔い、骨を首にかけて曽我の里に行った。兄弟の母も、母が再婚していた義理の父も、「子どもが帰ってきたのに、こんな姿になって」と、禅師のたもとにすがって泣き悲しんだという。

平沢は、日本平の懐に抱かれた、まるで隠れ里のような所で、都にも知られた久能寺に近い。宇佐美禅師は、もと久能法師であったが、久能寺には仏の教えを物語として広める「物語法師」がいたといわれる。すると宇佐美禅師は、兄弟の肉親の一人として、無残な死を遂げた兄弟の霊を弔う物語の成立に、何らかの関わりをもっていたかもしれない。〈二〇一七・五・二八〉

83段　機械による〝手揉み茶〟

新茶の季節も終り、目に痛いほどだった茶畑の新緑も、落ち着いた深緑になった。近年、緑茶についての関心が高まっていて、世界的には生産量も右肩上がり。とくに、抹茶の需要は日増しに拡大しているが、煎茶一筋に発展してきた静岡の生産現場にとっては、新たな製茶機械の購入や茶園の改良など、厳しい選択を迫られることになりそうだ。

先日、高級玉露の生産地として知られる藤枝市の朝比奈地区で、お茶を作り続けている尾村甫《はじめ》さん（昭和四年生まれ）のお宅を訪ねた。自動化され、センサーを活用する大規模な共同工場ではなく、製茶の工程単位に作られた三十五キロ（生葉処理量）機を組み合わせた小さな茶工場《ちゃこうば》が尾村さんの舞台である。蒸した茶葉を乾燥させながら揉み、最後は細長く針のように仕上げていくという、熟練の職人技をガチャン、ガチャンと動く機械がそっくり代行する。

仕上がり具合を手揉みの経験でチェックする（藤枝市内で）

茶産地に続々と出現した手揉みの腕自慢を茶天狗というが、そうした「我こそ一番」という、さまざまな揉み方が統一されたのは明治三十八（一九〇五）年で、これが現在の手揉み技術の共通基盤となった。やがて、熱心な茶農家と鉄工場の主人が協力し合って機械化のための工夫を重ねる。当時の静岡人の茶業にかける積極進取の心意気はすごかった。やがて続々と特許申請がなされ、そのなかのごく一部が商品化される幸運に恵まれた。

稼働中の機械を見守る尾村さんが、仕上げ工程となる精揉《せいじゅう》機《き》に手を入れて出来具合を調べ始めた。尾村さんは、茶手揉み技術の無形文化財保持者でもある。茶葉を手のひらにはさんで感触を確かめる動きは、まさに手揉みそのものだ。機械化されたとはいえ、最適な加工には微妙な調整が必要で、尾村さんはそこに手揉みの体験を生かしている。こうした小型機械によって作られたお茶には作り手の個性が息づき、顧客満足度も高い。機械による手揉みという、矛盾した表現がぴったりなのだ。〈二〇一七・六・四〉

84段　亀は二つの世界を行き来できる

遠州灘に面した砂浜には、夏が近くなるとアカウミガメが産卵のためにやってくる。とくに御前崎海岸の産卵地は国の天然記念物に指定され、地元では保護活動が熱心に続けられている。亀は伊豆西海岸にも来た。地元の人は、亀の産卵場所が波打ち際から遠いか、近いかで秋の台風の大きさを予想したという。大荒れになりそうな年は、いつもより内陸寄りに産むというのである。

亀は幸いをもたらす神でもある。カツオは海面に漂う大きな木片の下に群れをつくる習性があり、この木を亀の枕などと呼ぶ。とくに亀の噛み跡があるのはもっとも集まりがよいとされた。浦島太郎の話のように、人間との交流も多い。新幹線掛川駅南口あたりは、かつて亀甲村《かめのこう》といった。戦国時代、漁師が亀を殺そうとしていたところに行き合わせたお坊さんが、亀を買い取り海に逃がしてやった。その晩、亀が夢に現われ、明朝、海岸に来てほしいと言う。海岸に行ってみると、沖合から亀が黄金の観音菩薩像を背に載せて現われたので、それを亀の甲観音として祀ったのが地名の由来だという（『遠江古跡図絵』）。ただし、上《かみ》の郷の当て字が亀の甲になったのだという説もあるが。

袋井市の南部、もと浅羽町の海岸近くに亀の松と呼ばれる松の木がある。数百年前のこと、この地が大津波に襲われ、ある男が妻と我が子を失った。その夜、家に美しい女性が現われ、あなたの子どもはこの先の海辺にいると言って案内してくれた。行くと小枝の上に我が子が無事でいて、枝の下には大きな亀が死んでいた。男は亀を葬り、松をそこに植えた。大きくなった松の木は、その形が亀に似ているので、亀の松と呼ばれるようになった。亀は海と陸、いいかえれば、二つの世界を自由に行き来できる特別な生き物である。これが、神話や伝説の主人公になれた最大の理由だろう。〈二〇一七・六・一一〉

85段　すべてに及ぶ神農の威力

ＪＲ浜松駅から徒歩二十分ほどの所に鴨江寺がある。むかしから、人が死ねば鴨江に行く、といわれており、春秋の彼岸には「お鴨江参り」といって、肉親の供養のために参拝する人でごったがえす。今年の春の彼岸にも、寺に至る坂道と門前の道にたくさんの露店が並び、子ども連れで賑わっていた。

本堂の裏手に行くと、小さなお堂のような建物の前に幟が何本も立っている。「神農黄帝御宝前」「鴨江観音露天商人世話人一同」と書いてある。中に安置されている神農の像は、頭に角を生やし、右手に持った草のようなものを噛んでいる。

神農は中国の伝説上の皇帝で、人間に農業と交易を教えたといわれるが、同時に医薬の神としても広く信仰を集めている。昔は医者の仲間で神農講という集まりを作り、神農像を前に親睦を深めていた。

お彼岸に神農廟に立てられた幟
(浜松市中区の鴨江寺で)

また、お茶に関心のある人なら、神農が一日に百種の草を噛んで薬効を調べ、もし毒だったら茶の葉を噛んで毒消しにした、これが茶利用のはじまりであるという話を聞いたことがあるに違いない。

その神農が、なぜ露天商の守護神となっているのだろうか。大阪で薬屋さんが集まっている道修町《どしょうまち》には、日本の医薬の神である少彦名命《すくなひこなのみこと》を祭った神社とともに神農が祭られており、毎年十一月の縁日には賑わうという。鴨江では今年は見かけなかったが、かつては縁日に薬草を売る露天商がたくさん並んだそうだ。医薬の神、交易の神ともなれば、薬草売りの露天商が信仰するのは当然である。

神農は今では開運の神としても人気がある。東京のＪＲ御茶ノ水駅のホームに立つと、神田川の向こう側に湯島聖堂が見える。かつて江戸幕府の知性を集めた昌平坂学問所のあとだ。ここにも医薬の神として神農がまつられていたことから、学業成就や合格祈願に訪れた学生が、神農像を描いた絵馬を買っていく。〈二〇一七・六・一八〉

86段　日本にお茶をもたらした僧侶たちと地域産業

日本の茶の歴史はいつから始まったのか。記録の上では、平安時代の初期、滋賀県東近江市にあった

茶の種子を手にした栄林周瑞の像
（福岡県八女市黒木町の霊巌寺で）

梵釈寺で、永忠というお坊さんが嵯峨天皇に茶を呈したのが最初とされる。当時の朝廷では唐風文化の影響が強かった。貴族たちが好んで作った漢詩にも茶が出てくる。しかし、そのもとになった茶はどこから入手したのか、国産だとしたら、どういう製法で作ったのかについては、残念ながらよくわからない。

　先日、千二百年前の味を現代に生かすということで、日本茶発祥の地とされる滋賀県大津市坂本の日吉茶園からわけてもらった茶樹をもとに商品化に成功した人がいると報じられた。日吉茶園は最澄が開いた比叡山の麓にあり、中国から持ち帰った茶の種をまいたのが始まりという。最澄が茶を飲んでいたことは確実だし、日吉茶園の茶の遺伝子の研究では、中国浙江省あたりの茶との類似性が認められているが、現在の茶樹が最澄の時代から栽培され続けていたという証拠はない。ただ、そうした伝承を裏付けるように、比叡山と関係が深い日吉大社の祭には、この茶園で作られた茶が奉納されていて、代々その役を継承してきた家は、なんと「茶之木」という名字である。

　静岡で茶の始まりといえば、もちろん聖一国師となるが、国師は愛知県西尾市でも実相寺をひらいて、茶の始祖と崇められている。時代は下るが、九州八女茶の始まりは、一四二三年に中国から帰国した栄林周瑞という僧が持ってきた茶の種に始まるといわれている。

全国にはこうした茶の始まりについての伝説がたくさんある。それはとりもなおさず、茶が商品として価値が高く、地域産業の一角を担っているということの証拠である。こうした伝承地すべてで現地調査を行って比較研究すれば、茶の文化的な意味がもっと明らかになるだろうし、ひいては地域産業とのかかわりについての面白い研究になる。こうした全国レベルでの研究を推進して茶の文化的な価値を高める工夫も必要だろう。〈二〇一七・六・二五〉

87段　今川時代の駿府の防備

奈良時代、行基というお坊さんが、はるばる静岡にやってきて、足久保（葵区）の法明寺で一本の大きなクスノキから七体の観音菩薩像を刻みだした。それを周辺にあった有力寺院に一体ずつ安置したので、その寺々を総称して駿河七観音という。江戸時代には女性がグループを作り、この七つの寺をめぐる巡礼が盛んに行われた。

静岡・清水を結ぶ北街道を東に向かって走ると、左手の山の中腹に木々の緑に埋もれた青い大きな屋根が遠望できる。七観音のひとつ、霊山寺である。麓の大内は、かつて鎌倉を追われた梶原景時一行が地元豪族に討たれたところと伝える。そこから山道を十五分ほど登ると、大きな仁王門が眼前に現われる。建立は永正十三（一五一六）年、「大檀那朝比奈福寿庵恵妙」と棟札にある。県内では古い建築物で、国指定の重要文化財である。ちょうど今川氏親が戦国大名としての地位を確立し、次々と新政策を実施していたころにあたる。朝比奈氏は有力家臣の一人である。

仁王門を抜け、さらに石段を上がると本堂である。回廊に立って見晴らせば、眼下に駿河湾が広がり、右手前には日本平の頂が一文字をなして横たわっている。本堂の裏手からさらに山道を三十分、広い頂上には、かつては大きな一本松が生えていて、海上からの目印にされていたという。

そこからは、さらに広い視野が得られる。思いを今川時代にはせてみよう。天下の難所、薩埵峠を越えてきた東海道と、それに並行する北街道の人馬の動きはもちろん、駿河湾に浮かぶ船の動向も一目瞭然。梶原景時の一行の動きは、もしかしたら、ここに張られた監視網にかかったのかもしれない。今川氏が本拠地とした駿府の西側には、安倍川があり、さらに宇津ノ谷峠と日本坂が控えている。背後は南アルプスだ。駿府は、無防備な平坦地にみえて、じつは堅固な自然の防壁に囲まれたスケールの大きな要害の地であったようだ。〈二〇一七・七・二〉

88段　知り合いに釣り人がいる幸せ

釣りが好きな知り合いが何人かいる。亡父にも川釣りが得意な友人がいて、存命中は鮎の季節になると、たくさんの鮎を持ってきてくれたものだが、世代交代で付き合いが遠のいた。釣りの好きな人は、獲物をひとにあげることも好きらしい。先日、そんな一人が、とれたばかりのイサキ（イサギ）を何匹も持ってきてくれた。刺身よし、塩焼きよし、本当に美味しかった。いまどきのイサキは梅雨イサキといって、もっとも美味しい時期で、うまくあたれば二十や三十は釣れるらしい。こういう知り合いは、なかなか得難い。

イサキという白身の魚は、高級魚の範疇に入る。昭和三、四十年頃までか、熱海市の沖合に浮かぶ初島では、パッカイと呼ばれる一風変わった漁法が行われていた。狙うのは主としてイサキだった。若者たちが海に潜り、長さ一メートルほどの経木《きょうぎ》をたくさんつけた綱を上下させて魚の群れを脅し、網に追い込む。もともとは沖縄県糸満のウミンチュが得意としたものだ。

糸満では親方のもとに三十人から五十人ほどの組を作り、小舟に分乗して漁場を渡り歩いた。明治から大正にかけて、太平洋岸を北上し、なんと千葉県まで出稼ぎにきている。たいへん効率がよい漁法なので、地元では魚を根こそぎ捕ってしまうといって嫌われたという。初島にやってきて地元の許可を得てこれを実行した組があった。それを目の当たりにした島の人たちが、やり方を教えてもらい、高値で売れるイサキを狙って追い込み漁を始めた。初島は昔から戸数が四十一と決められており、その規模が、まさにこの漁にうってつけだったので、島民全員参加の共同漁として定着したのである。

パッカイは沖縄ではアギャーといった。それをパッカイというのは、同じ漁法が伝わった伊豆大島で、追い込んでも何も入らずガッカリすることをパッカリといったからだという説もある。〈二〇一七・七・九〉

遠州灘沖でとれたイサキ（静岡市葵区で）

89段　ひっぱりだこの島

日間賀島《ひまかじま》は知多半島の先端近くに浮かぶ小さな島である。名古屋駅から名鉄特急で五十分、河和《こうわ》港から高速船で二十分、大都会のこんな近くで、島の雰囲気が味わえる。戦前から海水浴場として人気だが、それに加えてタコの島、これをもじって多幸の島として宣伝中だ。

台風三号が列島を駆け抜けていった翌日、島に渡ってみた。嵐のあとで、しかも平日だったせいか、ほとんど人通りがない。食堂も暖簾を仕舞いこんだままひっそりとしている。もちろんタコを食べたいが、まずはタコ漁や蛸阿弥陀といわれる仏様のことを聞きたい。

乾燥中のタコの形を整える
（愛知県南知多町の日間賀島で）

伝説によると、むかし日間賀島の近くの島に竹林寺という寺があったが、大津波に流され、本尊の阿弥陀様は海中に沈んだ。ところがある日、タコ瓶《がめ》を上げたらタコが吸い付いたまま阿弥陀様が出てきた。これが安楽寺の御本尊で、干しタコをお供えするのが習わしになっている。

坂道を寺に向かって歩く。漁師集落の典型で、細い路地を挟んで家々が密集し、そこに埋まるように安楽寺があった。住職は不在だったが、タコの絵馬を買った。真夏を思わせる暑さだ。坂道の途中に小さなかき氷の店を見つけて一息ついていると、孫を連れて家族分の氷を買いに、おじいさんが入ってきた。

「お、静岡から来たのか。久能の沖でもタコ釣りをしたよ、千葉県の館山あたりまで行ったものだ」。タコのもっともおいしい食べ方はときいたら、「それは、茹でた足をこう持って」と上を向いて口をあけ、「足先の方から食べていくことだ。最後にいちばんうまい足の付け根がくるのさ」と話に熱が入る。

「おじいちゃん、氷が溶けちゃうよ」と言われ、名残り惜しそうに出て行った。港に行って見たら、小雨になった。おばあさんが、乾燥中のタコを取り込んで形を整えている。十月過ぎれば、強い風が吹くので、文字通り「引っぱりだこ」がたくさん見られるよ、と教えてくれた。〈二〇一七・七・一六〉

90段　お肌も内臓の一部だった

全くの専門外だったり、ふだん関心のない分野の話は、聞く機会がほとんどないが、その気になって聞いてみると、なかなかおもしろい。先日、東京でお茶料理研究会主催の「茶とアンチエージング」という題のシンポジュウムに参加した。アンチエージングは今、はやりの言葉で老化を防ぐといった意味である。お肌の研究をしている大口健司さん（椙山女学園大学准教授）の発表が、けっこう新鮮だった。女性からは、今さらと言われるかもしれないが、その印象を紹介しよう。

まず、皮膚は体全体分を広げると、畳一畳ほどになり、しかも唯一、外から見える臓器だという。臓器といえば、胃とか肝臓とか、体内にあるものだと思っていたが、こう認識すれば、おのずから皮膚に対する扱いも変わってくる。私なりに解釈すれば、体の劣化もお肌に現われるということだろう。とくに顔の皮膚の状態は、その人の見た目の年齢と大きく関わる。鼻の脇から唇の端に伸びる、ほうれい線、目の下から頬にかけて現われる長い皺は、殺し屋ゴルゴサーティーンにちなんでゴルゴ線というのだそうだが、若い女性の写真にこうした線を加えていくと、あっという間にお年寄りの顔になってしまう。若い肌は、すべすべした絹の白いハンカチ、老化した肌は、ガサガサの茶色の段ボール、というたとえもわかりやすかった。私も段ボールだな、と実感する。

　肌が黄色くなってきたり、シワやタルミなどができる要因は、紫外線に加えて、近年の研究では体内のたんぱく質と余剰な糖分が結合する糖化が大きく関わっているという。近頃なにかと話題のコラーゲンも体内たんぱく質の一種だから、とり過ぎれば「たんぱく糖化最終生成物」となって、逆効果になる。基本は、適度な運動をして糖質を消費することと食生活の改善（お茶を飲むこともその一つ）にありだという。やっぱりお茶の威力はすごい。〈二〇一七・七・二三〉

平成29年（2017）夏

山名神社天王祭舞楽に登場するカマキリのかぶり物（森町で）

カマキリ（静岡市駿河区石部で）

91段　小学生が演じるカマキリの舞

森町を流れる太田川沿いの平地は、古い荘園の一部で、都の貴族文化とも関わりがあった。毎年七月十五日に近い土・日曜日は地区の氏神である山名神社の祭日で、八つの集落がそれぞれ意匠をこらした屋台を繰り出す。お囃子が風に乗って流れてくる緑の稲田越しに、華やかな屋台が若者たちに引かれていく。

地区の南に集結した八台の屋台は、暗くなるのを待って賑やかに囃しながら、神社に向かう。本殿前の舞殿では、子どもたちによる舞楽が演じられているのだが、屋台はそんなことにはお構いなく、笛・太鼓に加え甲高い鉦の音を響かせながら舞殿の脇を次々とすり抜けていく。もちろん、舞楽の伴奏など、全く聞こえない。子どもたちが一生懸命やっているのにと思うのだが、じつはこの騒々しさに意味があった。

疫病が流行りやすい梅雨時、とくに人家が密集する都市部では悪い病が流行する。それは疫神の仕業とされた。人々はお釈迦様ゆかりの祇園精舎の守り神である牛頭天王《ごずてんのう》を祭ることで、疫神を退け健康を保ちたいと願った。牛頭天王を祭神とする各地の神社は、京都の八坂神社系なら祇園さん、愛知県の津島神社関係だと天王さんと呼ばれた。悪霊たちは、大音響や激しい跳躍によって鎮められるとされたが、都の人びとは、単純な踊りや囃子だけではなく、派手な仮装でギャラリーに感嘆の声をあげさせたいと、互いに出し物を競い合うようになった。

そんな趣向の一つが、意表をついた蟷螂《とうろう》舞である。京都の祇園祭でも、大きなカマキリを載せた山鉾が出るが、森町では、少年がカマキリの作り物をかぶり、羽を背負って舞う。なかなかリアルな工夫だ。今年は小学六年生の平松隼君が演じた。友人のかわりに急に出ることになったので、緊張するけれど頑張ると力強い一言。被り物で顔は見えなかったが、羽を広げたり、両手で紐を操作して鎌を動かしたり、立派なカマキリを演じきった。〈二〇一七・七・三〇〉

92段　男装して、お上に叱られた女たち

慶応三（一八六七）年七月、豊橋市牟呂《むろ》に伊勢神宮のお札が降ってきた。世情騒然たる幕末期、これは世の中が変わるという神様のお告げに違いないとばかり、各地で熱狂した人々が踊り始めた。東海道筋を中心に湧き上がった、この「ええじゃないか」騒動が、この年十月の大政奉還すなわち江戸幕府崩壊に大きな役割を果たしたとされる。

「ええじゃないか」の嵐は一路、江戸に向かって進む。静岡県の西端、白須賀宿（湖西市）にお札が降ったのは、八月七日の午前十一時ころだった。もともと海沿いにあった宿場が大津波を機に移転した台地上の、さえぎるもののない青空を背景に白い鳥が飛んでいくのが見えた。すると間もなく、中丁の熱田屋与次兵衛方に、先が山型をしている剣先のお札が降ってきた。熱田屋ではそれを三方《さんぼう》に載せ、門口に

大きな松を立てて手洗水と手ぬぐいを添えた。多くの人がお参りに来たので、夕方には酒を振舞い、餅投げをした。

お札は九日に新居、その翌日には浜松に降った。騒動は天竜川を越え、見附（磐田市）に降ったのは十四日だった。ちょうど見附天神の祭りが終わったばかり、祭りの熱狂さめやらぬ人びとは、お札降りをきっかけに、屋台を出し、揃いの衣装を着て、祭りをやり直した。騒動はさらに東に向かい、九月末には駿府に降り始めた。降るのはたいてい金持ちの家の前である。当然、お祝いだといって酒を出し、餅をまく。それを狙ってお札をまいた男がつかまったりしている。本来二月の廿日会祭《はつかえさい》に出るお踟《ね》りが繰り出すほどになった。熱狂のあまり、多くの女たちが男装して祭りに加わり、のちに奉行所からお叱りを受けた。世の秩序を変えることは御法度だったからだ。騒動はさらに東に向かい、江戸では十一月中旬に降ったというが、すでに幕府はなくなっている。翌年九月、年号は明治にあらたまった。

〈二〇一七・八・六〉

93段　地獄がワンダーランドになった

小学生の頃、「嘘をつくと閻魔さんに舌を抜かれるよ」と言われた。想像を絶する恐ろしさが自制心を育てたことは確かだが、大人になると自分の理屈が優先する。そんな悪行をすべて見通す閻魔大王は、地獄の入り口で亡者を待ち受け、その行き先を仕分ける。

東京の三井記念美術館で、いかにも夏向きの「地獄絵ワンダーランド」という展覧会をやっている。地獄にはいろんな種類があって、犯した罪に応じて落ちる先が異なる。地獄の鬼にいたぶられ、血まみれになった亡者の無限に続く苦痛の有様を、これでもかという筆致で描いた地獄絵は、見る者にまっとうな生き方を説くのに使われた。

地獄絵は平安時代の僧、源信の『往生要集』をもとに、画家がきわめてリアルに描き出したものだ。眼前で人が殺され、放置された遺骸を犬が食うといった光景が日常的に見られた時代である。それに想像を交えて描かれた地獄絵の迫力はすさまじい。あの、舌を抜かれる場面もあった。亡者の口から引張り出され、畳一枚ほどに広げられた舌の端に釘が打ち込まれている。刀葉林《とうようりん》という地獄は愛欲におぼれた者が行く所だ。樹上で招く美女をめがけて男たちが木に登り始めや、葉っぱ一枚一枚が鋭い刃となって体を切り刻むのだが、ずたずたにされ血を流しながらも登ることをやめられない。これが何千年、何万年と続くという恐ろしい地獄で、男の性《さが》を冷酷に描いている。

恐ろし気な閻魔大王（焼津市小川の海蔵寺）

地獄絵は確かに人間に正しい生き方を説くものだが、耐え難い苦痛とは何か、じっくり考え抜かれている。これは現代の拷問に通じていないか。地獄の業火のかわりに電流が使われ、精神的な圧迫も加わる。地獄のありようは「近代化」され、さらに互いの憎しみの連鎖のなかで展開されていると考えると、地獄絵なんて可愛いものだ。ワンダーランドという題には、そんなメッセージも込められているようだ。〈二〇一七・八・一三〉

94段　小泉八雲は焼津の海で霊を感じた

耳なし芳一や雪女などの怪談で知られる小泉八雲は、自らも寒気のするような不思議な体験をしている。八雲が初めて焼津を訪れたのは明治三十（一八九七）年の八月。この海辺の漁村が気に入り、毎年夏になるとやってきては、浜通りの魚商人、山口乙吉の家の二階を借りて静養した。ここで目にしたダルマに片目がないわけを尋ねた話が、八雲（乙吉）ダルマという名の起源になった。

　ある年の盆の三日目の夜、八雲は精霊送りの流し燈籠を見ようと海岸に出てみた。しかし、すでに行事は終わっていて、海上には小さな燈籠の明かりが線のように連なっているだけだった。八雲は暗い海を泳いでその一つに近寄り、子細に観察した。そのとき彼はかすかな寒気を感じ、精霊が通る時刻は危険だというこの地の言い伝えを思い出した。海岸に

小泉八雲が滞在した乙吉の家
（愛知県犬山市の明治村で）

戻ると、乙吉夫婦が心配げに立っていて、盆の夜に海に出てはいけないと忠告された。翌日、八雲は防波堤の上から打ち寄せる大波をながめ、夜には波の音を聞きつつ、死者の言葉が海のどよめきになるという古い信仰を思い出していた（『焼津にて』より）。

お盆の夜に漁に出る人は必ず底なしの柄杓《ひしゃく》を持っていく。その夜は海で死んだ人の亡霊が出て、仲間を増やそうと柄杓に海水を汲んで船に流し込もうとするので、その時に底なしの柄杓を貸してやれば助かるという話が広く伝えられている。

八雲が滞在していたころの焼津は、東海道線焼津駅の開設という僥倖に恵まれ、水産業が急速に発展していく直前だった。それからわずか二十年あまりの大正九（一九二〇）年、焼津を訪れた柳田国男は、焼津の変貌ぶりに驚き、八雲がなぜここを愛し続けたのか、いぶかるばかりだと書いている（『秋風帖』）。八雲が滞在した乙吉の家は、現在は愛知県の明治村に移築され、駄菓子屋になって若い女性でにぎわっている。八雲の寝床に響いた潮騒は、もちろんここには届かない。〈二〇一七・八・二〇〉

95段　赤ちゃんを泣かせる相撲

静岡市駿河区八幡《やわた》の八幡《はちまん》神社は、静岡市街地と駿河湾に面した久能海岸とを結ぶ久能街道に沿った古い神社である。境内には、四本柱を立てた立派な土俵があり、祭日の八月十五日には、日ごろ稽古を積んでいる少年や青年たちによる相撲大会が行われるが、その前に古式子供土付《つちつけ》という、ちょっと変わっ

古式子供相撲で負けて派手に転がる横綱
（静岡市駿河区の八幡神社で）

た行事がある。

小さな化粧まわしをつけた赤ちゃんが、住所と姓名を呼ばれ、介添え役に抱かれて東方から土俵にあがる。かたや西方、横綱だれそれと呼び出されるのは、相撲仲間で日ごろ稽古をしている青少年だ。両者向かい合ったところで行事の軍配がかえると、横綱は形だけ突っ張りを見せてから、派手にころがる。そこで赤ちゃんが勝ち名乗りを受けるのである。最初から泣いている子もいるし、意外に堂々として大物ぶりを発揮する子もいる。

じつはこういう場合、全国の類例をみると赤ちゃんは泣いたほうがよいとされる。荒祭りで知られる焼津市の焼津神社の「神ころがし」という神事では、神職が赤ちゃんを茣蓙《ござ》の上で転がしてわざと泣かせる。泣き声で神様にその子の存在を知ってもらうため、あるいは神様が新たに氏子として認めた証拠に泣き声をあげさせるのだともいわれる。

八幡神社の相撲については、残念なことがある。それは、この相撲にちなんで売られていた張り子の軍配が、姿を消してしまったことだ。作っていた沢屋（静岡市葵区梅屋町）は、初代が明治三十五（一九〇三）年に八十七歳で亡くなったという老舗で、静岡張り子の製作者として有名だった。しかし先年、四代目が亡くなって後継者がないため店を閉じてしまった。コレクターの間で珍重された軍配は、横田町（同市葵区）の西宮神社の祝い鯛などとともに、静岡を代表する郷土玩具のひとつだったのだが。

〈二〇一七・八・二七〉

96段　日本はトンボの国

加賀千代女の句

とんぼ釣り今日はどこまで行ったやら

ほほえましい子どもの遊びの光景を詠んだものに見えて、じつは、幼くして亡くした我が子を想う母親としての切ない気持ちをこめた哀惜の句であった。

昭和三十年代には、静岡市の中心部にもとんぼがたくさんいた。とんぼを釣るには、まず、ギンチョッチョと呼んだ小さなセセリチョウを捕まえ、胴に長い木綿糸をくくりつける。その先を竹竿に結んで空に放つと、草の茂った水路の上を行ったり来たりしているギンヤンマが猛烈な勢いで食いついてくるので素早く網で捕獲する。若草色の胸と、それに続く胴の付け根は鮮やかなトルコブルー。少年にとってはシオカラトンボなんか比較にならない、価値ある獲物だった。

この盆休み、帰省した孫と安倍川の本流から少しだけ山に入った小さな沢に涼みに行った。弁当を食べていたら、大型のトンボが飛んできた。おもちゃのような捕虫網だけど、うまく捕まえることができたので、ジイジの株が上がった。

オニヤンマの目玉（静岡市内で）

オニヤンマだ。力強い羽根の動きがつまんだ指に伝わってくる。獰猛な顔にヒスイのような深い緑色をした大きな目玉がついている。まさに本家、トンボ玉である。トンボのデザインは、日本の伝統工芸には好んで使われてきたし、日本だけでなくベトナムの焼き物にもある。ジャポニスムの影響を受けたエミール・ガレのガラス作品も有名だ。

日本はトンボの国である。日本のことを古語で秋《あき》津《つ》洲《しま》というが、アキツとはトンボのこと。害虫を捕食してくれるトンボは稲作民にとって、まことにありがたい生き物であり、トンボが群れ飛ぶ様子は豊作の予言とも受け取られたのだろう。農機具で有名なメーカーの名前も豊作を連想させるヤンマからきたそうだ。〈二〇一七・九・三〉

97段　迷子をさがすなら橋のたもとへ

東京駅八重洲口から歩いて五分ほど、首都高速道路を見上げる一石《いっこく》橋のたもとに、高さ百八十センチほどの石の標柱が立っている。正面には「満《ま》よひ子の志《し》るべ」と刻まれ、両側の上部には四角いくぼみがある。文字通り、迷子あるいは行方不明者についての情報を求めるもので、向かって左側には尋ねる方、右側には情報提供者が、それぞれ紙を張り付けるようになっていた。このあたりは魚市場が築地に移転する前まで、とくに未明には大変な人通りであったそうだ。建立は安政四（一八五七）年二月、開国ま

左／静岡県庁前にある教導石
右／東京都中央区にある迷い子尋ね石

もない日本がアメリカと「下田協約」を結び、米砲艦ポーツマス号が下田に入港したのが、ちょうどこのころである。世情騒然たる中で、行方不明者が増えたのだろうか。同じような石は湯島天神や浅草寺の境内、両国橋のたもとなどにあったが、現存するのはこれだけだという。

　建立場所は、いずれも多くの人が行きかう場所である。とくに社寺の境内は神仏のおひき合わせで人が出会う場であるし、橋は両岸を結ぶという意味で、この世とあの世との境界にあたる特別な場所だった。幽霊は橋のたもとの柳の木の下に現われ、言うことを聞かない子には、お前は橋の下から拾ってきたのだという脅し文句があった。迷子の探索は、まずはその子が命を授かった場所に手がかりがあるのではないか、そんな潜在意識があったのだろう。

　この石と同じ仕組みの石標が県庁前の堀端に立っている。教導石（山岡鉄舟筆）だ。建立されたのは明治十九（一八八六）年、これにも尋ねる方と教える方という文字が見える。ただしこちらは勉強用で、質問を書いた紙を貼っておくと、その答えが返ってくる。近くにあった師範学校の先生たちが対応していたらしい。数学の難しい問題が貼られていたのを見た人がいたそうだが、やりとりの実際は、残念ながらわかっていない。〈二〇一七・九・一〇〉

98段　ベトナムの古都で見た朱印船

徳川家康の時代、東南アジア各地との貿易船であることを認める朱印状は合計一九五通が発行され、家康没後の一六三五年までを含めると総計三五六通に及んだ。その受け皿として、海外の重要な港には多くの日本人が住み着き、いわゆる日本町を形成した。タイのアユタヤ日本町の頭領となった山田長政の活躍は象徴的である。

先日、ベトナム中部の古都ホイアンに行く機会があった。ホイアンはトゥボン川の河口近くに発達した港町で、かつてはフェフォといわれ、ベトナム屈指の貿易拠点だった。のちに土砂堆積によって港湾機能を失ってさびれたが、ベトナム戦争に際しては、かえってそれが幸いして爆撃を免れ、結果的に古い町並みが残った。世界遺産に登録された今、世界各国からおびただしい数の観光客が訪れる。

ホイアンでは、毎月の新月と満月の夜、町中につるした色とりどりの提灯に灯がともされ、東洋情緒を盛り上げる。その一環らしいが、川沿いの広場で面白いものを見つけた。真っ赤に塗られた船型の山車で、ＶとＯＣを組み合わせたオランダ東インド会社（一六〇二年設立）を表す旗が掲げてある。ところが、この船の外観は日本に残る絵画に見える朱印船だし、船体の各所に作られた格子の内側には富士山や日本女性の絵が描かれている。オランダは一六〇九年に長崎県平戸に商館を設立して対日貿易に意欲を燃やしたが、東南アジアでは日本の商人たちと激しく争っていた。朱印船に東インド会社の旗を掲げたのは、この町の国際性を示そうという知恵者のアイデアなのだろうか。

ホイアン第一の名所は、町の中の小さな川にかかる日本橋だ。屋根付きの頑丈な石造りで、ベトナム紙幣にも採用されている。もっとも何回か改築されたようで、当初は日本風だったかもしれないが、今では中国風に見える。鎖国前には大勢の日本人が住み着き、日本町を形成していたが、日本人の後は、派手な造作の会館を拠点に中国人が商業の主導権を握ることになった。

上/日本橋はベトナム紙幣にも描かれている（ベトナム・ホイアンで）
下/現地で亡くなった日本人、谷弥次郎兵衛の墓（ベトナム・ホイアンで）

外国人観光客でにぎわう市街地から一歩外に出ると、もう黄金色の稲穂がなびく田園地帯。田んぼのなかにポツンと、低い柵で囲まれた墓があり、「日本顕考弥次郎兵衛谷公之墓丁亥」と刻まれている。丁亥は正保四（一六四七）年、墓の主、谷弥次郎兵衛は鎖国後もこの地で活躍した日本人の一人だろう。

突然、どこからともなく蓮の花を一本

だけ手にしたおじいさんが現れた。墓前で線香に火をつけ、お金を供えなさいという。財布をとりだしたら、無遠慮にのぞき込んで、千円札を指さす。ベトナムでは二十万ドンにあたる。ここまでのタクシー往復料金が十二万ドンほどだから、結構な金額だ。さらに、チップをよこせという。いささか大人げないとも思ったが、あのお賽銭はどうせあんたのものだろうと拒否した。

この墓は戦前から注目されていた。墓石の背後にある説明板には、黒板勝美の呼びかけにより昭和三年に現地在住の日本人が協力して修築したとある。ちなみに、黒板は高名な歴史学者で、歴史小説家永井路子はこの人の甥と結婚した。

ホイアン在住の日本人は、鎖国以後も活発な商業活動をしていた。禁教令もここには届かず、一六五八年には仲間の葬儀に際し、手に手に十字架を掲げて参加していたという記録がある。しかし、いっときは数十人いたとされる同胞も次々に亡くなり、一六六七年には移住初代の日本人は二人だけになっていた（岩生成一『南洋日本町の研究』）。

帰国後、たまたま見たテレビで、樺太に残留した日本人のおばあさんが静かに語っていた。仲がよかった友人が亡くなり、日本語で語りあえる相手はもういなくなったけど、私は帰国せずにここで死ぬんだと。あの谷弥次郎兵衛は、どんな思いだったのだろうか。〈二〇一七・九・一七、二四〉

99段　道標は清水の未来を予言していた

ＪＲ興津駅から旧東海道を東に向かって歩く。海岸沿いにバイパスができたおかげで、こちらの通りは行きかう車も少ない。しばらく行くとＴ字路の角にたくさんの石塔が立っていて、その中に「身延山道」と記された道標があった。ここで東海道を左に折れて北上すると身延山に行けるのである。

道標に従ってしばらく行くと、古い参詣道は自動車があふれる国道五二号に合流し、山梨県に向かう。この国道は内陸と海辺を結ぶ重要な道路であるにもかかわらず、狭いし屈曲も多い。だから現在整備中の中部横断自動車道には大きな期待がかかっている。

見延道を示す道標（静岡市清水区興津中町）

これが完成した暁には、上信越道を経て日本海側に出る道が高規格の道路で直結され、清水港の意義は飛躍的に大きくなる。それを見越してか、つい最近、コンテナを積んだトラックをそのままフェリーで運ぶローロー船が大分と清水を結ぶようになった。ローローというと、つい老老介護なんて言葉が浮かんでしまうが、これはロールオン、ロールオフ、つまり一方から乗船して反対側からそのまま降りられるという合理的な乗降システムで、大規模な港湾施設がなくても運用できるため、国内航路では早くから採用されていた。清水と遠隔地を結ぶ航路は今後さらに増えるという。

かつての見延山道も、日蓮宗の聖地、見延山に参詣する人だけでなく、さまざまな物資が運ばれた生活道路であった。途中の小《お》島《じま》に小島藩が置かれ、堅固な石垣を積んだ陣屋が設置されたのは、戦略的にも重要な道だったことを示している。

大型クルーズ船や大量輸送の利便性を高めるローロー船の寄港、そして陸上での高速輸送力の増強、これらがあいまって清水港周辺の将来には無限の可能性がある。あの見延道を示す道標は、そうした未来を予言しているようにも思えるのである。〈二〇一七・一〇・一〉

100段　木像から聞こえる戦死者の声

曹洞宗常昌院（藤枝市岡部町内谷）が兵隊寺と呼ばれるのは、日露戦争（一九〇四－〇五年）で戦死した地元志太郡の兵士たちの木像が二百二十四体も安置されているからである（表紙カバー参照）。日露戦争の勝利は、八万を超える戦死者と十四万以上の戦傷者の血であがなわれたものであった。この戦争には静岡県から二万六千六百三十二人が出征し、戦病死者はその約一割、二千四百五十七人にのぼった。なかでも静岡市に置かれた歩兵第三十四連隊は、遼陽の会戦において連隊長も戦死するなど壊滅に近い損害を出しながらも勝利に貢献した。とくに大隊長橘周太中佐は、のちに海軍の広瀬武夫中佐と並ぶ軍神としてあがめられ、連隊が置かれた駿府城跡にはその銅像が建立された。

日露戦争に志太郡下からは二千五百二十一人が出征、うち戦病死者は二百四十五人（『静岡県史・近現代一』）とされるから、そのほとんどがこの常昌院にいる。戦後、檀家の役員らが本堂を英霊殿として建立するために木像安置の趣旨を説きながら寄進を募り、一九〇七年に落慶法要が行われた。本尊をとり囲むように二段の棚に安置された像は、高さ六十センチほど、全員直立して正面を向いている。近寄ってみると、一人ひとり、すべてちがった顔立ちだ。写真や遺族の話をもとにできるだけ個人の面影を残そうと努力した結果であろう。参拝者の中には、うちのひいじいさんの写真にそっくりだと言う人もいるそうだ。

戦争の規模は双方の動員数、勝敗は損害の多寡で示される。そこには兵士の個性はなく、単なる数字だけがある。しかし、この兵隊寺の木像群は、それぞれが個性をもち、いまだに子孫とのつながりをもっている。昔ながらの間取りの家には、仏壇の上に軍服姿の男性の写真が飾ってあることが多い。この家から巣立っていくはずだった若者や、妻子を残して逝った一家の大黒柱である。兵隊寺の兵士群は、このような写真の人物と同じく、数字として一般化されることを拒みながら、一人一人の生きた証を主張している。〈二〇一七・一〇・八〉

101段　いささか人間くさい福の神

十月を神無月《かんなづき》というのは、八百万の神々が出雲に集まって縁結びなどについての話し合いをするため、身近から神様の姿が消えてしまうからで、出雲では逆に神在月《かみありづき》という。しかし、唯一この出張に参加しない神様がいる。恵比寿様だ。恵比寿様は商売繁盛、豊作、豊漁の神様、もし不在となれば、その期間はひどい不景気になってしまうからだ。たったひとりで庶民を守ってくれる恵比寿様が留守神様ともいわれるゆえんである。

兵庫県西宮市の戎《えびす》祭や大阪の今宮戎は正月の十日戎でにぎわうが、全国的にみると十月二十日に家ごとで恵比寿様を祭ることが多い。これには収穫祭の意味もあるのだろう。恵比寿様は、普段は台所の片隅などに祭られており、他の神様よりも冷遇されている。快適な居場所を提供すると、この家はこれ以上稼がせなくてもよかろうといって、働いてくれないと思われた。そこで、他の神様がいない十月には、ひごろのお詫びに御馳走をする。赤飯を炊き、尾頭付きの鯛や野菜、果物などを供える。また細江町気賀（浜松市北区）など遠州一帯では、小魚を生きたまま茶碗に入れて供え、あとで井戸に放つという習慣もある。このフナは井戸神様となる。

この夜の子どもたちの楽しみは、食事の後で供え物を配分するくじ引きだ。これには一杯機嫌の大人も大興奮で、大いに盛り上がる。

さて、出雲から戻った神々は留守中のことを恵比寿様に尋ねる。「どうだ、えびす、御馳走があったか」。すると恵比寿は「いつも変わらぬお亥の子ばかり」と素知らぬ顔で答える。お亥の子とは芋やくず米で作った餅のようなものをさす。もちろん御馳走の反対である。恵比寿様は、なんだか隣にいる誰かさんみたいだ。〈二〇一七・一〇・一五〉

102段　釣り鐘の銘文が天下を動かした

今日は第四十八回衆議院議員総選挙の投票日。現代は国民とか市民、あるいは世論という、いわば無個性の動向が政治を動かすが、歴史を語る時には、個人の言動に焦点があてられる。

豊臣氏を滅ぼした大坂の陣のきっかけとなったのは、徳川家康の運命を左右するとされる、「国家安康」「君臣豊楽」というわずか八つの文字である。家康の名を切断し、豊臣のもとで人民は幸せになるという呪文ではないか。それは、豊臣秀頼が再建した方広寺大仏殿（京都市東山区）の釣り鐘に刻まれた文章に含まれていた。

慶長十九（一六一四）年七月二十一日、駿府城内。家康は「源氏物語」の講釈を聴いたのち、家臣を呼んで言った。

「大仏殿の鐘銘には関東（幕府）にとって不吉な文言がある」

鐘銘を書いたのは秀頼が帰依する東福寺の清韓という僧である。清韓の釈明に家康側は納得しない。そもそもが大坂方と戦端を開く言いがかりだったからだとされる。「誤解」を解くため大坂から駿府にやって来た片桐且元は、家康に会ってもらえず、安倍川対岸の丸子にある誓願寺で無為に日を過ごすしかなかった。

ただし、笠谷和比古氏は、この抗議は必ずしも無理筋ではなく、家康という実名を用いたことが一番の問題点であったという（『徳川家康』）。当時、実名は諱《いみな》、つまり使用を忌むのが普通であり、必要ならば姓や官職で呼ぶ。これは女性が自分の名を教えるのは恋人だけ、という例からもわかる。名前を介してその人の魂を動かせると考えられていたからだ。家康を倒したいという清韓の下心は否定できず、家康側の抗議には、それなりの根拠があったようだ。

　この因縁の釣り鐘は、四㍍を超える巨大なもので、現在も方広寺境内の鐘楼に吊るされており、くだんの銘文も確認できる。もっとも鐘の大きさに比べると文字はあまりにも小さい。たぶん見に来た人の便宜を考えてくれたのだろう、すぐわかるように該当部分が白く囲んである。それはともかく、忘れずに投票所に行きましょう。〈二〇一七・一〇・一五〉

103段　ロヒンギャ問題に思う

　軍事政権から民政に移行し、今やアジア最後のフロンティアと、もてはやされているミャンマー。仏教遺跡や美しい自然を売り物のツアーも企画され、日本からも多くの観光客が訪れるようになった。しかし、そのミャンマーに対し、世界中から非難の声があがっている。連日のように報じられているロヒンギャ問題だ。

　ロヒンギャとはミャンマー西部のラカイン州に比較的新しい時代に定住したイスラム教徒たちで、国籍も与えられず、教育の権利もない。真相はよくわからないが、かなり前に起きたロヒンギャ族の仏教徒に対する暴力事件が引き金になって、迫害が始まったといわれる。ミャンマーで仏教は手厚く保護され、かつての軍事政権は最大都市ヤンゴンや、新首都ネピドーに巨大な寺院を建立した。するとすぐに、多くの参拝者でにぎわう新名所になったほどで、新参の異教徒であるロヒンギャは受け入れがたい存在とされてきた。民主化の象徴であるスー・チー氏といえども、国民の七割を占めるビルマ族（主として仏教徒）の意向に逆らうことは難しい。

いま問題になっている地域は、ラカイン州のいちばん北に位置し、バングラディシュに接している。ラカイン州の州都シットゥエはすぐ近くだ。そこは、かつてアキャブといわれた町で、戦時中には日本陸軍の航空基地があった。映画や歌で有名になった加藤隼戦闘隊は、ここを拠点としてイギリス軍と激闘を展開した。また、海軍の機動部隊はインド洋に浮かぶセイロン島（現在のスリランカ）を爆撃しており、いわば日本の戦線の最西端にあたる地域であった。なお、アキャブから北上した先には、インドのインパールがある。

二〇〇〇年八月、シットゥエを訪れた時には、現在のような問題が起きる雰囲気は全く感じられなかった。日本軍の司令部はシットゥエ市内の仏教寺院に置かれたそうで、境内には戦友の慰霊のために訪れた旧日本軍兵士が建立した石碑が建っていた。日本の南方進出とロヒンギャとの直接的な関係はないが、かつて日本軍はここまで進出していたのである。もちろん、ビルマ戦線からの生還者の戦記などに、ロヒンギャのことに触れたものはない。〈二〇一七・一〇・二九〉

104段　朝鮮通信使が眺めた風景

徳川家康が大御所政治を行っていた慶長十二（一六〇七）年、朝鮮からの公式使節団が日本を訪れ、二代将軍秀忠に江戸で謁見、帰途駿府城に寄って家康から歓待を受けた。江戸時代を通じて十二回に及んだ朝鮮通信使の始まりである。このときの使節は、往復とも清見寺（静岡市清水区興津）に宿泊し、三保の松原の絶景をながめた。とくに、帰途の記録には、沖合に巨大な南蛮船が浮かんでいたことが記されている。家康が意図的にヨーロッパの船をここに回航させ、権威を示したのではないかとも考えられる。

通信使は釜山から対馬を経て海路、大坂まで来て、京都からは東海道を江戸に向かった。異国の服装をまとった総勢四、五百人もの一行は、ときにラッパを鳴らしながら街道を行進した。室町時代以降、日本各地で大流行した仮装行列を風流《ふりゅう》といい、これがのちに全国各地の郷土芸能になったのだが、通信使の行列は、まさにめったに見られない大がかりな風流だった。沿道は黒山の人だかりだったろう。その影響を受けたと思われる郷土芸能の一つが、岡山県瀬戸内市牛窓《うしまど》の唐子《からこ》踊りである。少年二人が朝鮮風の派手な衣装で踊るもので、土地で三代以上続く家の長男だけに許された踊りだという。

牛窓の港の背後、小高い所にある本蓮寺という古い寺が、使節の主だった人たちの休息や宿泊にあてられた。境内からは港と瀬戸内の海が眺められる。清見寺にも共通する景観である。

牛窓は、漁業と海運の拠点として栄え、港に面した旧警察署は、しゃれた白い和風の洋館である。現在は博物館となり、内には各町内自慢の祭り船屋台や朝鮮使節関連の資料が展示されている。唐子踊りの等身大の人形の脇に、朝鮮通信使をユネスコ記憶遺産（正式には「世界の記憶」）に、という旗がたててあった。静岡市でも登録実現に向けての努力を重ねてきたが、それがようやく実った今＊、あの牛窓の旗も、祝登録に換えられただろう。〈二〇一七・一一・五〉

＊二〇一七年十月三十一日（日本時間）、「朝鮮通信使に関する記録―十七世紀～十九世紀の日韓間の平和構築と文化交流の歴史」としてユネスコ「世界の記憶」に登録された。

力いっぱい太鼓を打つ若者
（浜松市西区舞阪町で）

105段　太鼓打ちは若者の試練

県内屈指のシラス水揚げ量を誇る舞阪漁港。岸壁にずらりと並んだシラス漁船のマストに掲げた大漁旗が、十一月とは思えない温かい日差しのもと、力強くなびいている。今日は旧暦九月十五日、旧東海道舞阪宿の氏神である岐佐《きさ》神社の祭日である。家々は街道に面した座敷の戸を開け放ち、食卓に御馳走と飲み物を並べて知り合いを接待する。古い町に見られる祭りの風景が、ここにはまだしっかりと息づいている。

岐佐神社は街並みの中ほどにある小山に鎮座する。そこはお山と呼ばれ、安政東海地震のときは町民がここに逃げて難を逃れたと伝える、いわゆる命山でもある。

この祭りは舞阪の大太鼓祭りと呼ばれるように、直径二㍍半はあろうかという巨大な太鼓が登場することで知られる。神輿を守るように列を組み、若者たちに引かれて町内をねり歩いた太鼓は、最後に石段の上にある神社に担ぎあげられる。本当はもっと大きな太鼓にしたいのだが、鳥居をくぐれなくなるのでこれが限界だ、という話を聞いたことがある。太鼓台は全部で八台、舞阪宿内の四つの組から出し、互いに競い合う。撥《ばち》の大きさも少年野球のバットほどもあり、力いっぱい打つと、ズシンと腹に響く。

太鼓の面には、変色した部分がある。年月を経たための汚れだけではない。若者たちの血のあとでもある。打った時の太鼓の皮の反発力はものすごい。応援団が野球場に持ち込むくらいの大きさでも、いい加減に打つと撥を弾き飛ばされる。舞阪の太鼓の力は、そんなものではない。握ったこぶしが太鼓の皮にあたって皮膚がさけてしまうこともある。今では布をまいて保護しているが、それが許されなかった昔は、文字通り血をにじませて打たねばならなかった。祭りは、若者にとってエネルギーを発散させるだけでなく、厳しい試練の場でもあった。〈二〇一七・一一・一二〉

106段　人形と人間が逆転した芸

毎年十一月に開催される大道芸ワールドカップｉｎ静岡。第二十六回目となった今年は絶好の晴天に恵まれて大変な人出だった。演目も個人の鍛えた肉体を誇るものから、垂直の壁を歩くという大仕掛けなものまで、内容は年々多彩になっている。同時に、静岡の人の目も肥えてきて、昨年と同じだったり、中途半端な芸では、もう感動してくれないと言われるほど、大会そのものが成熟してきた。

そのなかで、大道芸という言葉どおり、路上で演じられる伝統的な芸は、見物人との距離が近く、親しみやすいので子どもたちの人気も高い。なかでも、人形を自在に動かすマリオネットは、大道芸の定番のひとつだ。

そもそも人形は、神のお告げをもたらしたり、人間の身代わりにもなるものだった。遠足の前に晴天を願って軒先につるされるテルテル坊主は、願い事を託された人形の一種だし、雛人形は病気や不吉なことを全部背負わせて川に流してしまうものだった。

この人形を、あたかも生きているかのように動かし、神の意志をより鮮烈に伝えるという神事が、やがて専門芸能者を生み出し、それが民間に流れて芸能へと発展した。単純な指人形から、複雑な糸の操作で、はねたり跳んだりすることもできる操り人形まで、日本にもさまざまなタイプのものがある。なかでも文楽は、浄瑠璃という語りの文学とタッグを組んで、人間の内面を人間以上に深く表現できるほどまで発展した至高の芸である。

ところが時代を経ると、今度は、人間が人形のぎこちなさを真似をするという、新しい芸が生まれてくる。歌舞伎の操り三番叟などもそのひとつだ。もともと人間の動きに近づけようとしたのが操り人形だから、これは一種の逆転現象である。となると、その人形化した人間を操るのは神だろうか。何やら深い話になりそうな気がする。〈二〇一七・一一・一九〉

107段　宇都谷の読み方

操り人形は、難しい漢字で示すと傀儡《かいらい》となる。だから他国の言いなりになる政府を傀儡政権と呼んだりする。いっぽう人形を操る人も傀儡子と書き「くぐつ」といった。平安時代の記録にも登場するほど歴史的にも古い職業だ。集団で生活し、人形を使っての占いや厄払いは男たちが、女性は遊女のようなこともした。仕事がら、宿場町に拠点をおいたが、漂泊の暮らしをしながら銭を稼ぐ者も多かった。

県内にもくぐつがいた。鎌倉時代の建長元（一二四九）年、駿河国宇都谷郷今宿の傀儡が、領主から新規の負担をかけられて困るといって鎌倉幕府に訴えたことがある。宇都谷を「うつのや」と読めば、東海道の宇津ノ谷（静岡市駿河区）にあたる。宇津ノ谷は、歌人ならだれでも知っていた名所で、東の丸子宿、西の岡部宿とのちょうど中間にあたり、峠越えの旅人の休憩地である。豊臣秀吉が小田原の北条氏との戦さに向かう途中ここで休んだ時、当主が栗を差し出して「これはめでたい勝栗でございます」と言って、大いにほめられたという話は有名だ。宇津ノ谷にくぐつがいたというのも、理解できそうである。

だが素朴な疑問がある。くぐつたちは、大勢の人が宿泊する所でなければ男女とも商売にならない。

宇津ノ谷は、宿場ではないし江戸時代にはわずか二十戸に満たない小さな集落だった。芸人集団の稼ぎ場所だったとはとても思えない。それに、文書には宇都谷郷今宿とある。今宿は宿場の周縁部に発達した新開地のことだから、山間の宇津ノ谷にはそんな余裕はあるまい。

そこで宇都谷を、「うつたに」と読んでみる。じつは、岡部宿に接して内谷《うつたに》という古くからの大きな集落があるのだ。今宿は、岡部宿にとっての今宿という意味で、元は「うつたに」の一部だったのではないか。まさに、岡部宿の雑踏の中に生きる傀儡たちにとって、ふさわしい場所だった。読み方ひとつで地域の歴史も変わってくる。〈二〇一七・一一・二六〉

108段　陸軍の十二月八日

十二月八日が近づいた。日本海軍による真珠湾の奇襲攻撃が太平洋戦争の始まりとされるが、陸軍もまた周到な準備のうえで、この日、南方各地に一斉に進撃を開始していた。

最大の目標は英軍のシンガポール要塞の攻略だったが、同じマレー半島の北に位置するビルマへの侵攻も同時に進められた。中国内陸部の重慶を拠点とする蒋介石軍に通じるビルマ経由の補給路を断つためである。

開戦の日取りが決まるや、陸軍の兵士を乗せた輸送船団がベトナム南部の集結地から、マレー半島のタイ領内に設定された要所に向かって出発し、それぞれ八日になるのを海上で待った。ビルマに向かう

日本軍と戦って戦死した兵士の像と、思い出を語るクロー・ナンシンさん（タイ国ナコンシータマラートで）

ための上陸地点は四つ。その一つがナコンシータマラート（ナコンと略称された）という古い町だった。この三百年ほど前、山田長政がアユタヤ王朝内での政争に敗れ、太守として赴任してきたところだ。

八日未明、このあたりの天候は悪く、沖合で待機していた日本軍の兵士たちは大揺れの船内で時を待った。ナコンはパクパーン川をさかのぼったところにある。その河口部を明け方まで見つけることができず、ようやく町の中心地に進出できたのは午前十時ころだった。日本は開戦間際に領内通過の許可を求めてタイと交渉していたが、この時点には間に合わなかった。タイ国の警備隊が迎撃したのは当然である。

山田長政について現地調査に行ったとき、この戦闘の様子を記憶している人に偶然出会った。クロー・ブンシンさん、当時八歳だった。幅の広い船が川をさかのぼって来て、その船首が開くと兵隊が下りてきて、川べりに近い道路上でタイ軍兵士との激しい撃ち合いになったという。このとき若いタイの兵士チャーターンが日本軍兵士と刺し違えて壮烈な戦死を遂げた。その銅像が近くのタイ国軍兵営の入口に建っていて、献花が絶えない。マレー半島に上陸した日本軍は、早くも翌年三月に首都ラングーン（現在のヤンゴン）に入り、五月末にはほぼビルマ全土を掌握

してしまった。〈二〇一七・一一・二六〉

109段　雪吊りに職人の遊び心が見えた

雪吊りは、降雪地帯で冬の到来を告げる風物詩のひとつである。庭木の頂部から四方八方に縄を垂らして枝を吊り、雪の重みで折れるのを防ぐ。金沢市の兼六公園では毎年十一月一日からこれを始めることになっていて、いつもの季節ネタとしてテレビが取り上げる。樹木一本一本に愛情を注ぐ、いかにも日本的な光景だが、遠目には雨傘をたたんだように見えるだけで、温暖な静岡の住民にとっては、申し訳ないが実感のわかない話題である。

先週、富山県黒部市に行く機会があった。重苦しい雪空に覆われる前だったので、真っ青な日本海と、すでに雪を頂いた立山連峰が小春日和の陽光に輝いている。たまたま散歩中に個人のお宅の庭先で雪吊りの作業をしている場面に行き合った。

本来は植木屋さんの仕事だが、シルバー人材の人たちが五、六人、なんだか楽しそうにやっていたので、つい話し込んでしまった。作業そのものは単純である。荒縄を垂らすためには、庭木よ

頭飾りの原型（富山県黒部市）

り少し高くなるような添え木を立てるということが分かった。

見上げると、その添え木のてっぺんから、大きな結び目の端が四方に向かって出ているのに気が付いた。縄を吊るす大もとになるところだから、しっかり縛っておくのは当たり前ではあるが、意図的に大げさにしているような気がする。シルバーさんに尋ねてみたら、俺たちはできないけど、本職の植木屋さんだと、その結び目を鶴とか亀の形に仕上げることがあるということだ。とくに、めでたいことがあった家で作るもので頭飾りともいって、各地に見られる風習で、たとえば青森県の弘前公園では、干支にちなんだ頭飾りが人気になっているらしい。

毎年の決まりきった作業だが、全体を美しく仕上げるだけでは満足できず、自分の技をさりげなく誇りたくなった、職人の遊び心が頭飾りの始まりだったろうか。〈二〇一七・一二・一〇〉

110段　張り子の虎はコレラ除け

張り子の虎、といえばこけおどしのたとえに使われるが、大阪市の道修町《どしょうまち》にある少彦名《すくなひこな》神社、通称神農さんでは、十一月二十二・二十三日の縁日に笹に吊るした厄除け・招福の張り子の虎を売り出す。これを買い求めようという人が大挙して押し寄せるので、表通りから狭い境内への入り口には警備員が立って、入場規制をするほどだ。道修町は江戸時代から薬の町として知られ、今でも名だたる製薬メーカーのビルが並んでいる。この町の氏神として神農さんが祀られているのもうなづけよう。

張り子のトラを持ってお祓いを受ける火とたち
（大阪市道修町の少彦名神社で）

ではなぜ、張り子の虎が神農さんゆかりの守り神になったのだろうか。ときに文政五（一八二二）年、対馬を経て西国に入ってきたコレラが大坂で大流行した。これが日本における初めてのコレラ大流行である。激しい下痢や嘔吐によって衰弱し、ときには症状が現れてから一日で死んでしまうという、とんでもない病気だ。人々はその様子からコレラをもじってコロリとか、虎疫《こえき》とよんだ。恐ろしい虎にたとえたのである。社伝によれば、道修町の薬種商たちは虎の頭骨などの和漢薬を配合して「虎頭殺鬼雄黄円《ことうさつきうおうえん》」という薬を作り、お守りに虎の張り子を添えて配布した。虎に象徴されるコレラは、虎の力で追い払うしかない。これが虎と神農さんのつながりの始まりで、以来、神農さんの祭りでは無病息災のお守りとして張り子の虎が配られるようになった。

その後、日本が開国するや外来のコレラは何波にもわたって日本を襲った。安政五（一八五八）年の大流行では、江戸での死者が二十数万人にのぼり、火葬のための棺桶が山のように積みあがったという。流行のきっかけが開国後の外国人との接触にあることは確かだが、正確な原因はわからない。これは悪霊が原因かもしれないと、静岡市内でも町内の入口にしめ縄を張って見えない恐怖の侵入を防ぎ、浅間神社で御祈祷をしてもらった。病原となるコレラ菌をコッホが発見したのは明治十七（一八八四）年のことである。〈二〇一七・一二・一七〉

平成30年（2018）戌年

山犬を描いた神社の幟
（川根本町田代の大井神社例祭）

狂犬病対策済みを示す耳の切れ込み
（スリランカで）

安産祈願の絵馬（岩手県気仙沼市）

111段　犬の群れに囲まれた恐怖

野良犬ということばは、いまや死語に近い。以前は、狂犬病を防ぐために野良犬つまり野犬を捕獲する専門の人がいた。犬は放し飼いが普通だったから、野良犬も飼い犬も区別しにくい。飼い犬がいなくなると、あの人に捕られちゃったのかな、などと心配した。また、街頭で犬がつるんでいるのを見ると、子どもたちは、それが何を意味するのかわからないので、水をかければ離れるぞといって、バケツをとりに行った。なんと無邪気な時代だったことか。

話はかわるが、ミャンマー東部、タイに接するカヤ州は、ミャンマー最大の水力発電所があることや、国境地帯での麻薬問題があって長いこと外国人の立ち入りができなかった。その制約がとけて間もない二〇一四年、この州に住む少数民族で首長族と呼ばれているパダウン族の村を訪れたことがある。宿泊したのは州都ロイコーのホテルだったが、そこで恐ろしい体験をした。

朝方ひとりで町なかを歩いていたら、突然七、八頭の犬の群れに取り囲まれてしまったのだ。こちらでは狂犬病が普通にあると聞いていたから、とんでもないことになったと身がすくんだ。歯をむき出して吠えながら接近してくる犬たちを前に、ただただ、じっとしているしかない。もし駈け出して噛みつかれでもしたら、それだけで命の危険がある。あえて目をそらし、ひたすら動かないでいたら、脅し甲斐のない奴めと思ったのかどうか分からないが、犬たちは輪をといていなくなった。近くの人が心配そうに見ていたから、運がよかったということだろう。
狂犬病は途上国にはまだ多い。スリランカの農村で見た犬は、耳の一部が切り取られていた。野良犬、飼い犬にかかわらず予防注射を済ませた印である。服を着せた犬を大事そうに抱えて歩く姿があたり前になった日本では、ちょっと想像できない犬たちの光景である。〈二〇一七・一二・二四〉

112段　犬は人の命を導く

犬は人間が飼いならしたオオカミの子孫だとされる。在来のニホンオオカミは明治期に絶滅してしまったが、古くからヤマイヌとかオイヌサマと呼ばれて信仰の対象にもなってきた。天竜川上流の山住神社や埼玉県の三峰神社などでは、ヤマイヌを描いたお札を出している。ヤマイヌがシカなどの害獣を捕食することから、山村の作物を守ってくれる神として崇められたのだろう。これを門口に貼っておけば泥棒除けになるというのは、害獣除けへの期待感が、あらゆる外敵防除へと拡大していったからである。

「送り狼」といえば、優しく接してから、帰りの夜道で襲いかかる女性の敵のことだが、この表現は人とオオカミとの親しい関係を示す伝説がもとになっている。

静岡市清水区の旧両河内村に若蔵という男がいた。山梨県との境である樽峠を越えた先で炭を焼き、日暮れになって家に帰るのが常だったが、いつのころからか、峠あたりから狼が後をつけてくるようになった。最初は恐れていた若蔵だったが、やがてなんとなく親しみを感じるようになった。ある夜、若蔵は毎晩送ってくれるお礼だと言って、狼が好むといわれる塩を五合ほど紙に包んで与えた。すると狼は次の晩に猪の股肉を一本引いてきて若蔵にくれた。両者の仲は数年間にわたったという（『静岡県伝説昔話集』）。

オオカミの血を受け継いでいる犬は、散歩に連れていくと飼い主の後となったり、先になったりと、忠実なしもべの役割を果たす。こんな習性から、主人の死後、その魂をあの世に導いてくれる動物だとされ、その傍らに埋葬された。逆に、新たな魂をこの世に導いてくれるものでもあり、犬の人形や絵が赤ちゃんの身近な守り神となった。張り子の犬は各地の郷土玩具になっているし、張り子の犬を描いた絵馬を安産祈願に奉納する例も多い。犬がその子の無事な誕生と成長を見守ってくれるという思いの表れである。〈二〇一八・一・七〉

113段　謎の郷土食、イルカのすまし

ブログに、旧東海道を歩いていたら、こんなの初めて見た、と書いている人が何人かいる。蒲原や由比の魚屋の店頭の「イルカのすまし、あります」という看板のことだ。別名を蒲原ゴムなどともいい、なかなか噛み切れないからだという注釈まで加えている。

正体はイルカのヒレの塩漬けである。伊豆半島でイルカ追い込み漁が盛んだったころには、イルカが

清水に運ばれ、それが近隣の由比や蒲原でも売られていた。その料理法の一つが「すまし」なのだ。作り方は単純で、ヒレをゆでてから塩につけて保存しておき、薄く切って酢味噌などで食べる。もちろんイルカは動物だから、肉独特の臭みがあって、誰もが好きというわけではないが、噛んでいるうちに脂が溶け出してきて、これで一杯やるという向きにはたまらないらしい。

遊泳中に海面から突き出る背びれは、まさにイルカの象徴。九州ではタテガラという。海豚組合を作って追い込み漁をやっていた長崎県の五島列島では、獲物は組合員に平等に配分されたが、イルカを仕留めた人には、タテガラが褒美として与えられた。もらった人は保存を兼ねて軒先に吊るしておき、自慢のたねとする。その年、初めて捕れたイルカのタテガラを氏神に供えた村もある

これを、なぜ由比などでは「すまし」というのだろうか。誰も説明してくれないが、すまし汁のすましに関係あるかもしれない。クジラの場合、皮付きの脂身は塩クジラとして広く流通しており、すまし汁にすることも多かった。伊豆の戸田（沼津市）では、旧家での正月の儀礼食に、紀州の殿様から贈られるクジラの吸い物がでた。だから、すましという言い方は、すまし汁に仕立てたことの名残りではないか、というのが私の仮説である。

なお、現在流通しているイルカの肉の多くは、東北から北海道の沖合で捕獲される寒流性のイルカで、追い込みではなく一頭ずつ銛で仕留めたものである。〈二〇一八・一・二二〉

イルカのすまし（静岡市清水区で）

114段　異境で弔われた椎茸先生

昨年の十一月、徳島県の那賀町役場まち・ひと・しごと戦略部という、まったく心当たりのない部署から手紙が来た。ある人物の墓の所在地についての問い合わせだった。

この欄の前身である「駿河徒然草」で、那賀町と合併する前の木沢村《きざわそん》の中沢谷という山奥の集落に、江戸時代に藤枝市滝沢村の嘉兵衛という人がやって来て、椎茸の栽培技術を村人に教えた。嘉兵衛は椎茸先生と言われて慕われ、亡くなったあとはここに葬られたという話を紹介したことがある。

それを読んだ藤枝の郷土史研究グループから、那賀町役場に対し、郷土の先人の墓参りに行きたいので案内していただけるかと問い合わせがあった。担当者が現地に行ってみたが、過疎のために住民はおらず、以前、私に教えてくださった方も施設に入っていて、墓の所在がわからない、ついては、どこにあったかご記憶ありませんか、というのである。

その墓のことはたしかに覚えている。四国の山中に自然に生えている茶の木からどんなお茶を作っているのかを調査に行った時、まったく思いがけず椎茸先生のことを聞いたのだ。調査ノートを調べてみたら、一九九四年のことで、四半世紀も前のことになる。

その時点ですでに過疎化が進んでいて、一軒だけ残っていた中山家の奥さんが案内してくれた墓には、「文化九（一八一二）年、駿州志田（志太）郡瀧沢村、俗名嘉兵衛」と刻まれており、墓石は台石を含めて約四十センチ余。メモによれば、大師堂が近くにある斜面だったようだ。その旨、役場の人にお話ししたら、現場では土砂崩れのようなこともあったらしく、墓石は発見できなかったということだった。

それでも、藤枝の皆さんはそのあたりに行って、ふるさとの水を地面に注いできたと後に伺った。嘉兵衛がこの僻遠の地になぜ行ったのか、その理由はわからないまま、過疎化とともに、その地域にかかわった人の存在そのものも永遠に消えていく。〈二〇一八・一・二八〉

115段　立春は農作業の目安だった

蝋細工を思わせるロウバイの花
(静岡市葵区で)

今日は立春。異常な寒さにいじめられている今年の冬も、暦の上ではようやく終わったことになるが、まだまだ油断はできない。それでも木々の枝先が何となくモヤッとしてきて、よく見るともう花芽がふくらみかけているし、空の青色も、硬さがとれてパステル調を帯び始めたような気がする。

郊外のお寺の庭先にロウバイが咲いていた。ロウバイは蝋梅とも書くように、黄色い蝋の造花のようにも見えるが、とてもよい香りがする。ロウバイは晩冬の季語、これに続く初春の季語の代表が梅である。今日はロウバイから梅へ、花のバトンが渡った日でもある。

立春はいよいよ農作業が始まるという意味で実質的な一年の始まりであ

る。この日から数えての八十八夜は新茶の摘み始め、苗代にモミを播く日、二百十日は台風が来るから気を付けよなど、年間の農作業や心構えを忘れないための大切な目安となった。

したがって、前日の節分は一年のしめくくりとしての大晦日に相当する。今年の節分も恵方巻に席巻されたが、これは言うまでもなく縁起かつぎの新しい習慣で、節分には新年を見据えた本来の行事がたくさんあった。その一つが、豆を用いた一年間の天気占いである。農家にまだ囲炉裏があったころ、灰の上にその年の月の数だけ豆を並べて、月ごとの天候を予想した。その年の数だけという言い方をするのは、旧暦では一年が十三か月の年があったからだ。おじいさんが並べた豆を家族みんながのぞき込む。豆が白い灰になった月は晴れの日が多く、反対に黒く焦げた月は雨続きになりそうだと判断した。

最近は天気予報も精密になって、明日の何時ごろには雨が降るとまで断言してくれるようになったが、長期的な予測はまだまだあいまいだ。豆の焦げ具合による天候予測に科学的根拠はないが、囲炉裏端の家族団らんとセットで、せめて映像だけでも後世に伝えてやりたいものだ。〈二〇一八・二・四〉

116段　三方原台地に茶園造成を夢見た百里園

百里は、おおよそ四百キロ。浜松駅から新幹線に乗れば姫路駅の先まで行ける。明治の初め、未墾の三方原台地に茶園を開き、園内の畝の総延長を百里にしたいという百里園が発足した。確保した土地は百町歩（百ヘクタール）、試みに戦前の茶栽培法の本を参考に、標準的な畝の幅を隣との間隔を含め二・五メートルとして計算してみたら、まさに百里だった。

　園長になった気賀《きが》林は、旧細江町気賀の領主だった旗本気賀近藤氏のもとで活躍した豪商で、明治維新後にいくつもの地域開発事業を手がけたが、百里園造成もその一つ。失業した武士たちをここに入植させ、茶の一大生産拠点を生み出そうという計画だった。気賀の死後は、ともに計画を推進してきた横田保が後をついだ。明治二十四年の銅版画を見ると、広い敷地内には、緑茶、紅茶、烏龍茶に加えて磚《せん》茶《ちゃ》製造所まであった。磚茶は中国北部やロシアで好まれた固形の茶であるから、輸出を目当てに多角的な生産を試みていたことがわかる。

　ところで、茶園の規模の表し方は、面積だけでなく、茶株の数で表示した例が川根地方にあるが、畝の長さを対象とする例は県内では珍しい。しかし、埼玉県幸手市には、長さ三千八百二十三間（約七キロ弱）上畑園、などと書かれた記録がある。一面の平坦地が広がる関東地方では、収穫後に畑をならすと隣地との境がわからなくなってしまうので、根が深く伸びて冬でも葉が落ちない茶の木を境界木として植えたからだ。ただし、さきの数字は一直線というわけではなく、合計という意味である。

　百里園の時代には、まだ茶刈鋏は使用されていない。新茶の季節には女性たちが一列に並んで茶摘みをする光景が、姫街道の風物詩として親しまれたのではなかったろうか。

　だが横田の死後、園の経営は行き詰まり、入植した士族たちからも土地買い上げ要請があったりして百里園は解体した。今では市街地化が進み、気賀や横田らの描いた百里の夢はバス停の名でしのぶしかない。〈二〇一八・二・一一〉

117段　駿府城の中堀への来客

ひどく寒い日が続いて、北陸などでは雪害が深刻化している。溶け出した雪のかたまりが頭上に落ちてくるなど、現地の皆さんには申し訳ないが、大部分の静岡人には想像できない。なにせ、町なかでは薄氷すら見かけないほどの温暖の地である。徳川家康が駿府を愛した理由が体感的に納得できる。

もっとも、私が子どもの頃には、氷が張ることは珍しくなかった。母が熱を出して寝込んだとき、庭で金魚を飼っていた大きな鉢に張った分厚い氷を割って氷嚢に入れた、ほのかな記憶がある。氷といえば、こんな楽しみがあった。通学の途中、駿府城の中堀に張っている氷の上に手近な小石を拾って投げる。キュンキュンと音を立てながら石がすべっていくのを面白がったものだ。同世代間で、ときどき出てくる話題である。

おしゃれな色合いのオオバン
（静岡市葵区）

　先日、その堀端を歩いていたら、わが物顔に泳ぎ回っているカモたちと少し離れたところで真っ黒な鳥が二羽、泳いでいるのに気が付いた。カモよりも小さく、水面下に見える足が青い。黒い体と対照的に、頭の正面からくちばしにかけてが真っ白という、なんともおしゃれな配色だ。オオバンである。オオバンとはバンよりも大型だという意味だが、バンはくちばしが黄色い。バンという鳥名の由来は、鳴き声が田畑の見張り番をしているようだという説があるらしい。でも、やかましい鳥はほかにもいっぱいいる。バンは漢字で「鷭」と書くので、この漢字から連想した説かもしれない。なお、江戸時代の食に関する百科事典である『本朝食鑑』では、バンもオオバンも味はよろしいと書いてあるから、カモなどとともに狩猟の対象になっていたようだ。

　中堀にはいろんな野鳥がやってくる。水面を泳いでいるだけではない。巽櫓《たつみやぐら》のシャチホコの脇からウが堀を見下ろしていたりする。このあたりにはレアなポケモンが出現するらしく、スマホをいじっている人がたくさんいるけれど、ちょっと画面から視線を外してみたら？〈二〇一八・二・一八〉

118段　フグ中毒の噂が引き起こした惨劇

　フグは食いたし、命は惜しし。文久二（一八六二）年十二月のこと、清水次郎長の子分たちがフグでいっぱいやろうというのを見て、次郎長が「素人料理のフグは物騒だから、止した方がいいぜ」と止めたが、子分たちは「しょっちゅうやってんだから、大丈夫ですよ」といって、食ったやつ二十七人のうち、苦しがって死んだのが十一人もいた。次郎長がフグにあたって虫の息だという噂が街道に広まり、それを信じたのが浜松の都鳥（都田）吉兵衛だ。森の石松をだまし討ちにしたので次郎長の報復を恐れていたのが、次郎長の息の根を止めるチャンスとばかり子分を引き連れて清水に乗り込んだものの、子分ともどもあえなく返り討ちになった。広沢虎造の浪曲「追分宿の仇討ち」のあらすじである。

晩年の次郎長は英語塾を開き、子どもにも優しい好々爺だったが、博徒として活躍したころのことは真偽入り混じっている。亡くなったのは明治二十六（一八九三年）だから、直接知る人も多かったし、子分たちや抗争相手についても具体的な聞き取りができたはずだが、逆にそれらの情報が入り乱れて、次郎長の実像はますます見えにくくなった。多くの郷土史家や作家が早くから次郎長の生涯を描いているが、世間一般の次郎長のイメージは、なんといっても虎造がうなる次郎長伝の名調子に負っている。

次郎長物語の重要な原典は、次郎長の養子であった天田愚庵が書いた『東海遊侠伝』である。愚庵は安政元（一八五四）年に陸奥国磐城平藩士の家に生まれ、維新後は放浪を重ねていたが、山岡鉄舟を介して次郎長と知り合い養子となった。その後、明治十七年に博徒の一斉逮捕があり、次郎長は静岡の監獄に収監されてしまう。その解放のための一助にと、養父つまり次郎長から聞いた話を『東海遊侠伝』として出版したのだった。

虚実入り乱れての追分宿の仇討物語だが、その舞台となった旧東海道の追分に、誰も弔ってくれなかった都鳥吉兵衛の供養碑が地元の人によって建立されている。〈二〇一八・二・二五〉

119段　アウン・サン将軍と浜松との縁

浜名湖を見下ろす大草山の、かんざんじロープウエイの終点のすぐ近くに、遠い海のかなたを見守るように大きな石碑が立っている。上部に刻まれたダルマさんを並べたように見えるビルマ文字は「日緬

はるかビルマを見守る友好記念碑
（浜松市西区舘山寺町）

（緬甸、ビルマのこと）永遠の友好を」という意味である。
ミャンマー国家顧問スー・チー氏の父親で、ビルマ建国の父とされるアウン・サン将軍が、まだ二十五歳の若者だった昭和十五（一九四〇）年、短期間ながら浜松市内に滞在したことがある。そのころ日本軍は、イギリスの植民地であったビルマを経由する蒋介石軍への補給ルートを断つため、ビルマの独立運動を側面から援助して国内をかく乱しようとした。この秘密作戦を推進したのが日本陸軍の南機関で、指揮した鈴木敬司大佐は浜松市の出身、メンバーは諜報活動の訓練を専門とする中野学校出身者などで構成された。

ビルマ独立運動を展開していたグループはいくつかあったが、鈴木が目を付けたのは、タキン党である。タキンとは主人という意味で、我々がビルマの主人だという強い意志をもった仲間たちだった。アウン・サンはこの運動の中心にいたため、イギリスから懸賞金付きで追われ国外に脱出、仲間と二人でアモイにいたところを日本軍に確保された。羽田に到着した二人を出迎えた鈴木は、しばらくの間、自宅や弁天島の旅館などにかくまった。このとき、アウン・サンには面田貞一と名乗らせた。面は緬甸の緬からつけたという（泉谷達郎『ビルマ独立秘史』）。

その後、タキン党の面々は、あいついで国外に脱出し、海南島の秘密基地に集結した。これを三十人の志士という。彼らの熱意に共感した機関員から厳しい軍事訓練を受け、日本軍のビルマ侵攻とともに帰国し独立をめざして戦ったが、最終的には日本と敵対することになった。独立達成後、志士たちの多くは国の要職に就いたが、訓練時代に結ばれた鈴木大佐らとの個人的信頼関係はいつまでも続いた。石碑は、その証しである。〈二〇一八・三・四〉

120段　中世から続いてきた庶民の日常茶

この写真、ただの枯葉のように見えるが、じつはお茶である。長野県の遠山谷（天龍村）は、天竜川の上流にあって、遠州とは交流が深い。ここに中世から続く遠山氏という豪族がいて、江戸時代には天竜川の通行を見張る満島《みつしま》番所を守ってきた。

茶壺に保管されていた百年前のお茶
（長野県天龍村平岡で）

その遠山家に古いお茶があるそうだと聞いて、お宅まで伺ったことがある。御主人が、もう百年以上は経っているかなといって、茶壷から出してくれたのが、このお茶だった。この時は、ずいぶん雑なお茶だなという印象で、帰りに自家製の柚餅子《ゆべし》を頂いたことのほうをよく覚えている。その後、愛知県設楽町の奥三河郷土館で、昭和三、四十年ころのものだというお茶を見たとき、これと全く同じだということに気が付いた。設楽では柴茶といい、急須は使わずに茶釜で煮出して飲んだという。

製法は簡単である。茶葉を蒸し、天日でカリカリに乾燥させただけだから、まさに焚き木にするシバのイメージだ。柴茶は中世の古文書にも出てくる語で、当時もこんなお茶だったのだろう。

　では、あの遠山家の茶は、地元産か、それとも移入品なのか。江戸時代には、三河から大量のお茶が信州に出荷されていて、斤茶、たて茶などと書かれていた。一斤（六百グラム）いくらで売買されたらしい斤茶は上級品、たて茶は、タテという俵のようなものに詰め込んで貫目単位で取引された下級茶である。もうひとつ、たて茶と同じ評価の土味茶がある。これは佐久間町や水窪町で作られていたが、内容的には柴茶と同じらしい。なお、私は「土味」を、その土地の味という意味に解釈して仮に「どみ」と読んでいるが、実際の読み方はわからない。ご存知のかたは、ぜひ、教えていただきたい。

　そういえば、香嵐渓で名高い足助《あすけ》（豊田市）の寒茶《かんちゃ》も同じ製法だった。このように実物と文献とを照らし合わせて考えると、中世から近年まで流通していた柴茶こそ、現行の煎茶が普及する前の庶民の日常茶の典型、ということになる。〈二〇一八・三・一一〉

121段　わさびをめぐる駿豆の交流

「静岡水わさびの伝統栽培」が世界農業遺産に認定された（平成三十年三月九日）。すでに認定されている茶草場農法に続いて、伝統的な農法を継承して優れた農産品を生んでいる静岡県の力が改めて広く知られることになる。もちろん商品として、大きな付加価値を手に入れたという実利面でも重要なことだ。

水ワサビというのは、一般消費者には聞きなれない表現かもしれない。畑で栽培される「おかワサビ」もあるからだが、山間の清冽な水に育まれる水ワサビという名前そのものが、辛さだけでなく、精神の浄化にも役立ちそうな、さわやかさを持っている。

認定された地域は伊豆各所と静岡市である。中でも発祥の地とされる静岡市の有東木《うとうぎ》は、標高五百㍍ほどの山間集落で、古風をとどめる盆踊りの伝承地として有名だ。伊豆のわさび栽培は、この有東木から伝わった。天城山の山守であった板垣勘四郎が、得意とする椎茸栽培の技術を有東木の人々に教えに行ったことがきっかけだった。互いに遠く隔たった伊豆と駿河の山の村が、なぜ交流できたのか。三島代官の指示といわれているが、ともに金の採掘地に近かったため、採掘職人の行き来があったのかもしれない。

有東木には、わさび栽培にまつわる伝承がある。村人が猟に行く時はわさびの苗を持っていき、生育によさそうな沢を見つけると、そこに苗を植えておく。これを捨ててわさびといった。後日、苗の成長具合を見て、栽培適地を選んだという。勘四郎が帰郷するとき、感謝のしるしに苗を贈られたとも、密かに持ち帰ったとも言われるが、彼によって伊豆天城のわさび栽培が本格的に始まったとされ、立派な顕彰碑が伊豆市に建てられている。

二つの産地の交流はまだ続く。有東木のわさび田は沢に砂を敷いて直接植え付ける地沢《じざわ》式だったが、伊豆では沢底をならして石垣を組み、そこに砂利・砂を下から順に積み上げてわさび田とする石畳式を

開発した。今度は、有東木がこれを学んだのだった。〈二〇一八・三・一八〉

122段　静岡産の漆で地場産業発展を促したい

静岡浅間神社（重要文化財）の保存修理事業が進んでいる。徳川三代将軍家光の時代に建立された社殿は、日光東照宮に負けない美しさだったが、江戸時代中頃に焼失した。その再建事業は十九世紀初めに始まり、完成したのは慶応元（一八六五）年。じつに六十年の歳月を要した。壮麗な社殿は、漆塗りの工芸品といっても過言ではない。これに関わった職人たちの技が、漆器や雛具、建具など、静岡地場産業の基盤となった。お浅間さんは、静岡市民の守り神であるだけでなく、地域の産業発展の源泉でもあった。

竹筒に入れた生の漆と漆掻き職人（ミャンマー・シャン州で）

修理事業で落成時の美しさをよみがえらせるためには、大量の漆が必要となる。漆はウルシの木の樹液を精製したもので、それを採取する作業を漆掻きという。親方が山の持ち主から仲買人を通じて採取権を買い取り、漆掻き職人を率いて点在する野生の木から漆を集めた。

ミャンマーでも漆器類の生産が盛んである。漆を掻く人は粗末な仮小屋に寝泊まりしてウルシを採取する。日本では、木の幹に対して斜め横に線を引き、専用の道具で樹液を掻き集める。ミャンマーでは、幹に逆三角形の傷をつけ、底にあたる三角の先端部分に細い竹筒を差しておき、そこにたまった漆を細い刃物で掻き出し、竹筒の容器にため込む。商人に買い取られるほか、田舎の市場では竹筒に入った生の漆が売られている。塗料以外に、強力な接着剤としての用途があるからだ。漆の粘着力は縄文時代から活用されていたほどである。

現在、漆の国内生産量は激減しており、中国などからの輸入に頼らざるを得ないが、国は日本の伝統建築には良質な国産漆を使うという方針を示している。静岡市では、耕作放棄地などを活用した漆の産地育成を計画しているという。浅間神社の修復には地元産の漆を使い、あわせて静岡漆器の伝統を復活させたいという大きな夢が語られ始めた。〈二〇一八・三・二五〉

123段　桜の季節は鯛もおいしい

大相撲大阪場所は、一人横綱の鶴竜が千秋楽前に優勝を決めた。優勝祝いでは、きっと大きな鯛を誇らしげに持ち上げただろう。鯛が縁起物の代表となっているのは、その赤い色のためと、いつのころからか一般化した「めでタイ」という語呂合わせのおかげだ。和風の結婚披露宴には鯛の塩焼きが欠かせないし、正月に松竹梅とならんで鯛の形をしたお菓子を作るところもある。津波被害のあと、ようやく家を再建できた岩手県山田町の知人からいただいたのも鯛と松竹梅の練菓子だった。

静岡市葵区横田町の西宮神社、通称オイベッサンの縁起物には張り子の鯛が吊るされているが、これは「祝い鯛」といって郷土玩具愛好者に人気が高い。いつも鯛と一緒の恵比寿さんは、大漁を祈願する漁師からあつく信仰され、漁港周辺には鯛を抱えた恵比寿の石像が祀られている。熊本県天草市で日本一大きいと豪語する恵比寿像を見たことがあるが、海のない栃木県には、もっと大きな招福の恵比寿像があるそうだし、佐賀県は恵比寿像の数が日本一だと、それぞれ地域おこしに懸命だ。焼津市藤守の田遊びでは、終わり近くに本物の鯛を釣り上げる演目がある。観客が祝儀としてその鯛のエラに千円札を挟んでくれるのだが、今年は、カチカチの冷凍だったので挟むのに苦労していた。

鯛の味は、激しい潮流に鍛えられた瀬戸内海産が一番、といわれる。鯛漁師が秘術を尽くす一本釣り以外に、鯛を狙った大がかりな網漁がおこなわれてきた。カズラ縄といって、細長い板をたくさん吊るした長大な縄を海底にはわせ、驚いて群れとなった鯛を巨大な網で文字通り一網打尽にする。十艘ほどの船と六十人くらいの人数が必要な大がかりな漁である。鯛が一番うまいのは、ちょうど今頃、桜の咲く季節なので、この時期のマダイは桜鯛と呼ばれ、春の季語でもある。じつはサクラダイという別な種類の魚があるので、ちょっとややこしい。〈二〇一八・四・一〉

124段　初鰹は四季の順調な移ろいを示す

冷凍技術の向上や、漁場の拡大などによって、身近な魚の季節感も薄らいできた。とはいえ、初鰹だ

駿河湾内での明治期のカツオ漁（鈴木兼平画）

けは今でも初夏の話題の定番である。

目には青葉山ほととぎすはつ鰹（山口素堂）

初物好きの江戸っ子は、女房を質に入れても、というほど初鰹にこだわったが、かの兼好法師は『徒然草』に、鎌倉の海でとれるカツオという魚は、その地では上等な食材としてもてはやされているが、年寄りが言うには、自分たちが若い頃にはちゃんとした人の前には出さないもので、頭の部分は下層の人でも食べなかったと書いている。しかし、古代においても煮堅魚とか、そのゆで汁を煮固めた煎汁《いろり》が、地方からの税として都に運ばれていたことが知られている。だから、この文章はカツオの生食のことをさすのだとされるが、なにせ世のすね者の兼好のことだ。鎌倉のカツオとは、鎌倉武士のことで、本来、身分の高い人の前に出ることのできない存在が、近ごろますます大きな顔をしているという皮肉なのだという、ややひねくれた解釈をする人もいるらしい。

『徒然草』の影響はとても大きくて、江戸の初鰹は鎌倉から運ばれてくるものだとされていた。いいかえれば、黒潮にのって北上するカツオの群れが、ようやく江戸近くまで来たぞという、季節感を具体的に示すのが初鰹だった。

ところで、伊勢神宮などの社殿では、何本もの丸い木が押さえのように屋根の上に載っている。あれは鰹木といって、権力者の建物であることを示す特殊な作り物であり、天皇家以外に載せることは許されなかった。なぜ、カツオなのか。それは、季節をたがえず回遊してくるカツオは、四季の順調な推移を示すもので、豊かな実りと世の平安を民に約束する権力者のシンボルにふさわしかったからだ（宮下章『鰹節』）。初鰹に大騒ぎする背景には、もしかしたら、社会の安泰を望むこんな潜在意識があったのかもしれない。〈二〇一八・四・八〉

125段　今川時代の静岡茶

この間まで深緑色だった茶畑が、いつのまにか萌黄色の新芽に覆われている。茶どころ静岡ならではの遅霜予報とともに、新茶の話題が紙面を賑わすようになった。

静岡のお茶は、鎌倉時代に聖一國師が宋から持ち帰った茶の種子を足久保（静岡市葵区）に播いたのが始まり、とされる。ただし、残念ながらそれを裏付けるような同時代の史料はない。静岡茶の確実な記録は、国師帰国から百二十年ほど後になるが、袋井市にあった浅羽荘から、京都の公家に年貢として茶が送られたというのが最初である。戦国時代になると、遠州山間部や伊久美地区（島田市）から、現物年貢として茶が上納されている。それらは、代官を通じて駿府に集められ、商人に払い下げられたらしい。

このような農民の茶に対し、寺院では早くから境内に茶を植え、自家用や贈答用に製茶していた。浜松市南区新橋《にっぱし》に、大通院という大きな寺があった。現在は、黒門と呼ばれる立派な山門を残すだけだが、永禄十（一五六七）年に今川氏真から、この寺の茶を公用と偽って摘み取ってはならない、という文書をもらっている。寺の周辺は海に近い砂まじりの土地で、茶栽培には適していない。寺では、日常の儀礼や僧侶の修行に必要なものとして、境内で茶を作っていたので、それを横取りする者がいたのだろう。同じころ、群馬県太田市の長楽寺でも、境内で茶を摘み、製茶をしていた記録がある。じつは若き日の聖一國師もここで修行している。ただし、この記録は国師がいたころよりも三百年も後のものだから、これが国師と茶の関係を示すわけではない。

江戸時代、大通院の本堂では寺子屋が開かれ、現在の浜松市立新津小学校のもとになった。しかし大正十五（一九二六）年、主要な堂宇が焼失、広大な寺域に、戦後は中学校も建設され、民家も立ち並ぶようになった。本尊はかろうじて小さなお堂に安置されていたが、それも昨年に取り壊された。現在、その再建が計画されているそうだ。〈二〇一八・四・一五〉

126段　心やすらぐ桜葉の香り

いつのまにやら街路に桜の葉が陰をつくるようになった。あれほど花見に浮かれた人も、花のない桜にはもう見向きもしない。ところが、花ではなく、葉が成長するのを待ち望む人たちがいる。伊豆松崎

道明寺タイプの桜餅（静岡市葵区で）

町の桜葉栽培農家だ。

一面に植えられているオオシマザクラは、本来なら十㍍を超える大きな木に育ち、白い花を咲かせる。だが、ここでは葉を摘みやすいように高さを背丈よりも低く抑え、花は咲かせない。この桜葉畑から、特産品、桜葉漬けが生まれる。

丁寧に手摘みをした葉は五十枚を一束とし、大きな桶に塩とともにびっしり詰め込む。重しを載せて秋まで置くと、緑色だった葉っぱは発酵して透き通るような飴色になり、心安らぐ甘い香りが生じる。松崎町の桜葉は全国生産量の七割を占めるという。

この香りを生かしたのが桜餅である。こし餡を桜色の餅で包み、薫り高い桜葉を一枚かぶせる。口に入れると、葉脈がちょっと気にはなるが、柔らかな菓子には、むしろアクセントになる。いま、身近に見る桜餅は、道明寺と呼ばれるタイプが多い。もち米を蒸してから干し、粗く砕いた道明寺粉を用いるからだ。道明寺粉は、大阪府藤井寺市の道明寺で作られた戦陣の兵糧食に由来するという。だが、私のイメージにある昔ながらの桜餅は、小麦粉を薄く伸ばして焼いた皮で餡をくるみ、ちょうど柏餅のように桜葉で包んだものである。こちらは江戸の長命寺で作られた桜葉漬けがもとになったといわれているから、静岡市の桜餅は関東系だったことになる。桜餅にも、東西の食文化の違いが見える。

葉っぱを食べるといえば、松崎町の桜葉漬けの製法は、東南アジアの漬物茶とそっくりだ。タイやミャンマーでは、蒸した茶葉を薄くへいだ竹で束ね、密封できる大きな籠やコンクリートの穴に詰め込んでいる。桜葉も茶の葉も、発酵すると柔らかくなり、それぞれ独自の香りを出す。直接食べることのできない硬い葉っぱが、発酵によって嗜好品に変身するのである。〈二〇一八・四・二二〉

127段　WASABYを世界語に

静岡市葵区有東木《うとうぎ》。標高五百㍍ほどの山あいの集落は、静岡ワサビ発祥の地であり、ワサビ栽培が世界農業遺産に登録されたことで、見学に訪れる人が増えた。以前から地域おこしを目的に開かれているレストラン「うつろぎ」の人気も上々で、たとえば、ワサビの葉っぱ一枚をそのままてんぷらにしてソバに載せたメニューは、地域の特色をうまく表現したアイデアで評判だという。

ワサビ田を見学する中国人研究者
（静岡市葵区有東木で）

先日、茶の都ミュージアムで開かれたお茶についてのシンポジウム参加のために来日した中国の友人たちが、ワサビ栽培の様子を見たいというので、有東木に案内した。ワサビは日本原産で植物学的には菜の花の仲間だ。初夏を思わせる陽気につられ、白い花の上をモンシロチョウが盛んに飛び交っているが、幼虫はワサビの敵になる。

中国では日本食の人気の高まりとともにワサビの認知度も上がっている。そこで、ワサビ独特の、あの鼻にツーンと響いてくる「からさ」は、中国語でどう表現しているのだろうか尋ねてみた。中国料理で辛いは辣油《らーゆ》の「辣」だが、日本人にとっては、激辛のラーメンなどで感じる辛さであって、ワサビとはちょっと違う。「うーん、衝《チョン》かな」と一人が言った。この文字は、衝撃、衝突と使われるから、ガツンとくる辛さという意味で、何となく分かる気がする。英語ではスパイシーとかホットと訳すらしいが、該当する食品のイメージを浮かべれば、やっぱり少し違う感じがする。

ワサビの、あの辛さそのものが、きわめてユニークな存在なのだ。それなら、いっそのことワサビを語幹とし、とくに鼻の奥に突き上げてくるような辛さを意味する新しい形容詞を作ってしまったらどうだろうか。たとえば、スパイシーにならって、ワサビー（ｗａｓａｂｙ）なんてどうだろうか。お寿司屋さんで、「オー、ベリーワサビー」なんて会話が聞かれたら面白い。静岡発の誇るべき食品、ワサビの存在価値が飛躍的に高まるかもしれないと、これはまことに勝手な思い付きだが、英語に堪能な方の御意見が欲しいところだ。〈二〇一八・四・二九〉

128段　茶娘さんには時代背景も語ってほしい

「夏も近づく八十八夜」で始まる文部省唱歌「茶摘《ちゃつみ》」を取り上げるのは、八十八夜も過ぎているし、しかも最近の暑さでは、ちょっとタイミングが悪いかもしれない。しかし、この歌が明治四十五（一九一二）年のものということ、そして「あかねだすきに菅の笠」の女性が茶摘みをしているという内容に着目し、あえて話題にしてみよう。

新茶は出荷時期が早いほど高値で取引される。新芽を一斉に摘み取るには大量の労働力が必要だが、一家をあげて働いてもとうてい間に合わない。そこで山の茶農家は米作中心の平野部から大勢の女性を雇い入れた。県内ではお茶摘みさん、宇治では摘み子といい、娘さんは茜《あかね》色のたすきをかけるが、年配者は水色、というのがしきたりだった。鮮やかな黄緑色の茶畑から、茶摘み歌が聞こえ、それに負けじと遠くからウグイスが声を合わせる。「茶摘」は、そんな様子を国民が共有していた時代を背景に生まれた。

この雰囲気を大きく変えたのが、茶刈り鋏の普及である。明治から昭和初期にかけて、日本の工業化が進み、女性労働力が求められるようになると、お茶摘みさんの日当も上がるし、人数をそろえるのも大変になる。そこに手摘みの四倍以上の効率を誇る茶刈り鋏が登場した。鋏が使いやすい平坦地の茶畑では鋏刈りが急速に普及していく。昭和二（一九二七）年、富士山を望む日本平の茶畑に取材に来た北原白秋は、茶を摘むのではなく、鋏で刈るということに興味をもった。「ちゃっきり、ちゃっきり」という軽快な囃子ことばは、詩人の鋭敏な耳が、時代の変革を聞き取ったことで生まれたともいえる。

「茶摘」から「ちゃきりぶし」に至るおよそ十五年間、つまり大正時代にぴったり重なるこの時期は、静岡県の茶産業にとって、技術革新の時代であった。茶葉を摘むことだけでなく、製茶の機械化も急速に進んでいく。新茶をサービスする茜だすきの茶娘さんたちの脇で、観光客にこんな時代背景を語り掛ける人がいてもいい。〈二〇一八・五・六〉

129段　カタカナ書きの道しるべ

米利堅と書いてメリケンと読む。幕末の公式文書に米利堅合衆国とあるのは、もちろんアメリカのことだ。英会話ではアクセントが重視される。英語圏の外国人と接し始めた日本人は、聞こえたとおりの発音をまねた。アメリカがメリケンと聞こえたのはじゅうぶん理解できる。

同じように、幕末から明治初期にかけて定着した語にカメがある。これは瓶とか亀ではなく、洋犬のことだ。語源ははっきりしている。そのころ、日本にやってきた外国人が連れてきた犬を呼ぶとき、カムインとか、カムヒアーと言ったのを、近くにいた日本人が、外国産の犬はカメというのだと誤解したからである。

余談だが、ニホンオオカミが滅びたのは、害獣駆除政策や餌となる野生動物の減少に加えて、洋犬が持ち込んだジステンパーに感染したのも一因だろうといわれる。

浜松市中区寺島町の公会堂前におもしろい道標がある。読みにくいので『浜松市の石造文化財』という本の助けを借りると、表面に「右浜松ステンショ左堀留いば」と刻まれている。ステンショは、もちろんステーションのことで、明治時代の書物には、ステン所（すてんじょ）と記した例もある。東海道線の全通が明治二十二（一八八九）年七月、この道標の裏側には明治二十四年四月の建立とあるから、地元の人々が、文明開化の象徴である汽車が通ることに誇りを感じて造ったものに違いない。ただし、この道標はもとは別のところにあったらしいが、正確な旧位置はわからないという。

　この道標の形がじつに興味深い。上部が狭まって安定感がある自然石に道案内を刻んで辻に建てるのは、江戸時代の一般的な風潮だった。たとえば、観音道とあれば、観音様をまつる有名なお寺の方向を示す。それと全く同じ様式で、しかもカタカナの道標というところに、新旧文化のミックスに違和感を抱かないという日本人の特徴が垣間見える。〈二〇一八・五・一三〉

130段　半殺しか、皆殺しか

　旅人が農家に一夜の宿を頼んだ。さて、寝ようとしたら、「半殺しにするか、皆殺しにしたほうがいいか」という声が聞こえてきた。とんでもない家に泊ったものだと、まんじりともせずに朝を迎え、早々に家を出た。この会話は、じつはぼた餅の作り方を話していたのである。もち米とうるち米を一緒に炊き、すり鉢でつぶしてから餡をかぶせる。そのすりつぶし方の程度を半殺しと言ったのだった。かんちがいを主題にした笑い話の一つで、全国に似たような話が分布する。

　ぼた餅は、年中行事の中でも、とくに春秋の彼岸に欠かせない食べ物である。ぼた餅とおはぎは同じもので、牡丹の咲くころに作るのが牡丹餅、ハギの咲くころのものがお萩だといわれるが、厳密に使い

庚申講の日に作る巨大なぼたた餅（牧之原市菅ケ谷で）

分けをする必要はなさそうだ。

いずれにしろ、米と砂糖を使ったぜいたくな食品であるから、何かめでたい時に作るハレの日の御馳走である。作る以上は思い切って腹いっぱい食べたい、という気持ちの表れだろうか、六十日ごとにまわってくる庚申《かのえさる》の日には、庚申講《こうしんこう》といって、村人が当番の家に集まり飲食を楽しむ集いが広く行われていたが、牧之原市の菅ケ谷では、年に六回ほどある庚申講のうち、収穫時期にあたる回に、人の頭ほどの巨大なぼたもちを作った。しかも小豆と黄な粉の二種類だ。これをプラスティックのパックに入れて各家に配った。昔は重箱に入れたのだろう。

戦後、日本人の食生活がまだまだ貧しかったころ、子ども心にハムを一本まるごと食べてみたいという夢があった。こんな思いをもったのは私だけではなく、誰かが同じことを述懐しているのを読んだことがある。ハム丸かじりは実現しなかったかわり、生シラスを親にこっそり買ってきて、ドンブリ一杯食べることに挑戦したことがある。でも、すぐに気持ちが悪くなって放り出した。脂がきついのである。ものには適量がある。

〈二〇一八・五・二〇〉

131段　とうとう車生活から足を洗った

思い切って車を手放した。デザインも悪くないし、よく走る。それがくず鉄の値段だというからちょっとショックではある。定年退職して以来、たまの遠出くらいしか長距離を走ることがなくなっていた。力は強いがガソリンを食う古いタイプだったから、市内走行には向かない。駐車場に放置したままではバッテリーあがりが心配だ。キーをさしこんで回しても、うんともすんともいわないときくらい、がっくり来ることはない。つまり、日常的には車をもっていることの必然性がなくなったので、長年の連れ合いにおさらばを告げたというわけである。

販売店からは車検のたびに、新しいタイプの車が出ましたよという誘いがあるが、それに耐えて十五年間も乗ってきたのには理由がある。まず、ほとんど故障がない。日本車メーカーの技術的な水準の高さを示しているわけだから、買い替えを勧められるたびに、こんないい車をつくってくれてありがとうと、本気でお礼を言ってきた。

もうひとつは、最近は少し情勢が違ってはいるだろうが、ミャンマーでの体験がある。ひところミャンマーを走っている車はほとんどが日本の中古車で、それも恐ろしく古いものがあった。日本車が入って来る前の、イギリス時代のバスとか第二次大戦中に使われた米軍のジープなども珍しくなかった。また、車種に関係なく使えるパーツを組み合わせて、自分なりに作ってしまったという車に乗せてもらったことも少なくない。

つまりは、これほど頑丈にできている自動車が、なぜ、数年のモデルチェンジごとに買い替えなければならないのか、よくわからない。まさに「もったいない」そのものじゃないか。

わが愛車には、廃車前にどこか長距離ドライブに誘ってみようと思っていたのだが、残念ながら車検の日が迫ってしまったので、いたって事務的な別れになってしまった。それが、いささか心残りである。

〈二〇一八・五・二七〉

132段　墓石に刻まれた猫の後ろ姿

後ろ向きの猫の姿がかわいい加賀屋吉五郎の墓（静岡市葵区の宝泰寺で）

猫ブームである。犬と違って散歩は不要、屋内だけで飼うことができる。テレビの投稿動画数でも、断然トップではないだろうか。私も猫好きで、パソコン内には飼い猫の写真がいっぱいあるが、この猫が死んでしまってからは、後継ぎを飼うことをやめた。最後まで必死に生きようとしていた姿は、もう見たくないと思ったし、もし自分より長生きしてしまったら、あとの世話は誰がするのかという心配もある。
静岡駅から歩いて数分の宝泰寺は、江戸時代に朝鮮通信使が昼の休憩をすることになっていた由緒ある名刹である。ここに「加賀屋吉五郎之墓」と刻んだ立派な墓があり、裏側には、本人の生涯を簡潔に記した文章と、後ろ向きの猫の絵が彫ってある。墓の主は何者で、猫とどんな関係があるのか。

　吉五郎は駿府伝馬町（静岡市葵区）の旅館の息子で江戸時代末の生まれ、両親と死に別れてから他家に奉公に行っていたが、明治九年の大火で実家が焼失、世を悲観して放浪生活を続けた。やがて近くの豊田村（静岡市駿河区）に粗末な小屋を設け、農家の畑守をしながらわずかな金を恵んでもらっては日を送った。もらう金は一銭だけと決めていて、多い時にはおつりを渡した。一匹の猫を友に生涯独身をとおし、昭和四年に七十二歳で亡くなった。検視の際、二百六十二円余という大金が遺されていたことがわかった。手間賃一銭で換算すれば、のべ二万六千人以上もの人の好意を貯めていたことになる。人々はその気持ちを憐れみ、また吉五郎の運命が火事によって狂わされたことから、お参りする人に火の用心の気持ちを喚起する意味もこめて、立派な墓を建立し、そこに愛猫の姿も刻んだのである。墓石には

　降る雨に豊田に立ちし人影はかかしにあらで生きた加賀吉

田んぼのカカシと加賀吉をかけた狂歌が添えられている。残念ながら、この猫の名は伝わっておらず、また主人の死後、どうなったのかも不明である。〈二〇一八・六・三〉

133段　偉人群像に見る佐賀県民の志

佐賀市は静岡からけっこう遠い。九州新幹線の最寄り駅は新鳥《しんと》栖《す》で、そこから在来線に乗り換えねばならない。かつて三十五万石の大藩を誇った佐賀市民にとっては、悔しい思いがあるだろう。

そもそも佐賀藩（肥前藩）は、薩長土肥と称された四つの雄藩の一つだった。幕末の藩主鍋島直正をリーダーに欧米の工業技術を積極的に取り入れ、反射炉や洋式船の造船所などを建設した。維新後の新政府内では、大隈重信をはじめ司法制度を整備した江藤新平、教育制度の基礎をつくった大木喬任《たかとう》らが活躍している。しかし、「西郷どん」の鹿児島県、吉田松陰らの山口県、坂本龍馬の高知県など、他の三つの藩（県）には強烈な国民的キャラクターがいるのに対し、佐賀は比較的地味である。そこで明治維新百五十周年の今年、佐賀県はこんな戦略をとった。

江藤新平ら、佐賀県の偉人群像（佐賀駅前通りで）

佐賀駅前から県庁に向かう大通りに、侍姿や盛装をした男女の近代の偉人像を一挙に二十五体も建ててしまったのだ。さきの大隈らのほかに、森永製菓や江崎グリコの創業者、東京駅を設計した辰野金吾、静岡県の安部郡長を務め青年団運動を指導した田澤義鋪《よしはる》もいる。ちなみに像はアルミ製で総額八千万円かかったそうだが、どの像とも隣に立って、あたかも偉人と仲良しのような写真がとれる。スマホでの発信も狙ってのことだろう。

「偉人」は、子どもたちが目標とすべき優れた人物のことで、かつては「少年野口英世」といった本が身近にあふれていた。しかし、今ではあまり使われない。価値観の多様化もあるだろうし、なんだか押しつけがましい感じもする。しかし、このように堂々と郷土の偉人が居並ぶのを見れば、彼らがなぜ偉人と言われたのか、知りたくなる。背景には優れた教育環境や個人の高い志、努力、鋭敏な時代感覚があった。明治維新百五十周年を、「偉人」再発見の年にしようというこの企画、正解かもしれない。

〈二〇一八・六・一〇〉

134段　敷石が鉄道会社の歴史を語る

敷石をたどっていくと、そのまま高級料亭に入ってしまいそうだが、この先には石段があって、聖一國師を祀るお堂に通じている。この敷石、近代の地方鉄道史の象徴といってよい。

現在、静岡・清水の中心街を結んでいる静岡鉄道の路線は、明治四十一（一九〇八）年、まず江尻新道（今の新清水）・清水波止場間が開通し、同年中に鷹匠町（今の新静岡）からの連続運転も始まった。鉄道建設の最大の目的は、お茶の集散地である旧静岡市から清水港まで、輸出用の茶を運搬することで、軽便と呼ばれた小型ＳＬが貨車を牽引した。大正九（一九二〇）年には軌道幅を広げて電化され、さらに国鉄静岡駅前から鷹匠町を経て、茶問屋が密集する安西までの市内電車も開通した。やがて、輸送の中心は荷物から旅客に移っていく。

市内電車の線路敷に使われていた石
（静岡市清水区上原で）

こんな時代の流れを読んだ東京や大阪など、大都市周辺の私鉄各社は、沿線に娯楽施設を設けて旅客利用を促進する戦略をとった。路線を開設した大日本軌道静岡支社から大正八（一九一九）年に駿遠電気が経営を引き継ぎ、社名を静岡電気鉄道と改めた同社は沿線に狐ヶ崎遊園地を開設、ボート遊びをはじめ各種の遊具の提供、小動物の展示などで子どもたちのあこがれの地となった。ちなみに、この遊園地開設記念の新民謡として作られたのが「ちゃっきりぶし」である。

戦後、この遊園地は狐ヶ崎ヤングランドとなり、冬季にはアイススケート場を開くなどして時代に対応してきたが、平成五（一九九三）年に閉園、現在は跡地に開設された大型スーパー内のヤングランドボウルにその名をとどめている。

静岡駅・安西間の市内電車は昭和三十七年に営業をやめ、清水市内の電車も同四十九年の七夕豪雨の被害を契機に廃業となった。清水の路線廃止で不要となった敷石の一部が、この小道になった。ここは日中なら自由に歩くことができる。〈二〇一八・六・一七〉

135段　ボランティアの活躍が遺跡を生かす

「今から千八百年のむかし、ここ登呂では多くの人々がお米を作り、平和に暮らしていました」。これは私が小学生のとき、学芸会で発表した劇の冒頭のナレーションである。登呂遺跡は教科書には必ず載っており、修旅行の行き先にもなっていたから、静岡といえば登呂、という感じで、登呂遺跡は長年にわたって歴史教科書のスターの座にあった。

しかし、つぎつぎと新しい遺跡が発見されるにつれて、登呂の影が次第に薄くなった。登呂遺跡は大規模な発掘そのものが戦後の日本史研究の出発点となったという、歴史的意義は永久に揺らぐことはないが、昨今の教科書事情は静岡に住む登呂人の末裔としては、いささか寂しい。

いま、一番人気の弥生遺跡は、佐賀県の吉野ケ里遺跡である。国営吉野ケ里歴史公園として整備され、広大な敷地内に復元された弥生時代の神殿や住居、大規模な環濠や木材を立て並べた防御柵など、見学者を圧倒する迫力がある。このあたりに遺跡があることは昭和初期から知られていたが、本格的な発掘は佐賀県による工業団地開発がきっかけだった。登呂遺跡の発見も、戦争中の軍需工場建設が契機だったことを思い出す。

弥生時代は、稲作が本格的に始まった時代である。吉野ケ里でも、公園内に水路を設け、当時の様子を復元した水田で、子どもたちが炎天下で田植えをしていた。そのころの服装は、布の中央にあけた穴から首をだすという、いわゆる貫頭衣である。子どもたちは、みんなこれをまとい、弥生人になりきっている。

このようなイベントの指導や遺跡の解説は、ボランティアが行う。流ちょうな日本語を話す韓国人の学生もいたが、リタイアした方々が中心になっているようだ。見学者を見かけると、積極的に近寄って来て、熱のこもった説明をしてくれる。ただ、それがいっこうに終わる気配がないので、正直いうとちょっと困った。でも、こうした熱心な人たちの活動が、今の子どもたちの学芸会、いや、生活発表会に生かされていくに違いない。〈二〇一八・六・二四〉

136段　藁の馬をしめ縄に吊るす

祇園祭が近づいた。ただでさえ外国人観光客が押し寄せている京都である。きっと大変な人出になるだろう。祇園とは、お釈迦様とその弟子たちが学んだ祇園精舎のことで、その守護神を牛頭《ごず》天王《てんのう》といい、日本に入ってきてからはスサノオノミコトと同じとされた。凶事をもたらす悪霊や流行病から守ってくれると信じられたので各地に勧請され、天王神社とか、牛頭天王社とも呼ばれた。

同じ神様を祭る神社として、愛知県の津島神社（津島市）も有名だ。この津島神社が熱心に布教したせいもあり、県内では津島さんとして親しまれている。当社の祭礼は、多数の提灯を灯した船が水上を巡行する華やかなものだが、浜松市の細江神社でも、提灯を吊るした船に神輿を載せて、お囃子を演奏しながら浜名湖を渡る。スケールは違うものの、津島神社の形式にならったものだろう。天王さんの祭りでは、キュウリを供えたり、巡行する神輿に水をかけるという例も多数あるが、これは牛頭天王が水の神ともされたからだ。キュウリのお供えは、カッパの信仰とも共通する。カッパはいうまでもなく水神である。

県内のお天王さんの祭りでユニークなのが、伊豆半島西岸、駿河湾に面した西伊豆町仁科にある天王神社のオシメアゲだ。祭日は七月十五日、長さ八十㍍にもなろうかという太いしめ縄に六頭の藁馬を吊るし、中央に大きな幣束をつけて裏山の崖に張るのである。むかしは、青年がこの縄にぶらさがって崖を渡ったものだという。

完成したしめ縄と藁馬（西伊豆町仁科で）

オシメアゲに藁馬を吊るすのは、雨ごいと関係するからだろう。明治十六年、兵庫県伊丹市のある村で、雨ごいのために滝のかたわらで馬の首を斬り、その血を岩になすりつけたら、すぐに雨が降ってきたという事例が報告されている。雨ごいには牛が使われることが多いが、馬の場合もあった。神社に奉納する絵馬も、本来は生きた馬を捧げた代わりである。仁科の藁馬も、天王さんに水の恵みを祈った信仰の断片かもしれない。

〈二〇一八・七・一〉

平成30年（2018）夏

門口で大念仏の一行を迎えるたいまつ（浜松市北区で）

137段　盆の迎え火と松の根っこ

浜松市の郊外、暗い夜道の向こうから、双盤《そうばん》の殷々《いんいん》たる響きが次第に近づいてくる。双盤と言っても遠州以外の地方ではあまりなじみがないが、お囃子で使うすり鉦を大きくして、向かい合わせにした楽器と思えばよい。これを藤の根っこで作った太い槌でたたくのである。

この双盤を中心に、長老が掲げる南無阿弥陀仏などと書かれた提灯を先頭に、揃いの浴衣を着た若者たちがそれぞれ笠で顔を隠すようにして続く。初盆を迎えた家々を訪れる大念仏の一行だ。笠をかぶるのは、この世の人ではない、つまりあの世からやってきた霊魂を示している。

一行を迎え入れる初盆の家では、門口にあかあかと松明をたいて目印とする。屋内では、遺影の前に盆見舞いの供物が山のように積み上げられ、地域によっては、俳句（川柳）を書いた灯篭を軒先に吊るす。

門口の松明は、いうまでもなく盆の迎え火である。都市部の家庭では、花屋さんで買ってきた松の根っこを門口で燃やす。油分が多いので、黒い煙をあげながらよく燃える。松根は明治の初めころまでは、奥深い山村の灯火として使われていた。小さく切って、中央をくぼめた石の皿の上に置き、それを燃やしたのである。

燃料事情がひっ迫した戦時中、軍部がこの豊富な油分に目をつけた。乾留といって、空気を遮断して加熱し、松根油を取り出すもので、炭焼き窯で炭や木酢《もくさく》をつくるのと原理は同じである。「埋もれた戦力・松根掘出せ」というポスターも作られた。精製してから航空燃料にするという計画だったが、大した成果は上がらなかったようだ。

火は人間の暮らしに不可欠である。一家の中心となる囲炉裏の火を絶やすことは、家そのものが絶えてしまうことを意味する。盆の灯篭や提灯は、死出の旅路を照らすというだけではなかった。お盆に帰ってきた祖先の霊は、子孫が灯してくれる迎え火を見て安心し、子孫繁栄すなわち家の永続を期待しながら再びあの世に戻っていくのである。〈二〇一八・七・八〉

138段　三角形が秘める魔除けパワー

ここ一年間に家族が亡くなった家に、「今年は初盆で、お寂しゅうございます」といって訪れることを、盆礼あるいは盆見舞いという。菓子とか缶詰を持っていくのが一般的だが、もっとも広く使われていたのが、そうめんだった。旧暦七月は麦の収穫が終わったころなので、仏前に供えるそうめんは、祖先の霊に収穫を感謝する意味もあったと思われる。

遠州では、さらしで作った三角の袋に米を入れたものを初盆の供え物として贈るところがある。磐田市の旧富里村では、亡くなったのが男性なら四角い袋、女性なら三角の袋に入れた米を近親者が持ってくる。家で施餓鬼をしたのち、これらは寺に納める（『富里の民俗』）。なぜ三角なのかという説明はないが、さらしの三角巾ならば、死者を納棺するとき、白いかたびらを着せ、これを額につける。この姿は幽霊の絵でおなじみだ。地域によっては、参列者も同じように三角の布をつける。

この場合の三角の布は、おそらく魔除けであろう。霊魂が抜けてしまった遺骸に悪霊が入り込まないように、また、生きている者にも、悪霊が取りつかないようにという気持ちである。三角を魔除けとする発想は仏事に限らない。山梨県の都留市では、小正月のドンド焼きのとき、ご神木に三角の布袋を吊るす。これをヒイチと呼ぶのは、火打石を入れる袋の形だからという。ヒイチは持ち帰って自宅の玄関先に吊るして魔除けにする。

そういえば、蛇のうろこも三角で表現され、物語の中では強烈な魔力を発揮する。蛇は女性の嫉妬の象徴とされるので、恋に狂った女性の衣装にはこの模様が使われる。

正三角形は円と並ぶ完璧な図形である。三つの角が互いに押し合っているのか、あるいは引っ張り合っているのか、とにかくしっかりバランスがとれているのだ。男女の間の三角関係は、この状態が何かの理由でずれたときに顕在化し、恐ろしい状況を迎えるのである。〈二〇一八・七・一五〉

139段　アメリカ代理公使が足久保茶園を視察

先日、静岡県立大学グローバル地域センター主催の「静岡茶の世界を考える懇話会」が静岡市内で開かれた。静岡の基幹産業であるお茶について、さまざまな視点から研究している関係者が集まり、自由な意見交換を行おうというものである。いまや大学もいろいろ大変で、学部編成などに特色を出すだけでなく、地域の課題の発掘と、その解決方法を探るという明確な目的意識を持った活動が求められている。

今回は、戦前の茶輸出に関する若手研究者、粟倉大輔さんなどの研究発表をもとに討論が行われた。粟倉さんは、明治五（一八七二）年四月にアメリカ代理公使が、静岡の茶について現地調査に行ったという資料があるが、目的地が静岡のどこだったのかは全く分からないという疑問を投げかけた。そのころのアメリカは日本茶の輸入国として、日本の茶業に重大な関心を寄せていた。どこが視察地に選ばれたのかは重要な問題である。

この発表を聞いて、私は「あっ、あのことだったのか」と、思わずうなってしまった。今から三十年以上も昔である。静岡市の旧美和村の皆さんと『美和郷土誌』を編さんしたとき、調査した旧家の文書の中に、明治五年四月四日付け、静岡県庁から足久保村（旧美和村の一部で茶産地として有名）あての通知があった。「アメリカ大使（原文）たちが今朝、清水港に着いた。明日、そちらに向かうので出迎えや村内各所の案内など、万事遺漏のないように」という内容である。地元にはこれ以上の記録がなかったので、そのままになっていた。ところが、今回の粟倉さんの問題提起によって、なぜ、アメリカ大使が足久保に来たのかが分かった。アメリカ代理公使の目的地が明確になったし、地元への通知文の背景もはっきりしたのである。発表と情報提供とが即時にぴったり符合するなんて、まさに奇跡に近い。アメリカに残る代理公使の報告、政府や県庁の指示、受け入れ側の様子、すべてが一連の出来事として浮かび上がってきた。まさにグローバルな視点からの地域研究の成果だし、それがお茶に関することだから、静岡にとっても大きな意味がある。〈二〇一八・七・二二〉

140段　伝統の鹿島踊は猛暑にもめげない

弥勒菩薩の出現を祈る鹿島踊り（熱海市網代で）

伊豆半島東岸の漁村を中心に、鹿島踊と呼ばれる民俗芸能が点々と分布している。鹿島とは戦の神であり、地震除けとしても有名な茨城県の鹿島神宮のことで、かつて「鹿島の事ぶれ」と称し、神官たちが白衣を着て大きな幣束を肩に、本年も豊作ですよと言いながら、各地を回った。鹿島踊は、おそらくその様子をもとに、集団で踊る芸能として定着したと思われるが、さて、その演出はどこで誰が始めたものかはわかっていない。肝心の本社には、鹿島踊は伝わっていないのである。

豊かな暮らしへの願いは、踊りの歌詞のなかに明確に見える。たとえば、伊東市湯川では

めでたいな　鹿島の浦にみろく船にへ（舳）がついた　とも（艫）へには恵比寿弁財天に　中には鹿島大明神

と歌い始める。みろくとは五十六億七千万年後にこの世に出現し、人間すべてを救ってくださるという未来仏、弥勒菩薩のことだ。続く歌詞にも「みろくつづきと米をまく」などと縁起のよい言葉が見える。

鹿島踊は現在、伊豆には十カ所ほど伝承されているが、その背景に、江戸時代に盛んになった採石による交流があるのではないかとされる。江戸の町は伊豆の石で造られたと言われるほど、大量の伊豆石が船で運ばれ、石切りや輸送に関わる人の交流も盛んだった。

熱海市網代の阿治古《あじこ》神社の例祭は、七月十九、二十日。今では珍しく曜日に関係なく行われている。ご神体を乗せた大きな船型の山車や、長い胴の二匹の獅子などが町内を練り歩き、鹿島踊も要所要所で披露される。真っ青な空のもと、その空よりもさらに青い海を背景に白い着物の男たちが手に手に幣束をもち、輪になったり列になったりしながら、力強く踊る。流れるように変化する隊形が見どころの一つだ。漁師町の特徴は縦横に通る細い生活の道。そこを吹き抜ける風だけが、今年の殺人的暑さを和らげてくれた。〈二〇一八・七・二九〉

141段　カンカン帽がいろんな連想を呼ぶ

カンカン帽は、いま若い女性の間で人気があるおしゃれな帽子である。素材は麦わらで、普通の麦わら帽子との違いは、硬くプレスして成形してあることだ。たたくとカンカンと音がするほど固いからというのが名前の由来だそうだが、昭和戦前までは成人男性の盛装として広くかぶられていた。子どもの頃、わが家にも祖父のものだったらしいカンカン帽があった。いたずら半分に頭に載せてみたが、坊主頭には痛くてかぶれたものではなかった記憶がある。

カンカン帽華やかなりしころの名残りなのか、熱海市網代の鹿島踊を見守る人々の中に、カンカン帽をかぶっている人を数人見かけた。いずれも貫禄がある人ばかりだ。いまどき珍しいと思って尋ねてみたら、鹿島踊を伝える役員のなかでも長老だけがかぶることが許されるものだという。祭りのカンカン帽は、権威の象徴になっている。今や、揶揄的に使われるオジサンだが、若い女性に言いたい。カンカン帽をかぶるときは折り目正しい男性の姿を思い出してほしいと。

そういえば、甘甘娘《かんかんむすめ》というトウモロコシも大人気である。漢字からわかるように、たいへん甘くて生でも食べられるというのが売りだ。栽培がむずかしいため、生産地が徳島県や山梨県などに限られているなかで、わが県の森町は、季節が重ならないレタスとの組み合わせが効を奏して栽培面積全国一である。

カンカンムスメがトウモロコシだとわかるまでは、なんで今どきあの歌が話題になるのだろうかと不思議に思ったものだ。戦後まもなくに大流行した「銀座カンカン娘」（佐伯孝夫作詞）のことだ。なぜ「そわそわにやにや」なのかよく分からないまま、「これが銀座のかんかんむすめ」などと口ずさんでいた。連想が連想を呼ぶのは歳を重ねたせいだろうか。〈二〇一八・八・五〉

祭の長老がかぶったカンカン帽
（熱海市網代で）

142段　日露戦争からわずか四十年後に起きたこと

静岡市内のあるお寺の墓地。いちばん奥に、戦死した家族を弔う墓が並んでいる。故陸軍輜重兵一等兵勲八等○○之墓のように、戦死して特進した階級とともに刻まれた名前が、本来その家を継ぐか、あるいは結婚して新たな家庭を築くか、未完に終わった人生の悲しさを語りかけているようだ。なかに、故陸軍兵長○○・兵長○○と同じ姓の人が一つ墓に刻まれているのは、兄弟なのか親子なのか、この小さな石塔を建立した遺族の心情が偲ばれる。

それらに埋もれるように、戒名と故陸軍兵長という文字が刻まれているだけでなく、軍服に鉄兜をかぶり、銃を持って起立した陸軍兵士をかたどった墓石がある。路傍の石地蔵ほどの小さなものだが、両眼はしっかり正面を見据えている。写真館で正式に撮影した記念写真をもとに、できるだけ故人に似せた像を石屋さんに彫ってもらったのではあるまいか。戦死者の面影をとどめようとして建立された石像墓（コンクリート製も含む）は、県内にも何カ所かで見た。たとえば浜松市の旧細江町の墓地だったか、ほぼ等身大の兵士像があったように記憶する。

兵士をかたどった戦死者の墓
(静岡市葵区で)

藤枝市内谷の常昌院、別名兵隊寺には、日露戦争における志太郡下つまり現在の焼津・藤枝・島田各市にわたる戦死者の木像群が安置されている（第100段参照）。遺族たちが協力して造立した二百二十四体にものぼる木像は、この地域における戦死者のほぼ全員にあたる。しかし、その後の昭和の戦争における戦死者は全国で約二百三十万人といわれている。加えて空襲などで命を失った人も多い。戦後になっても、広域によびかけて死者の霊を弔うどころか、生き抜くだけで精いっぱいだった。

司馬遼太郎的にいえば、坂を上りつめた明治の末から、奈落の底に転落した昭和二十年まで、わずか四十年しかたっていないことを改めて思う。〈二〇一八・八・一二〉

143段　激変した村と移転した辻堂

辻占という言葉がある。何か探しものとか、迷うことがあるとき、四つ辻に立って、通りすがりの人たちが交わす会話に耳を澄ます。問題解決の何らかのヒントがそこから感じとれるという信仰だ。辻とは道が交差するところ。そこは、あの世とこの世との交点でもあり、人知を超えた不思議な現象がみられる場所と考えられたからだろう。

辻はこのように特殊な意味合いをもっていたから、そこに神仏をまつり、村に災いが入らぬように祈るため、小さなお堂が建立されるようになる。最近、写真を整理していたら、第55段で触れた東黒田（現・浜松市北区）のお堂の写真が出てきた。新東名のいなさジャンクションの脇に新築移転される前のもの

かつての東黒田の「お堂」（浜松市北区）

で、撮影して三十年ほどになる。地元では単にお堂と呼んではいたが、鳳来寺や奥山半僧坊につながる街道に面していて、まさに辻堂という名にふさわしい位置にあった。

かつて東黒田の住人だった柴田宏祐さんによれば、お堂には村の青年たちが集まって寝泊まりしたものだという。伊豆で広く見られた若者宿のような役割を果たしていたようだ。中には厨子に入った地蔵が祀られていたが、これを雨乞い地蔵といった。平成の初めころまでは、日照りのとき、このお地蔵様を近くの川に持ち出し、馬のわらじで洗って雨を祈ったという。新しいお堂にも、何か伝説が生まれるのだろうか。〈二〇一八・八・一九〉

144段　駿府赴任の武士と町人との交流

江戸時代も後半になると、趣味や学問への関心を共有する武士・町人が、身分に関係なく集まって歓談したり、知識の交換をするようになっていた。山崎美成《よししげ》は江戸の薬屋だったが、さまざまな分野のことに関心を持ち、同好の士を集めて耽奇会《たんきかい》を結成した。それぞれ自慢の逸品を持ち寄り、あれこれ議論しようという一種のサロンで、『八犬伝』で有名な滝沢馬琴なども参加している。

この会に一人の武士が戦艦の絵を持ち込んだ。

「これは自分の父、榊原長俊が駿府に勤務していた頃（駿府は幕府の直接支配下にあった）、原画が奉納されていた駿府浅間神社の神官に頼んで写させてもらったものです」

長俊は在任中に得た資料をもとに『駿河国志』をまとめたほどの教養人である。その戦艦図の左側には、寛永三（一六二六）年、暹羅《しゃむ》国住居の山田仁左衛門と書かれている。暹羅（タイ国）に渡って活躍した仁左衛門こと長政の存在は、かなり早くから知られていた。江戸時代初期に海外で活躍した天竺徳兵衛と呼ばれた船頭の物語は歌舞伎などにもなっている。いわゆる鎖国下であったからこそ、海外への知的関心は高かった。

山田長政の出生地は静岡市内とされるが確証はなく、タイに渡った方法や目的などもはっきりしない。耽奇会で榊原長俊の息子は長政の略伝を次のように語った。山田仁左衛門は、駿府の薬種商、小西源左衛門の親族で、タイに薬種を仕入れに行った。ちょうどタイは戦乱の渦中にあったので、日本から加勢に来たのだといって、タイ人に日本風の甲冑を着せて勝利し、国王の聟になった。そこで自分の氏神である浅間神社にこの絵を奉納したのだと。

長俊が模写したのち、原図は火災に遭って焼失してしまった。そこで天明三（一七八三）年、浅間神社ではこの長俊の模写をもとに、あらためて戦艦図を描いたのである。静岡のお宝を、江戸の旗本が興味を持って模写してくれたおかげで今でも見ることができる。〈二〇一八・八・二六〉

145段　清水次郎長の山田長政顕彰計画

あの清水次郎長が、山田長政の事績をたたえる記念碑建立を計画していた。次郎長は明治二十五（一八九二）年、「暹羅国王（駿府人）山田仁左衛門記念両国大相撲」と銘打って大規模な相撲興行を主催した。会場は静岡城本丸（静岡市葵区）。静岡城とは駿府城のことである。次郎長自ら東京に行って大相撲と交渉し、静岡での開催を実現させたという。日程は七月二十日より晴天七日。晴天何日とあるのは江戸時代の興行形式で、野外で行うために雨が降れば休演となるからだ。次郎長はなぜ、こんな計画をたてたのか。

ところで、明治十七（一八八四）年に静岡県令となり、のち名称変更により初代県知事になった関口隆吉は、今川一族、関口氏の流れをくむ人である。次郎長と親しい山岡鉄舟とは、ともに旧幕臣で旧知の間柄だった。この二人の関係をまず確認しておく。

さて、次郎長こと山本長五郎は、明治十七年の博徒大刈込みによって逮捕され、懲罰七年の刑を受け駿府井宮の監獄に収監されてしまった。次郎長の養子天田愚庵は、『東海遊侠伝』という本を書いて養父の釈放の助けにしようとしたが、なかなか実現しない。ちなみに、世間に流布している次郎長の話は、これが主要なネタ本になっている。そこで山岡鉄舟は、次郎長の早期釈放を親しい関口に働きかけ、おかげで次郎長は明治十八年に特赦放免となった。しかし関口は明治二十二年、東海道線開通の直前、便乗したトロッコの事故がもとで亡くなってしまった。この隆吉の婿養子で漢学者として知られる関口隆正は、早くから山田長政に関心をもち、著書『山田長政事績考』のなかで、「当今の流行ではあるが、長政の記念碑くらいは市民が率先奮発して建設したいものだ」と述べている。

　これらをひっくるめて推察すると、いささか小説めいてしまうが、次郎長が長政顕彰を企てたのは、恩義ある隆吉の供養にもなると考えたためではなかろうか。残念ながら興行の収益は少なく記念碑建立はならなかった。次郎長はこの翌年に生涯を終えている。〈二〇一八・九・四〉

146段　アッサムお茶探訪記

〈アッサム紅茶の始まり〉

二〇一八年八月の下旬、紅茶生産の本場、インドのアッサムに行ってきた。首都デリーで国内線に乗り換えるため一泊、さすがに暑いけれど、日本の猛暑とさして変わらない。バスの窓から差し込む日差しを避けようと、カーテンを閉めたら、ガイドがあわてて寄って来て、カーテンを閉めると罰金ですと言う。数年前、バスの中で集団暴行事件があったので、カーテンは常時開けておくこと、夜間は室内灯をつけるという決まりができたという。

　アッサム地方はインドの北東部に位置する。焼き畑をしつつ移動していくジンポー族には、遠く中国雲南省からミャンマーを経てこの地に定着したものもいる。アッサムの産業としての茶の歴史はそれほど古くない。宗主国イギリスは大量の茶を中国から輸入していたので、なんとか植民地のインドで茶生産を行おうとしたが成功しなかった。しかし一八二三年にアッサムの東端に近いサディアで英人ブルース兄弟が野生の茶を「発見」したことにより、自力生産の道が開けた。「発見」とカッコつきにしたのは、そこの住民にとっては、茶は日常的なものだったはずで、あくまでも西洋人の立場での表現だからだ。コロンブスの「アメリカ大陸発見」と同じで、ヨーロッパ中心の発想である。

十五年前、茶樹発見の場所を見ようと近くまで行ったことがあるが、当時の国内事情から入域許可が取り消された。それでも、周辺のジンポー族が、茶のことを彼らの言語をファラップと呼ぶこと、ミャンマーや中国とまったく同じように製茶後に竹筒に詰めて保管した茶を飲んでいることが確認できただけでも収穫だった。

ブルースの発見以来、栽培や製茶法の研究が進み、一八五六年ころから各地に茶栽培熱が高まり（松崎芳郎『年表茶の世界史』）、広大な茶園が次々と形成された。それから間もない一八七六年、旧幕臣で静岡市の丸子に住んでいたことがある多田元吉が、日本人として初めてアッサムに入った。いくつもの茶園を調査し、最新の製茶機械の設計図と茶の種子を日本にもたらした。とくに種子はのちに多田系インド雑種とよばれ品種改良の重要な素材となった。

〈茶園の中に村がある〉

アッサム地方の標高は意外に低い。香り高い高級茶を生み出すダージリンは、ヒマラヤに近い高地に

街頭でチャイを売る（ディブルガルで）

炎天下の茶摘み作業（ジョルハットで）

紅茶の出来具合をチャックするマネージャー（ジョルハットで）

あるが、アッサムはせいぜい二百メートルを超える程度だ。茶園には十メートルほどの間隔で樹木が植えてある。茶の木を強い日ざしから守るためで、年間を通じて日陰を維持できるよう、葉が落ち変わる時期がずれる樹種を混在させている。改植した茶園には将来のために若木を植え、それまでのつなぎとして、畝の間には背の高いマメ科の植物を植える。

　茶園では、色とりどりの衣装の女性たちが茶を摘んでいる。ここでは茶の芽の成長も早い。日本では良質の茶は一番、二番摘みまでだが、ここでは一週間たてば次の芽が摘めるので三月から十二月までのシーズン中、なんと三十六回も摘むことになる。しかも葉が大きい。女性一日当たり二十四キロを摘むのが標準で、ある茶園での日当は一六七ルピー（約二五〇円）、それより多ければ上乗せがある。安い感じがするが、病院や学校などの負担は少ない。それには、こんなわけがある。

茶園経営の課題は大量の労働力の確保だった。初期には茶園労働者はクーリーと呼ばれ、死んだ方がよいと思わせるほど過酷な扱いだったといわれる。やがて貧民層だけでなく、インド南部からも移住をはかり、種々の公共施設も設けて茶園の中だけで生活が完結する仕組みを作った。この大農園をエステートとび、所有者はイギリスにいて、現地はマネージャーが管理した。今回、訪れたエステートの一つは、創立一八六七年、総面積一万エーカー（約四千ヘクタール）、そのうち茶園は二千五百エーカー（約千ヘクタール）もあり、学校が五つ、病院が二つ、暮らしを支える水田や森林もある。住民は約二千八百人、うち茶摘みなどに従事する人が千五百人、茶園開設以来ここに住み、子どもが八世代目という家族もある。ちなみにこのエステートのひとつの茶園面積だけでいえば、浜松市域の全茶園にほぼ等しいのだから驚く。規模の大小はあるものの、こうしたエステートがアッサム地方だけで八十ほどもあるそうだ。

〈緑茶への関心〉

アッサムティーといえば、濃く煮出してミルクと砂糖をたくさん加えたチャイが有名だ。街頭でも一杯十円内外で熱々のチャイを売っている。使い捨ての小さな容器はもとは素焼きだったが、今では中国製の紙コップに代わった。味は素焼きの方がよかったと懐かしむ人が多い。

現在の紅茶の製法はＣＴＣが主流である。つぶし（crash）、引き裂き（tear）、丸める（curl）という工程の略で、言葉だけ聞けば恐ろしいような表現だ。茶園から運び込まれた生葉は、下から風が通るほどの厚さに広げ、萎凋《いちょう》させて水分を減らし、次に特殊なローラーの間をくぐらせると砕かれて柔らかい固まりとなる。これをほぐしてベルトコンベアーの上を、ゆっくり、ゆっくり、移動させるうちに発酵（酸化）が進み、緑色が次第に紅茶の色に変わっていく。最後に熱風で乾燥させ、大きさをそろえて製品とする。まさにティーバッグに適した形である。ある工場では、ほとんどを世界的な飲料メーカーに出荷するといっていた。

よく紅茶の木があるのかと尋ねられるが、緑茶も紅茶も、もとは同じ茶の木である。ただし、それぞれに適した品種はある。さきに紹介した多田元吉が持ち帰った茶の種子は紅茶に適した遺伝子をもっている。その子孫にあたるのがアレルギーを軽減すると評判になった紅ほまれ、紅ふうきだ（紅茶に適した品種には「べに」なんとか、という名を付けたものが多い）。ただし薬効は緑茶に仕上げることで発揮されるというのが面白い。

ジョルハット市内のトクライにある半官半民の茶業研究所も訪れたが、カワサキ、ウチダなど、静岡県内にある製茶機械メーカーの名はよく知られていた。最近の世界的な緑茶人気で、インドでも緑茶生産が増えている。二〇一六年の統計では、一万八千トンを超えた（日本は八万トン）。日本の緑茶輸出高も近年は五千トンに近づいているが、戦前には三万トンを超えた年もあった。国内における緑茶需要が伸び悩むなかで、生産面ではＣＴＣの研究や抹茶などへの切り替えがみられる。当然ながら、飲み方や販売方法でも、単純な急須への回帰だけではなく、世界の潮流に沿った自己変革が求められる時代である。

〈二〇一八・九・九、一六、二三〉

147段　江戸時代の農民は情報を書き留める

飯塚兵左門は、焼津市中根新田の人。江戸時代後期から明治初期まで、日本の激動期を生きた農民である。安政三（一八五六）年には村人から押されて百姓代になったほどだから、人望もあったらしい。兵左衛門は、自分の記憶やメモなどをもとに同時代の世相を「一代記」という形で残してくれた。

兵左衛門が小さい頃、どんな勉強をしていたのかは分からない。しかし「一代記」から、当時の教養ある農民が、何に関心をもっていたのかが見えてくる。天保の飢饉に際して大坂で蜂起した大塩平八郎の事件やコレラの大流行、ペリー来航についてのかなり正確な情報も入手している。しかも、ペリーの二度目の来航時、この辺から船に乗って伊豆下田に行き、停泊中の軍艦に乗り込んで内部を詳しく見てきた人がいるとも書いている。焼津から出かけたというのはやや不自然だから、これはもしかしたら、ペリーの軍艦に乗り込んだ吉田松陰の噂だったのかもしれない。それだけではない。幕府内の人事情報まで、この一介の農民の耳に届いているのには驚かされる。

さらには、人びとを熱狂の渦に巻き込んだ「ええじゃないか」の大騒動。焼津の場合、周辺から広く信仰を集め、紀州藩主からの保護もあった小川《こがわ》のお地蔵さん（海蔵寺）の縁日がきっかけとなったとある。

同じころ、江戸には世間に流れているあらゆる情報を集めてお金に換える、今風に言えば情報屋がいた。須藤（藤岡屋）吉蔵といい、内容は町触れのような公的なものから世相を批判する落書などあらゆる分野にわたった。その多様な情報の買い手は、江戸の藩邸に勤めている武士たちだった。かれらは激動のただ中に置かれている主家安泰のために、世の中の動きを見定めるのに必死だった。藤岡屋は、そこに商機ありとみたのである。武家と町人とでは入手できる情報に大変な差があったと何となく思っているが、実際には、藩という狭い世界にいた武士よりも、町人のほうがはるかに世情に詳しかったのだ。

〈二〇一八・九・三〇〉

148段　身近に起きた台風の被害

普段、台風が来ないのが家康公が駿府を選んだ理由かも、なんて能天気のことをいっていたが、今回は違った。ちょうど一週間前、台風二四号が真夜中に静岡県の北側を通って日本列島を縦断していった時だ。台風の接近につれて雨風が一気に強まり、道路をものすごい勢いで雨水が走っていく。目に見えないはずの風がその姿を見せつけている感じである。わずかな時間だったが停電が起き、懐中電灯のお世話になった。最近はめったにないことである。

家を揺らすほど、ドーンとたたきつけてくる風の響きに交じって、途切れ途切れに声が聞こえてきた。

強風で倒されたケヤキ（静岡市葵区で）

パトカーが何か言っている。倒木があるから注意を、というような内容らしい。じつは、わが家の庭に古いクスノキがあり、根元近くに大きな空洞ができている。樹木医に頼んで手当はしてもらってあるが、植木屋さんからは、元に戻るわけではありませんからね、と念を押されていた。もしかしたら、と嫌な予感がしたが、いくら何でも自分が知らないうちにパトカーが出動するはずもあるまい。

一夜明ければ台風一過、今日は暑くなりますという予報である。あたり一面、吹き落された木の葉と小枝が散乱している。でも、それだけではなかった。横の道路の緑地帯中央にあるケヤキの大木が根元の土を跳ね上げるようにして横たわっている。昨夜の倒木注意とは、このことだった。けなげにも、わが家のクスノキはがんばってくれたのである。

隣家の壁に固定されていた大きな看板がなくなっている。ゆうべ、道路上をトタンが飛んでいくような音がしたのは、これだったのか。所有者によれば、一部は回収できたが、残りはどこに行ってしまったのか、探しているけど見つからないという。向かいの家では、風でシャッターが曲がってしまったそうだ。もっとも、新聞・テレビを見れば、この程度では被害のうちに入らない。なんだか申し訳ないような気がした。〈二〇一八・一〇・七〉

149段　落人が開いた小宇宙

遠州森町の中央部を流れる太田川の上流部、亀久保に国指定重要文化財の友田家住宅がある。元禄年間に近くから移築したと伝えるから、優に築三百年を超える古民家だ。先年の半解体修理で、部屋割りも創建時に戻され、屋根もきれいに葺き替えられた。紅葉の時期、すぐ近くの太田川ダム（愛称かわせみ湖）とあわせての見学を、お勧めしたい。

友田家は五十代ほど続いているという。三重県にあった鞆田荘《ともだのしょう》を発祥の地とし、平安時代に平清盛の厳島神社造営に際して広島県友田村に移った。その後、清盛の求めにより奥出雲（島根県）で刀鍛冶となったが、平家滅亡後、遠く流れてこの地に住み着いたと伝える。焼き畑と、わずかな水田を生きる糧にしたのだろう。平家の落人伝説の一つではあるが、それが平家の公達ではなく、特別な技術をもった職人であったというのが興味深い。森町は鋳物師の町として全国に知られている。刀鍛冶と鋳物師は、金属加工という点で何らかのつながりがあったのかもしれない。

屋内に友田家とその周辺を描いた日本画がかかっている。明治癸卯（一九〇三年）鶴山、というサインがある。かつて地方の有力者のもとをめぐり、泊めてもらう代わりに特技を披露していく人たちがいた。鶴山もそうした旅絵師の一人だったのだろう。画面右側が友田家、周辺に分家や使用人とおぼしき家があり、茶畑と段々田んぼが付随している。十軒に満たない小集落ながらも友田王国といえようか。

現在は前の田んぼは廃土で埋められ、家数もわずか三軒になってしまったが、おそらくは何百年もこんな景観が維持されてきた。

友田家の庭に面した開口部には、丈夫な格子がはめられている。オオカミ除けだという。大井川最上流部の井川の古民家にも、オオカミ除けに横棒を渡した民家があった。野生動物の脅威を感じながらも、豊かな自然に囲まれた山間部に、それぞれの歴史を背負った小宇宙が、かつてはいくつも存在していたのである。〈二〇一八・一〇・一四〉

150段　高波を防ぐ波除け板

興津（静岡市清水区）といえば、名刹清見寺がすぐに思い浮かぶ。江戸時代に出版された旅の案内書「東海道名所図会」には、清見寺とその周辺を描いた挿絵があり、山門の下を通る東海道には駕籠や徒歩で行く旅人の姿が見える。その海側では、海水を汲んでは砂浜に撒いて製塩作業にいそしんでいる人もいる。興津から蒲原にかけては集落の前に広がる砂浜を利用して盛んに塩作りが行われていたのである。

現在、この海岸一帯は大きく変貌した。埋め立てが進んで、海側に国道一号のバイパスと東名高速道路が建設され、自動車が疾走している。高潮や高波を防いでいた旧防波堤はその役割を果たし終え、その内側にある道からは海はほとんど見えない。そんな道を歩いていると、いくつもの小路が海に背を向

住民も忘れかけている波除家の仕掛け
（静岡市清水区興津で）

けて建っている住宅地域を区切って、表側の東海道に通じているのに気が付く。半農半漁の暮らしが普通だったころは、この細い道が海岸に出るための生活道路だった。

　これらの小路の入り口の角石には、向かい合う形で縦に溝が刻んである。通りがかった四十歳くらいの男性に、あの溝は何のためにあるのかと尋ねても、さあ、というだけだった。でも、さすがにお年寄りは知っていた。海が荒れたとき、大波を防ぐために板を差し込んで、海水が小路や周辺の屋敷に入り込まないようにするのだという。何十年も前にその役割を終えた仕掛けだから、若い人が知らないのも無理はない。

　下田市の旧町内にも、多くの小路がある。もちろん生活の利便性のためにあるのだが、同時に、これは侵入してくる海水の通り道にもなった。小路の先で集落背後の川に落ちるようになっているのだ。ある程度の浸水はやむを得ないと割り切って、被害をできるだけ少なくし、かつ水が滞留しないように工夫していた。災害に対して集落や個人がどんな知恵を絞っていたのか、身近に残る具体例を、ぜひ、現場で子どもたちに語ってほしい。〈二〇一八・一〇・二一〉

151段　疱瘡神さんは赤い色が好き

妊婦が風しん（風疹）に感染した場合の影響が大きな問題になっている。風疹は三日ばしかともいうように、麻疹（はしか）と似た症状を引き起こす。病名に使われている「疹」は、発疹とか湿疹などというように、皮膚に小さなポツポツがたくさんできる症状全般をさしている。

なお疹は、これ一字でも「はしか」と読む。現在は日本土着のはしかウイルスはなくなったとされるが、かつては子どもの成長過程で、どうしてもくぐらねばならない関門のひとつで、「はしかは命定め」と言われたほどである。だが、子どもには、もうひとつ恐ろしい関門があった。疱瘡（天然痘）である。こちらは治癒したあと、皮膚に痕が残ることが多かったので、「疱瘡は器量定め」と言われた。

発疹を模した団子を疱瘡神さんに供える（伊豆市柳瀬で）

これらの病気の特徴は赤い発疹ができることなので、この病気をもたらす悪い神さまは赤い色が好きだと思われた。そこで、子どもがはしかや疱瘡にかかると、室内に疱瘡棚と呼ぶ神棚を設け、そこに赤い幣束を供えて病気が早く直るように祈った。伊豆では、村の辻に祭ってある道祖神の石像に、上だけ赤い色を付けた団子と赤い幣束を供えた。

疱瘡は種痘によって予防できる。種痘の効果は長崎におけるオランダ人との交流を通じて知られるようになり、一八五八年には江戸お玉が池に日本最初の種痘所が開設された。静岡県ではそれより早く一八五〇年に、韮山代官の江川太郎左衛門が領内の子どもに接種させている（土屋重朗『静岡県の医史と医家伝』）。蒲原宿の富裕な商人だった渡辺金璙《かねよし》の「生涯略記」によると、嘉永五（一八五二）年正月、宿内に疱瘡が流行したとき、金璙は、近くにあった小島《おじま》藩の澤井素庵に頼み、子どもたち十六人に種痘をしてもらった。自分の孫娘にも種痘が見事についたと喜び、神棚を吊って拝んだ。子どもへの定期種痘は一九七六年に廃止されたので、腕の種痘痕の有無は年齢を知る目やすの一つになる。

〈二〇一八・一〇・二八〉

152段　入れ墨とタトゥー

入れ墨というと、日本ではマイナスイメージが強い。しかし、海外のスポーツ選手の中には、複雑な模様の入れ墨、いやタトゥーをしている人が目に付く。日本の入れ墨がマイナスイメージになるのは、江戸時代、罪人に決まった形式の入れ墨を施したことが始まりだろう。しかし、世界的にみれば、入れ墨は成人儀礼の意味があったし、日本でも縄文時代の土偶の中には、入れ墨をしていたと思わせる例がある。かつて沖縄や奄美では女性が手の甲に入れ墨をする習慣があった。入れ墨とは、本来はその人が属している社会のありようと一体の習慣だったのだが、今では一種のファッションとなったのである。

ヘナで描いたインド女性のおしゃれ
(ニューデリーで)

ミャンマーの田舎の祭りに行くと、食べ物屋が並ぶ路上に入れ墨屋さんも店を開いている。見本の絵を並べ、客の注文によって絵柄を決め、ジージーという音をたてる電動式の針で墨を入れていく。彼らなりのカッコよさを誇示するためだろうが、針の使い回しや血液の処理など、エイズ感染の方が恐ろしいような気がした。

そんな心配も痛みも無用、しかもあとは残らないという、入れ墨もどきの、むしろ化粧といったほうがよいものがある。インドの寺院ですれ違った裕福そうな女性の両手に濃い茶色の複雑な模様が描かれているのに気が付いた。ずいぶん凝った入れ墨だと思ってガイドに聞いたら、あれはヘナという植物から作った染料を用いて丁寧に描いたものので、一週間で消えるという。日本でも白髪染めには広く使われていて、若い女性の間ではヘナタトゥーといって、好みの模様を首筋などに描いたりするそうで、とくに珍しいものではないらしい。静岡市内でも通りすがりに、なんで入れ墨なんかするのかなと振り返ったことがあるが、おじさん世代の知らないことがけっこうあるものだ。

タトゥーは、ファッション感覚、刺青と書けば文学的、入れ墨はちょっと怖い。身体加工という点では同じなのに、言い方の違いで印象が変わるのが面白い。〈二〇一八・一一・四〉

153段　郷土芸能は青年たちが伝えてきた

十月二十七日、熱海市で第二十二回静岡県民俗芸能フェスティバルが開かれた。毎年、県内各地持ち回りでご当地ゆかりの民俗芸能を多くの方々に見ていただき、保存・継承の機運を高めるのが目的である。今回は、西伊豆町海名野《かいなの》神明神社の人形三番叟、熱海市網代の阿治古《あじこ》神社鹿島踊り、同市下多賀の和田木神社獅子神楽の三団体が参加してくれた。会場がちょっと狭かったが、見に来てくれた人たちは、すぐ目の前で迫力ある演技を堪能できたことだろう。当日、解説を担当した私は、今回のフェスティバルに「若者の熱意がつないだ伊豆の芸能」という副題をつけた。民俗芸能と若者の活動とは切っても切れない深い関係があるからだ。

伊豆半島は、近代の青年団の原型となった若者組の活動がとくに盛んであった。十五歳の正月に入団し、夜は若者宿で寝泊まりし、結婚あるいは二十五歳くらいで抜ける。それからは一家の代表として、文字通り一人前としての義務と責任を負うようになる。

網代の鹿島踊りは、昭和八年までは氏神の祭礼に際して踊られていた。戦後、衰退していた祭りが昔のように屋台を中心に盛んになってきたとき、長老たちから、鹿島踊りをやらないなら屋台は曳かせないと意見され、復活にこぎつけたという。

海名野の人形三番叟は、演じる団体名を勇義社という。伊豆では若者組が明治期の徳目を参考にした独自の社名を名乗って活動し、地区の芸能を伝えてきた。習得には先輩の厳しい指導があり、それに耐えながら腕前をあげていく。だが今では青年団とはいっても高齢化が進み、「むかしの青年」が中心にならざるを得ない。それでも若い人を引っ張り込み、なんとかつなげていきたいという熱い思いがある。東北大震災で被災された方々が、地域の祭りと郷土の芸能の復活にどれだけ元気づけられていることか。その意味では、民俗芸能よりも、郷土芸能という呼び方の方がふさわしいと思うのだが。

〈二〇一八・一一・一四〉

154段　大根は形も味も魅力的

上着にネクタイの通勤姿が普通になり、日が沈むと肌寒くなった。おでんの季節である。よく煮込んだ大根に味噌のたれをつけて箸で切り、熱々を食べる。想像しただけでも唾がわいてくる。

大根は日本でも古くから栽培されていて、神社のお供えには必ず入っているし、とくに古例を重んじる祭りでは、まるのままの大根を餅の横に置いたり、両手で持って相手に渡すなど、ご神体に準じるものとして、日常の作物のなかでは特別視されている。

なぜ大根が神聖視されるのか。これは勝手な想像だが、あの真っ白で丸みを帯びた形が、むっちりした豊満な人体を想像させるからではあるまいか。ときどき、人間そっくりな大根が収穫されたという話題が報道される。大根は、地中で生長する過程で石などにあたって曲がったり、分岐したりして、ひど

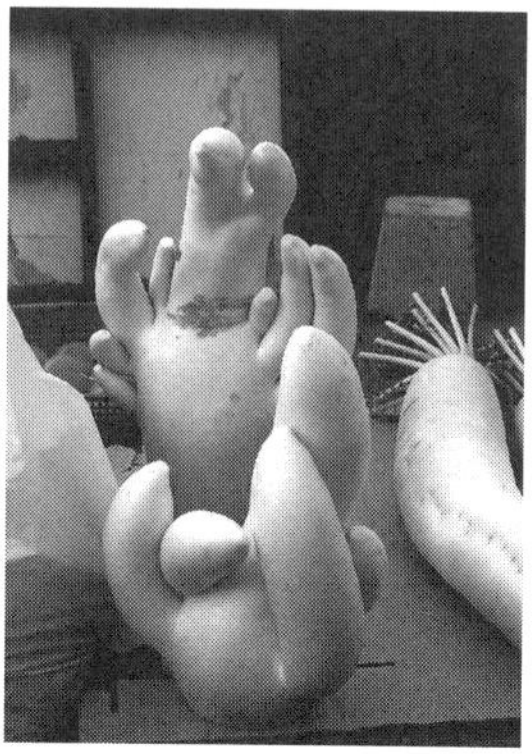

珍妙な形の大根たち
(岩手県釜石市で)

くなまめかしい姿になることがあるのだ。

石川県の能登半島には、二股大根を神様に見立て、正月にわが家にお向えして風呂に入れ、床の間の前にすえていろいろ御馳走するところがある。このとき供え物をひとつひとつ紹介する。今風でいえば、これはわが家でとれた美味しいコシヒカリでございます、などである。これをアエノコトという。アエとは「饗《あ》う」の名詞形で、美食をもってもてなすという意味。田の神さまに収穫を感謝するとともに来年の豊作も約束してもらおうというのが目的である。

現代の税法上でも、取引先をもてなす適切な行為は、事業を円滑に進めるうえで不可欠な要素であり交際費として認められている。何のことはない、これを人と神との関係に置き換えてみれば、もてなしは古い時代からの習慣である。

大根の食べ方は何もおでんだけではない。もっとも身近なのは漬物だろう。漬け込む前には屋外につるして日光と風にさらす。箱根の西麓、三島は箱根大根をブランド品として積極的に売り出している。火山灰地なので根を深く伸ばす大根はストレスを受けないでよく育つという。当地産のたくあん漬けは、戦前には軍隊に大量に買い上げられたそうだ。〈二〇一八・一一・二一〉

155段　天気予報とこうもり傘

信仰と旅の楽しみを兼ねた巡礼は、江戸時代の庶民のレクリエーションとして大流行した。旧国ごと、あるいは二ケ国にわたる観音霊場（札所《ふだしょ》）をめぐる旅を無事に終えると、仲間全員を描いた絵馬を身近な寺に奉納した。そこには、女性の姿が圧倒的に多い。江戸時代の女たちが旅行に行くはずはない、というのは全くの誤解で、何日もかけて、けっこう遠出をしている。ただし、その多くは、嫁に家を任せられるようになった主婦たちだった。あえて留守にして嫁に家の切り回しを体得させようとしたのだという見方もある。

写真は、明治四十（一九〇七）年に駿河国札所の巡礼をおえたあとの記念に奉納された絵馬だが、髪型をみると明らかに年配者である。白足袋に足駄、羽織姿で、手に日傘を持っているのは、当時としては精いっぱいのおめかしである。全員が真っ黒いこうもり傘をさしている例もある。明治初期までの絵馬では、江戸時代風の平らな旅笠をかぶっていた。こうした絵馬は

日傘をさして巡礼する女性たちを描いた絵馬
(藤枝市下当間で)

記念写真に相当するものだし、多くの人が見上げる位置に掲げられるから、最新流行の姿で、という女心もわかる。

傘そのものは、仏像や貴人にさしかけるものとして古代から見られるが、今に通じる洋傘は、下水道が発達する前のヨーロッパにおいて、道路両側の建物から遠慮なく捨てられる汚物をよけるための女性の必須物だったという。それが日傘や雨傘として普及した。日本に入ってくると、開いた形が空を飛ぶコウモリに似ているために、こうもり傘とよばれるようになった。今では携帯に便利な折り畳み傘や、安価なビニール傘が主流になったが、本来の目的に沿っているのは、やっぱりしっかり作られた長い傘だ。

最近の天気予報では、「折り畳み」傘が必要でしょうなどと、まことに親切な忠告をしてくれるが、傘の種類まで勧めるなんて、余計なお世話だ。日常生活における判断力劣化の一因がここにもあるといったら言い過ぎか。〈二〇一八・一一・二八〉

156段　浅羽佐喜太郎が結ぶ日本とベトナム

ベトナムやラオスではフランスパンがおいしいといわれている。ラオスの屋台で売られているのを街頭で食べてみた。ただ固いだけでなく、香りがいい。フランスパンが庶民の食べ物として定着しているのは、このあたりが十九世紀後半からフランスの植民地（仏印＝フランス領インドシナ）になっていたからで、そうした歴史を知ると、パンの味もやや複雑になる。

第二次世界大戦が始まり、フランスがドイツに敗けると、仏印には二度に分けて日本軍が進駐した。そして日本の敗戦後は、日仏からの独立運動を指導してきたホーチミンによってベトナム民主共和国が誕生するが、その後も苦闘の歴史が続く。

それ以前から、ベトナム人は長年にわたって中国の圧力に耐えてきた、独立の気概にあふれた人々で

日本との友好を示す記念碑には、浅羽にファンが建立した顕彰碑の写真がはめこまれている
(ファン・ボイ・チャウ記念館)

ファン・ボイ・チャウの胸像

再現されたファンの生家

ある。フランスの植民地になって以来、各地で独立運動が展開されていたが、国王に仕えていたファン・ボイ・チャウは、日本が日露戦争に勝利したのを見て日本と接触、大隈重信らの助言もあり、若者たちに新しい学問を学ばせて独立を達成しようと、トンズー（東遊）運動を興して多くの留学生を日本に送り出した。

彼らの意気に感じ、物心両面でチャウと若者たちを支えたのが、袋井市梅山出身の浅羽佐喜太郎である。浅羽家には、小田原で医院を開いていた佐喜太郎が、漁船の魚樽の中に隠れて密航してきたチャウと出会った（二人ともに一八六七年生まれ）という劇的な話が伝わっている（『浅羽町史』）。しかし日本はフランスとの協調を優先し、日本国内での組織的活動を禁止、チャウに国外退去を命じた。その後、チャウは佐喜太郎に会うため密かに来日したが、すでに佐喜太郎は亡くなっていた。チャウは、地元の人々の協力を得て常林寺境内に立派な記念碑を建立した。先月、天皇皇后両陛下が現地でご覧になったのが、この記念碑である。

なお、両陛下は昨年三月、ベトナム中部の古都、フエにあるチャウの記念館を訪問され、そこでカナダからかけつけたチャウの孫に会われている。〈二〇一八・一二・五〉

157段　おでんの串をめぐる駆け引き

おでんは、田楽に「お」をつけた丁寧語の省略形である。たしかに、お田楽というのはいかにも語呂

西浦田楽に登場する高足（浜松市天竜区水窪町）

が悪い。田楽とは平安時代から伝わる芸能で、もともと田植えのときの景気づけと、豊作を祈るものだったが、にぎやかな笛・太鼓に合わせて集団で踊ることが楽しく、田楽法師と呼ばれる専門の芸人も生まれて曲芸的な技も人気を博した。鎌倉幕府が滅亡したのも、執権北条高時の田楽狂いのせいだといわれたほどである。

そんな田楽が、食べ物の代名詞になったのは、高足《こうそく》という人気演目からの連想に由来する。すなわち丸木に横木を渡して足をかけ、ぴょんぴょんはねるもので、むかし大流行したホッピングのバネなし版と思えばよい。旧水窪町の西浦田楽では、現在も演じられているが、まさに、串刺しのこんにゃくにも見える。

静岡市周辺のおでんは、コンビニなどで売られている一見上品なおでんとはちょっと違い、汁が茶色く濁っている。具にも特徴があって、黒はんぺんなど地場の練り製品が入っており、これに練りがらしをつけ、青のりとだし粉をまぶして食べる。

私が小さい頃には町内の駄菓子屋でおでんを売っていた。四角いおでん鍋のまわりの小さな椅子に腰かけ、あれこれしゃべりながら好きなネタのついた串を取り上げる。肉の串だけは他よりも高いので、端に色がついていた。気を付けないと、串の先から肉が落ちてしまう。手持ちの小遣いを計算しながら食べ終わると、店のおばさんに串を数えてもらってお金を払った。

亡くなった父の話では、大正時代でも、駄菓子屋のおでんの計算の仕方は同じだったが、悪ガキどもは、食べたおでんの串をそっと足元に落として数をごまかしたものだと言っていた。おばさんとの虚々実々の駆け引きも、また楽しかったらしい。町の駄菓子屋は、子どもたちのささやかな社交場で、その中心におでん鍋があった。〈二〇一八・一二・一二〉

平成31年（2019）亥年

イノシシの牙を飾りにつけた帽子
（ミャンマーのカチン州で）

シシウチに使われるオアキバの猪（浜松市北区滝沢町で）

158段　イノシシ二題

〈牙の威力〉

季節でいえば、今ごろだったと思う。佐久間町の知人の家を訪ねたとき、近くの物置の前の土がきれいに耕されている。こんなに寒くなってから何を植えるのかと聞いたら、これはイノシシが掘った跡だという。イノシシはものすごく鼻がきくそうだ。大好きな芋の残り香に誘われたのか、ミミズなどを探したのかわからないが、まるで人間が耕作したように見えたから、本当に驚いた。

イノシシの雄の牙はたいへん鋭い。その牙を土にさし、上に向けて掘りあげるというから、芋掘り名人なのである。この牙は不意に遭遇してしまった人間にとって、きわめて危険である。イノシシの頭の高さがちょうど太ももの動脈あたりにくるためだ。小学生時代、少年雑誌に載っていた動物作家戸川幸夫の作品に、イノシシを追う猟師と猟犬の話があった。題名や全体の筋は忘れたが、猟に出発する前、愛犬に生卵を食べさせたり、その犬がイノシシの牙で腹を切り裂かれたのを糸で縫い合わせるというような場面があって、強く印象に残っている。

強烈な力を秘めた牙だから、勇者が身に着ける飾りとしては最適だ。縄文時代の遺跡からもイノシシの牙で作ったアクセサリーが出土している。ミャンマー北部の山岳地帯に住む少数民族に譲ってもらった帽子（中扉）には、イノシシの立派な牙がたくさん飾られている。

イノシシという呼び方は、その肉が食用にされてきたことを示す。シシとは肉の意味であり、人の盛り上がった筋肉を「ししむら」と表現した詩人がいる。つまり「い」のシシであり、食用を前提とした呼称である。イノシシ鍋を牡丹鍋というのは、煮る前に盛りつけた肉の感じがボタンの花に似ていることからきたという。肉には独特の臭みがあるので、ニラと一緒に煮るのが静岡山間部の料理法である。肉食はしないたてまえだった江戸時代には、イノシシは山鯨という隠語で呼ばれた。鯨は魚だとされていたからである。

〈追放と祈願〉

浜松市の滝沢町では、毎年元旦にシシウチという行事が行われる。胴体をミソバ（アオキの葉）で作ったイノシシを二頭、竹の弓で射てから足でけっとばすというものだ。イノシシの腹の中には丸餅を一つずつ入れてあるので、取り出して世話人がこれを頂き、イノシシは神社の脇に納める。よく似た行事は旧引佐町の川名や愛知・長野両県にもみられる。民俗芸能の田楽や霜月神楽などとともに三遠南信地域の文化的共通性を示す一例である。

この行事には二つの願いが込められている。ひとつは、作物を荒らすイノシシを撃退したい、もうひとつは多産であるイノシシにあやかって、腹中の餅のように豊作になってほしいということだ。実際、むかしはもっとたくさんの餅をいれたという。

このところ、イノシシによる農作物被害は増加する一方である。憎らしいことに、彼らは収穫時期を見計らっているらしい。そろそろ取り入れを、という直前に根こそぎやられてしまう。ひとむかし前は、髪の毛を焼いたものを畑の柵につけて、悪臭で接近を妨げたり、山の小屋に泊まり込んで一晩中「フリョーイ、フリョーイ」と声を出し続けたりした。被害があまりにひどくなると、集落全体を丈夫な柵で囲い、まるで要塞のなかで生活するようなことにもなった。この柵を猪垣《ししがき》といい、出入りに際して木戸を閉め忘れないよう皆で注意しあったという。

長崎県の対馬では、江戸時代にイノシシの被害にたまりかね、耕地を長大な石垣で囲ってイノシシ全滅作戦を展開し、一七〇〇年代の初めころに、一頭残らず退治してしまった。今も残っているイガキ（猪垣）の一部は文化財に指定されている。ところが、平成六年に成獣が一頭発見され、その数年後には全島に被害が及ぶことになってしまった。まさか江戸時代に討ち漏らしたのが三百年以上も静かにしていたわけではあるまい。得意な泳ぎを生かしてやってきた夫婦連れが、新天地でウリ坊を量産しているのだろうか。〈二〇一八・一二・一九、二六〉

159段　おみくじと、おみおつけ

初詣に行って「おみくじ」を買い、今年の運勢を占った方も多いのではなかろうか。わが身におこる良いこと、悪いこと、すべて神の意志の表れとみる信仰だが、人間とは勝手なもので、最悪ともいえる大凶がでると、めったにないことだからかえって良い印だ、などと解釈してしまう。

オミクジという言葉に漢字をあてると、御神籤すなわち神様の意向を示すクジということになる。この場合の「御」は丁寧・尊敬を示す接頭語で、ミは神様の神、たとえば神様の乗り物である神輿《みこし》のミであると解釈できる。だから、あえておみくじとはいわず、みくじという場合もあるようだ。

しかし、オミそのものを分解しないで、一つの接頭語とみることもできる。書けば御御《おみ》となり、大変な敬意を表す言い方だとわかる。たとえば、おみ足。これは神様とは関係なく、足に「おみ」をつけて丁寧に表現したもので、高貴な女性が旅先で侍女から、「おみ足はお痛みになりませんか」などと気遣われる場合だ。

今でも使う「おみおつけ」のオミにも、神様の意味はない。もともとはご飯に付ける汁で御付《おつ》けだったのが、江戸時代の中ごろ以降、それに「おみ」をつけるのが一般化した。江戸時代の世相事典ともいえる『守貞漫稿』には、最近、江戸で「つゆ」というのはすまし汁のことで、味噌汁をおみおつけという、と書かれている。そういえば、子どもの頃、田舎の祖母が味噌汁のことを「おつゆ」と言っていた。江戸で味噌汁がおみおつけという新語に代わってからも、駿河の田舎には、最近まで古い言葉が残っていたことになる。

さて、おみくじの内容はどうあれ、神様のお告げを記した神聖な紙は、ごみ箱に捨てるわけにはいかない。近くの木の枝や専用の針金に結ぶ。じつは、結ぶという行為自体にも、縁結びという言い方があるように、神様とのつながりを望む気持ちが隠されている。〈二〇一九・一・一六〉

160段　身近に出現する来訪神

秋田県のナマハゲなど十件の民俗行事が、「来訪神　仮面・仮装の神々」としてユネスコの世界文化遺産に一括登録されたのは昨年の十一月末だった。登録の発表時間が遅れたので、その瞬間をまだか、まだかと待っていた「なまはげ」が、ついに決まったという報に大喜びしていた。でも、子どもたちにとっては、恐ろしい「なまはげ」である。人間なみに喜ぶ姿なんか見たくはなかったのだが。

神楽に登場する大助（川根本町の田代神楽）

登録された神々はいずれも地域の伝統行事として伝承されてきたもので、類例は各地に見られる。たとえば佐賀市見島のカセドリは、蓑と笠をつけた青年が家々を訪れてお酒をふるまわれる。蓑と笠で人間としての個性を隠し、神であることを示すのだ。東北地方にもそっくりな行事があるし、伊豆半島の南部にも伝わっていた。

下田市稲梓《いなずさ》では、若者たちが蓑笠をつけて家々に農具の模型などをこっそり置いていく。家人は餅やお金を用意しておき、若者たちがそれを取りに来たときに水をぶっかけた。地区によっては子どもたちが百万両と書いた小さな板を配りながら餅をもらい歩くのだが、やはり水をかけられるので、蓑を着ていったともいう。惜しいことに伊豆のカセドリはもう絶えてしまった。

ところが遠くまで出かけなくても、幸せを持ってきてくれる来訪神に会えるチャンスがある。大井川と安倍川にはさまれた地域に、たくさん伝承されている神楽を見に行けばよい。二十ほどある演目のひとつ、大助《おおすけ》と呼ばれるのが、まさに来訪神である。俵を背負い、大きな杖をついて観客の背後の闇の中から現れる。そして舞台にあがって役員にいろんなお土産を渡す。バケツとか、使い古したおもちゃとか、宝物とはほど遠い品々だが、それをはさんでの軽妙なやり取りに観客は大笑いである。これは、能楽や三番叟に登場して人々に平安と幸いをもたらす翁が、地方で変身した姿とみられる。

〈二〇一九・一・二四〉

161段　節分の招かれざる神

まもなく節分だが、節分の夜も年越しの晩と呼ばれる。翌日の立春から新しい年が始まるからだ。立春は、太陽の運行にもとづく季節の区切りを示す二十四節季の一つであり、年によっては一年が十三ケ月になる旧暦と違い、農作業の目安としてはこちらの方が合理的である。

節分の夜、厄年の人は自分の年の数だけの豆を村の辻に捨てて厄払いをする。辻はどこにも属さないあいまいな空間、そして年越しの晩は新年に移行する、あいまいな時間。このどっちつかずの時空は、異界につながっており、厄を呑み込んでくれるだけでなく、神々が出現する通り道にもなると思われた。幸せをもたらす来訪神の多くが、旧暦の大晦日や小正月に家々を訪れるのも、同じ考え方で説明できる。ところが、節分には、あんまり来てほしくない神もやってくる。

それは目一つ小僧と呼ばれる妖怪である。目籠や笊、ヒイラギを竹竿の先につけて軒先に高く掲げるのは、この妖怪を防ぐためだ。ヒイラギは、そのトゲトゲが悪霊除けになるのだが、目籠は何の役に立つのか。いささかこじつけ気味だが、相手には目が一つしかないのだから、たくさんの目を持つ目籠を見せつけ、どうだ、参ったかと、脅かすのである。目一つ小僧は、もともとは片目をつぶされて神様に捧げられる人間のことだったという。当然、周囲から大切にされ、やがて神様そのもののように扱われるようになる。さらに神聖さが増すと、安易に接触すべきでないとして、恐れられるようになる。これが妖怪の起源だ。つまり妖怪は、神聖さの裏返しであり、いわば神の没落した姿なのである。

妖怪に対しては、目の数で脅すだけでなく、魚や髪の毛などが焼けるときの悪臭も大きな効果があるとされた。これをヤイカガシというのは焼いてかがせるという意味で、イノシシなどの獣害を防ぐ昔ながらの方法の応用である。田んぼでスズメを追うカカシの語源でもある。悪霊は、人に害をなす鳥や獣たちの姿とも重なっている。〈二〇一九・一・三〇〉

162段　消えていった秘境の暮らし

合掌造りの巨大な民家で有名な岐阜県の白川村。降り積もった雪の中にライトアップされた家々が並ぶ幻想的な風景は、まさに世界遺産にふさわしい。撮影のための絶好のポジションに多くの人が押しかけるため、抽選で入場者を決めることになったそうだ。

合掌造りの家屋は、富山県と岐阜県にまたがる山間地にたくさんあったが、ダム建設や過疎化の進行による集団離村、さらには建て替えなどによって急速に姿を消していった。なかには移築され広く公開されている建物もある。日本三名泉のひとつ、岐阜県の下呂温泉には、国の重文指定を含む十棟を移築した合掌村という観光施設がある。

合掌造りの広い屋内では、大きな囲炉裏を前に観光ボランティアが、かつての生活を観光客に聞かせてくれる。そのとき一番受けるのは、シャギの話だそうだ。これがシャギだよと言って見せてくれたのは、長さ十㌢ほどのモミの木の薄い板である。漢字をあてれば捨木。排泄のあとに尻をぬぐうもので、落とし紙以前に広く使われていて、古代のトイレ跡からも見つかっている。静岡県内でも、天竜川上流の山村で実際に使っているお年寄りに会ったことがあるし、ミャンマー北部の中心都市ミッチナの空港近くの民家のトイレにも、この小板が置かれていた。ただし、痛そうだから使うことは遠慮した。

昭和三十年代の末、合掌造りの村々のなかでも秘境とされた飛騨加須良《かずら》（岐阜県）と越中桂（富山県）に行ったことがある。二つの村は県境を行き来して何かと助け合って暮らしていた。これほど大きな建物になったのは、独特の大家族制と養蚕のためだとされる。もちろんテントは持っていったが、泊めてくださいとずうずうしくお願いして、板の間を貸してもらった。大学生がまだそれなりに希少価値があった時代だった。

翌日、山中で道に迷い、今度はテントで予定外の一泊をする羽目になった。この二つの集落の人々は、それから十年足らずの間に相次いで離村し、集落の名は地図から消えてしまった。〈二〇一九・二・六〉

163段　噴火の脅威と桜島大根

久しぶりに鹿児島に行き、桜島を一周してきた。鹿児島民謡「おはら節」に「燃えてあがるは桜島」とあるように、桜島は鹿児島の象徴であり、この日も山頂から白煙があがっていた。もっとも平穏時のいま見えるのは、噴煙ではなく水蒸気である。

フェリーで十五分、島に渡って奇異に感じたのは、船が一隻もいない港がいくつもあることだった。これらは大爆発が起きたとき、島民が即座に避難するためのフェリー接岸用だという。道路脇には転々と頑丈なコンクリート造りの退避濠が設置されている。もちろん降り注ぐ噴石や火山灰から身を守るためだ。遠からず大地震が来そうだといわれている割には、私を含めて緊迫感がない静岡県民とは、災害に対する心構えが全然違う。

何回も起きた大噴火のうち、大正三（一九一四）年のそれはとくにすさまじく、島が対岸の大隅半島と陸続きになってしまった。島の東側の黒神に、この時の降灰で上部を残して埋まってしまった鳥居が埋没鳥居として観光名所になっているが、その少し南にも同様な鳥居がある。山頂を見上げながら耳を澄ますと、ゴーという地鳴りのような音が聞こえてきた。

　火山灰が降り積もった土地はやせているが、水はけはよい。そんな条件にうまくあった作物が、桜島大根だ。普通は一個七、八キロだが、時には三十キロを超えるものもあるという。大根畑に行くと、濃緑色の葉の下に、カブの親分みたいな大きな大根が見える。成長にあわせて周囲に土を盛っていくので、地中深く埋もれているわけではない。収穫時には「葉っぱを持って根元を足で蹴っとばせば楽に抜ける」と、タクシーの運転手が笑いながら言った。ロシアの民話にある大きなカブみたいに、家族や動物が総力をあげて引っ張るようなイメージがあったのだが。栽培の過程で畝を盛り上げていくのは、遠州で盛んな白ネギでも見られる。こちらには、噴火ではなく洪水に悩まされた歴史がある。

〈二〇一九・二・二〇〉

164段　拝殿に種籾を播く仲間たち

　初午といえば、旧暦二月の最初の午の日のことで、商売繁盛を願う商家では、屋敷内のお稲荷さんにお供えをあげる。近所の子どもたちは手に手に五色の紙旗を持ってこうした家を訪れ、旗を供えてお菓子をもらった。この習慣は伊豆で広く見られる。

　稲荷は、その名に稲という文字が含まれているように、豊作をもたらす神とも考えられており、稲穂をくわえたキツネの像が神前に供えてあったりする。伏見稲荷などを合わせ祀り、米大明神とも呼ばれ

種籾を播く田主
(浜松市西区宇布見の息神社で)

る雄踏町宇布見（浜松市西区）の息《おき》神社では、その年の豊作を祈る田遊びを初午（現在は三月に変更）に行っている。拝殿に集まった氏子たちが中央に苗代田に見立てた区画を設け、そこに種籾を播く。演技的なものはなく、田遊びの詞章を歌うだけなので、田唄祭とも呼ばれている。ずっと昔は遠州各地の例のように実際の農作業の真似をしていた可能性もあるが、それをうかがわせる記録はない。

この田唄祭は氏子であっても自由に参加できるわけではない。参加資格があるのは古くからの家である六つ（以前は五つ）の姓の家々だけで、それを六名《みょう》という。その中の代表者が代官、田主《たあるじ》となり、代官が種籾を神官から受け取り、さらにそれを渡された田主が播く。この時、「今年の稲は、一把で八升つく、八把で九升《ここのます》」などと歌い、最後に稚児役の女子四人が田の周りを三周する。

このような、特定の家だけで神事を行う仕組みを宮座といい、森町鍛治島の二十人党、牧之原市菅ケ谷の二十八名など構成員の数で示されることもある。おそらく、それぞれの村が成立した当初から氏神を祭ってきた仲間たちの子孫で、祭りを核に結束を固め合ってきたと思われる。もちろん家には栄枯盛衰があるから、この権利が売買されることもあった。宮座がとくに遠州の古い神社に見られるのは、宮座がさかんな近畿地方の影響が考えられ、同じ静岡県でも西に位置する遠州の地域性を示す重要な資料

となる。〈二〇一九・二・二七〉

165段　静岡人はボケーと生きていたのか

　静岡市清水区で育った直木賞作家、村松友視さんが「だけん、人はいいだよ」という一言を著書（静岡新聞社刊）の題に掲げている。静岡人は、思いを率直に出せないところがあるが、根はいい人なのだという意味だと解釈できよう。では具体的にはどんな人なのか、あらためて気になった。というのは、先般訪れた鹿児島で感じた、西郷さんに対する信仰に近い敬愛の念は、はんぱじゃなかったし、さらに市街地のあちこちで、明治維新で活躍した郷土の人々を紹介し、他県の人に「どうだ、すごいだろう」と熱くアピールしていたからだ。

　それに対して、静岡市民の多くは、地域に対する自負の念が薄く、自己主張も弱い。戦国時代に諸国の気風をズバリ指摘したことで有名な「人国記」（中扉）には、駿河（静岡）人は「思慮深く（この場合は引っ込み思案）抜きんずる者なし」と書かれている。昔から駿河の人は、ゆるかったらしい。村松さんの一言はまさにいい得て妙である。ただし同じ静岡県でも、遠州人は「死を恐れず何事にもひるまない」、伊豆人は「強中の強」すなわち激情家だとある。しかし薩摩・大隅（鹿児島県）の人はもっとすごい。「死は当然のこと、論ずる必要なし」というのだ。この裏返しが、強烈な自己主張になる。

　静岡市で歴史上有名な人はと問うと、今川義元、徳川家康、そして二百五十年近い空白の後に最後の将軍徳川慶喜ことケーキさんが登場する。江戸時代のほとんどが、静岡市民の意識から完全に抜け落ちている。駿府は幕府が直接管理した殿様不在の城下町だから、藩をあげて取り組む殖産興業策も、藩士育成のための藩校もなかった。つまり「お国」意識がない。温和な気候のもとに、人はいいだよと言われ、「ボケーと生きてんじゃない」と叱られてもこたえないのが、静岡人の長所かもしれない。でも、この長い空白期間に本当に何もなかったとしたら、今につながる静岡市民としての精神は、いつ形成されたのだろうか。開館がまたれる歴史文化施設（博物館）では、ぜひともこの空白を埋めるような資料調査と研究をやってもらいたい。〈二〇一九・三・六〉

166段　新年号と弥勒菩薩

新しい年号は何になるのか。漢字二文字であることを前提に、専門家と言われる人たちがあれこれ予想をしている。これまでのように中国の古典によるのではなく、日本の古典から採るべきだという意見もあるらしい。

年号を変えること、すなわち改元は、現在の一世一元の制となるまでは、かなり頻繁に行われた。改元を契機に世の中がよくなってほしいという願いが、しばしば使われる安・宝・永などの文字に表れている。しかし、現実は厳しい。江戸時代、社会不安が増してきた田沼意次のころ、明和九（一七七二）年が安永元年になった。すると、年号は安く永いと変わっても物価高は相変わらず、庶民はいまだに迷惑（明和九）だ、と皮肉られた。

かつて年号は朝廷が定めるものであり、全国を統治する権力の象徴だった。南北朝時代に北朝・南朝が別々の年号を使い続けたのは互いに正当性を主張したからである。いっぽうで、私文書に自分で作った年号を勝手に使うこともあった。中世の関東地方で使われた福徳元年（正規には延徳元年・一四八九）が有名だが、仏教色の強い弥勒元年（永正三年・一五〇六）もあった。この乱れに乱れた末法の世を救うために弥勒菩薩が下生《げしょう》（出現）される。でも、それはなんと五十六億七千万年の後である。もう待ちきれない、せめて年号だけでもという気持ちだったと思われる。

竜となった師と再会した法然上人
（『東海道名所図絵』より）

この弥勒下生まで、なんとか生きながらえたいと、浄土宗の開祖法然上人の師であった皇円阿闍梨は、永遠の生命をもつ竜に身を変え、おひつ納めの神事で広く知られる遠州桜ケ池に身を沈めた。のち法然が池を訪れ、竜になった師と再会した。理想とは程遠い世界で苦しんでいた皇円は、法然が唱える念仏によって人間の体に戻り、再び池に沈んでいった。念仏の功徳を説いた物語ではあるが、未来仏である弥勒に寄せる深い思いは、現世における絶望感の裏返しである。新年号には、国民のどんな期待が表現されるのだろうか。

〈二〇一九・三・一三〉

167段　静岡を見守り続ける田安門

志太郡中根新田村（現焼津市）の有力農民、飯塚兵左衛門が記した一代記に「府中城（駿府城）に徳川公がお着きになった。御名は亀之助（のちの家達）様、御年六歳だとの評判だ」とある。慶応四＝明治元（一八六八）年八月のことである。

最後の将軍慶喜のあと、田安家から迎えた幼主を戴いた徳川家は、駿河・遠江を中心とする一大名となってしまったが、旧幕府が抱えていた豊富な人材を活用して近代日本のさきがけとなる政策を次々と打ち出した。しかし明治二年六月から版籍奉還が始まり、土地人民はすべて新政府の管轄下になってしまう。さらに政府からは、これまでの府中という地名は紛らわしいから、他の名前に変えよ、ついては二、三の候補をだせ、という指示があった。そこで藩内協議のうえ、「静《しず》」、「静《しず》城《き》」、「静岡」の三つを提出したところ、その中から静岡が選ばれ、家達は改めて静岡藩知事に任命された。

家達は、最初は府中城内で起居していたが、公私のけじめをつけるため、静岡浅間神社の神職であった新宮家の屋敷に移った。浅間神社に二基ある大鳥居のうち、石鳥居のすぐ前である。静岡藩そのものについては多くの研究があるが、藩主個人の動向は、あまり知られていない。そんななかで、さきの兵左衛門一代記には、明治三年四月に「静岡の殿様が御領分を巡見に来て、私の本家で小休止をなされた後、大井川を越して行かれた。殿様いまだ御幼年、八歳になられる」と、いささか同情気味な記述が見える。

翌四年、今度は廃藩置県となり、家達は東京に移った。その屋敷跡は後に静岡尋常中学校（のち県立静岡高校）、女子師範学校などになるが、屋敷の正門だった立派な門はそのまま残され、家達の出自にちなんで田安門と呼ばれた。田安門は大火も戦災も免れ、昭和三十三（一九五八）年に静岡市立高校（葵区千代田）に移築された。明治初期の静岡藩の歴史を語るほとんど唯一の貴重な木造建築であり、学問の伝統を今に伝えている。〈二〇一九・三・二〇〉

168段　オオタカが語る環境保全と環境破壊

秀吉の朝鮮出兵による日朝関係修復のため、第一回朝鮮通信使が来日したのは、慶長十二（一六〇七）年である。ただし、このときの使節団は日本に連れてこられた朝鮮人を帰国させるというのが名目なので正式には刷還使《さっかんし》といった。刷還使一行は江戸の将軍秀忠に、人参、虎の皮五十枚、大鷹五十羽などを贈ったが、鷹は途中で死んでしまったものが多く、生きていたのは二十二羽であったという。

鷹は権力者間の贈答によく使われた。鷹狩りには王者の権威を示す儀礼的な意味があったし、気品ある鷹の姿も支配者にふさわしかったからだ。日本でも鷹狩りの歴史は古く、鷹匠と思われる埴輪が出土している。徳川家康の鷹狩り好きは有名で、晩年には暇さえあれば鷹狩りをしていたように見える。権威誇示や民情視察に加え健康増進が目的だったらしい。確実な裏付けはないが、静岡市葵区の鷹匠町の由来は鷹匠が住んだことによるとされる。

江戸時代、将軍や大名の鷹狩りを支えた鷹匠は、巣立ち前の幼鳥を入手して調教した。これを巣鷹という。おもに使われたオオタカは、好んで赤松に巣をかけ通常三個の卵を産む。幕府は巣鷹を得るため、安倍川と大井川上流の天領内に巣鷹山を定めて保護区とし、地元の村には鷹をとらえ献上させるための巣鷹役を課した。村人は空を飛ぶ鷹のあとを追いかけて巣の位置を確認し、孵化後ほぼ一か月で幼鳥を巣からおろし、鷹匠のもとに届けた。輸送中は犬猫はもちろん蚊にも注意を払った。梅ヶ島村（静岡市葵区）には、寛永七（一六三〇）年から宝暦十二（一七六二）年までの間に都合八回の巣鷹関連の記録があるが、献上の間隔が次第に長くなっている。村人は巣鷹山周辺での伐採や炭焼きなどが原因だと述べており、環境変化とオオタカの営巣が深く関連していることをうかがわせる。

近年の状況を環境省の発表に見ると、密漁などもあって一九八〇年代の推定生息数が五百羽以下にまで激減したが、保護活動によって五千から九千羽近くまでに回復したという。〈二〇一九・三・二七〉

169段　今川義元の首塚参拝が大流行

今川義元が桶狭間で織田信長に討たれたのは、永禄三（一五六〇）年の五月十九日のことである。義元は公家かぶれの軟弱大名とされてきたが、近年その評価は一変し、すぐれた教養をもつ戦国時代屈指の魅力ある人物だと認識されるようになった。その義元が誕生して今年はちょうど五百年となる。ただ、

今川義元公慰霊碑（静岡市葵区の富春院で）

残念ながら誕生日はわからない。そこで今度の命日に供養祭と誕生祝いを兼ねて行うという、ちょっと異例なことになった。

討ち死にした義元の首級は臣下の岡部五郎兵衛が持ち帰り、法名にちなむ天沢寺に埋葬され、寺には義元の木像が祀られた。しかし天沢寺は江戸時代の中頃にはすっかり荒廃してしまったので、文化十（一八一三）、木像は臨済寺に移され、墓の上には小さなお堂が建てられた。そのお堂の跡が、義元の首塚と呼ばれるようになったらしい。城北公園の向かい側、富春院の裏手にあたり、明治二十九年の地図にも、「義元首塚」の表示が見える。

次の話は二百年以上も前のことだが、義元の命日に大勢の参拝者が天沢寺跡に押し寄せるという奇妙な出来事があった。「二、三十年このかた五月十九日には府下（駿府）の男女群をなして参詣す」というのだ（『駿河国新風土記』）。この本の成立時期から見れば文化・文政の頃で、臨済寺で義元公二百五十年祭（文化七年）が行われた前後にあたる。義元の偉業が再認識されたのかとも考えられるが、年忌法要なら長くても数日間だけの行事だ。だとすれば、これは流行神の一種だったのではないかと思われる。非業の最後を遂げた義元の霊は怨霊となっていまだこの世にとどまっている。オハグロトンボは、お歯黒をしていた義元の怨霊なのだという伝承もあった。恐るべき怨霊は手厚く祭れば、逆に災厄をなくし幸いをもたらしてくれる。その噂が広まると、縁日には参拝者が押すな、押すなの賑わいとなる。これが流行神だ。勝手に想像すれば、義元公の命日に首塚にお参りすると、病気にならないぞ、などと言い出した者がいたのではないか。〈二〇一九・四・三〉

170段　柱の傷は

鯉のぼりの季節になると、「柱のきずはおととしの五月五日の背くらべ」で始まる「背くらべ」が思い出される。作者の海野厚は静岡市出身で、ここにはみずからの少年時代の実感がこめられている。昔の木造家屋は一定の間隔で柱が並び、その中心が大黒柱である。一家の支えでもあるから、それに傷をつけるようなことをすれば、こっぴどく叱られる。線を引くなら、たいていは日当たりのよい縁側に面した柱だった。

たまたま森町の古民家の柱に、背くらべをしたと思われる痕跡を見つけた。今は誰も住んでいないが、この家の古さを示す黒ずんだ柱の表面に、たぶんチョーク（こういう時は白墨《はくぼく》といいたい）でつけた白線と、名前らしき文字が残っている。兄弟姉妹なのか、あるいは盆休みで親戚が集まったとき、従兄弟たちが背の高さを競ったのだろうか。子どもの声が響いていたころの村の雰囲気が、なんとなく伝わってくるようだ。

背くらべは丈《たけ》くらべともいう。樋口一葉の『たけくらべ』には、具体的に背の高さを比べ合うような場面はない。たけくらべは、東京の下町に生きる子どもたちが、心身ともに成長していく様子を象徴する言葉だった。だから「背くらべ」も『たけくらべ』も、たいへん抒情的である。

しかし、「どんぐりの背くらべ」という言い方があるように、くらべる、というのは単純な比較というよりも、競い合うという意味が強かった。腕くらべ、舟くらべ、くらべ馬などなど、本来は東西あるいは海里にわかれて、どちらが勝つかによってその年の豊凶を占う神事であった。たとえば、滋賀県の山間部にある日野町で行われる芋競べでは、村の東谷と西谷が、かつての共有山の頂上にそれぞれ自慢のサトイモを持ち寄り、神事の後に長さを比べ合う。西谷が勝てば豊作とされるのである。恒例となった遠信国境での綱引きなども、こんな民俗に淵源がある。〈二〇一九・四・一〇〉

171段　牛糞を燃料に変える生活の知恵

戦後しばらくまで、市街地の道路でも荷車を引く牛の姿が見られた。牛は道路上に転々と落し物をしていく。子どもたちがよそ見をしながら歩いていて、ついそれらを踏んでしまうことがよくあった。その時、牛の糞を踏むと背が伸びないぞ、などとはやされた。

牛を大量に飼育する畜産農家にとっては、毎日必ず排泄される糞尿の処理は大問題である。臭いを出しては迷惑になると、集落の外側に畜舎を設けていたのに、周辺に住宅が増えてくると、新しい住民から苦情が出てくる。考えて見れば、理不尽な話ではあるが、放置はできない。国は「家畜排せつ物法」

壁に貼りつけて乾かす牛糞（チベットで）

乾燥中の牛糞（ミャンマーで）

を定め、周辺環境整備と同時に、排せつ物の有効活用を図っている。微生物を使ったり、乾燥度を高めて、たい肥とするのが現実的な方法である。

そんななかで、糞を乾燥させて燃料とする方法も研究されているという。なるほどと思ったのは、乾燥糞を燃料とするのは古くからの知恵であり、現在でも当たり前にやっている地域が世界各地にあるからだ。たとえばチベットである。標高四千メートルを超える村に行ったとき、家の入口の壁に直径二十センチほどの泥のようなものがたくさん張り付けてあるのに気が付いた。家畜の糞を平たくまとめたもので、乾燥させて燃料とするのである。

ミャンマーの最大都市ヤンゴン郊外の水田地帯では、庭先に大きなせんべいのようなものが並んでいた。近寄ってみると、牛糞のかたまりである。牛糞を団子状にして、庭にまいた籾の上を転がしてから平らに伸ばして乾燥させる。これ二、三枚でご飯が炊ける。十枚あれば、一家一日分になるそうだ。緑が豊かなミャンマーだが、雨季には水没してしまうような水田地帯では、焚き木も貴重なのである。

そもそも動物たちが食べるのは草であるから、排せつ物にも繊維質が多く、乾燥させればよく燃える。

ことさら循環型だなどといわなくても、実際の暮らしの中では代々継承されてきた知恵にはいろんなヒントが隠されている。〈二〇一九・四・一七〉

172段　「ちゃいこう」は最高

八十八夜（五月二日）に摘んだ新茶は、たとえ少しでも飲めば長生きできると言われている。もっとも、今では茶摘み時期もかなり前倒しになり、もう新茶取引のニュースが流れている。

静岡県のお茶は、鎌倉時代の高僧、聖一国師が足久保（静岡市葵区）に播いた種から始まるという伝説がある。足久保茶は、江戸時代前半には将軍家に上納されていた歴史もあり、早くからブランドとして江戸市中に広く知られていた。東海道の旅人、おなじみの弥次さん、喜多（北）さんの珍道中にも足久保茶が出てくる。

両人は、掛川市の塩井川という小さな川で、二人連れの座頭をだまし、背負わせて渡ろうとしたが、失敗して川に落とされ、ずぶぬれとなってしまう。ところが茶屋でさっきの二人が酒を注文したところに行き会い、喜多さんは相手が目の見えないのをいいことに、その酒を飲んでしまう。しかし傍らで見ていた子どもに告げ口され、ばれてしまった。それでも、おれの顔が赤いのは茶を飲んだせいだといいはり、「茶に酔ったときには何事もちゃと言うようになるのだ」と言ってチャハハハと笑い、「ちゃけをちゃくぶくしたおぼえはない、わるいちゃれだ」などとふざけてごまかそうとするが、結局は茶屋の亭主から酒代を払わされてしまう。仕方なく、「サア、ちゃっちゃと行こう、おちゃらば、おちゃらば」と足早に去りながら、こんな狂歌（適宜漢字をあてた）を詠んだ。

することも、なすこともみな足久保や、茶にしられたる人のしがなさ

やることとなすこと全部が悪い方に行ってしまい、皆から茶にされ（馬鹿にされ）て情けない、といった意味である。足久保を悪《あ》しにかけているのは、地元としては不満だが、江戸時代のベストセラーに出てくるほど足久保茶は有名だったのである。

余談ながら、チャという音の繰り返しには、軽やかなリズム感がある。「ちゃっきりぶし」が広く親しまれている理由のひとつだろう。〈二〇一九・四・二四〉

173段　ミャンマーの巨大ダム建設問題

二〇一九年四月二十五日の『中日新聞』に、中国主導のダム建設にミャンマー住民反対、という記事が載っていた。母なるエヤワーディ河（イラワジ河）上流に、中国の援助を受けて巨大ダムの建設が二〇〇九年に始まったが、反対運動の結果、建設が中止されていた。その計画が、またぞろ息を吹き返そうというのである。ダム建設反対の背景には、人気に陰りが見えるアウン・サン・スー・チー国家顧問が、中国寄りになっているという不信感だけでなく、建設予定地を含むカチン州一帯に大きな勢力を持つカチン族の強い反発がある。

ダム建設地のミッソンは、エヤワーディ河の源流となる二つの川の合流点である。カチン州の州都ミッチナの北側にあたる景勝地で、たしかに地形だけ見れば、ダム建設にふさわしい。だが前の計画では、気候変動や下流部への影響など、多くの不安要因が説明されないままだったし、発生電力の九割が中国に送られるということに国民が反発した。ちなみに、ミッチナ（日本軍はミートキーナと呼んだ）から中国国境まで地図上では直線でわずかに五十キロほど。その東にある雲南省騰越《とうえつ》付近では、第二次大戦中に国民党軍との激戦があり、日本軍が玉砕している。

さきの工事開始後間もない二〇一一年、山岳地帯のお茶の調査に行く途中で、工事現場の近くを通った。すでに周辺の住民は移住させられ、工事関係者用の宿舎が何棟も見えた。河原で砂金をとるためのポンプがあちこちで稼働しているのは、水没前に採掘しておこうというためか。上流部では雲南省ナンバーの四駆が砂塵を巻き上げて走り、鶏肉などが入手難になっていた。誰のためのダムなのか、反対運動が起きるのも無理はない。

ミャンマー国軍とカチン独立軍（ＫＩＡ）との軍事衝突もしばしば起きている。ビルマ独立の直前、アウン・サン将軍が約束した少数民族の自治もなかなか実現しない。スー・チー氏に、多民族国家ミャンマーの重い現実がのしかかっている。〈二〇一九・五・一〉

174段　駿河湾にトド出現か

慶長十九（一六一四）年四月五日、駿府の前浜に「亀に似た魚」が漁師の網にかかった。これを引き上げて漁師が持ってきたので、多くの人が見物したと『駿府記』にある。この年は四月一日（もちろん旧暦）が立夏、今年の立夏は一昨日（五月六日）だったから、ちょうど今ごろにあたる。この日、駿府城内では、家康が京都五山の坊さんたちに、今後の法制の基礎となる事例を過去の書物から集めるように命じている。まだ大坂には秀頼が健在だが、すでに今後の政治の原則を自ら定めようとしていた。

さて、家康自身がこの怪魚を直接見たとは書かれていないが、世間の話に耳ざとい家康のこと、駿府城下町でのうわさは当然耳に入っただろう。「魚」の様子は次のようであった。背は亀の甲羅のような黒色で、腹はまだら模様。頭部は犬顔、大きなヒレがあり、尾は三叉である。よほど重かったようで二十余人で担いだという。この怪魚の正体は何か。

私は、トドだったのではないかと思う。トドは北海にいるが、岩手県釜石市両石町では明治まで

魹（トド）供養碑
（岩手県釜石市両石町で）

トド猟が行われていて肉を南部方面に売っていたというし、同県山田町でも、岬の陰で仕留めたトドを解体していたという話を現地で聞いたことがある。外観がトドの特徴を示しているし、尾が三叉というのは、後ろのヒレをまっすぐ伸ばしていたからだろう。何よりも二十人以上で担いだというから、オスなら体重一トンにもなる大型海獣を思わせる。

トドは水族館ではイルカやアシカとともに芸達者の人気者だが、北海道では漁業に大きな損害を与え、海のギャングといわれている。昭和四十年代だったと思うが、トド撃退のために射撃訓練を兼ねて自衛隊のジェット戦闘機が出動したことがあったほどだ。

ところで、トドは身近にもいる。ボラは成長するにつれて呼び名が変わるので出世魚といわれるが、最大になったときがトドと呼ばれる。物事の最終局面をとどのつまりというのは、ここからきたものだが、この場合は海獣のトドのことではない。〈二〇一九・五・八〉

175段　巨大異空間はよみがえれるか

十連休のさなか、孫を連れて福井県の恐竜博物館に行ってきた。予想以上の大渋滞。でも、混んでいたら、無料シャトルバスがお勧めですという話を聞いていたので、動かない車列を抜けて指定場所に行った。そこは越前大仏前の駐車場である。バスは集落内を抜ける秘密（？）道路を使うので、少なくとも博物館までは快適だった。しかし、入館には、またもや超のつく長蛇の列。館員さんに尋ねたら、普段の十倍以上はお見えになるでしょうとのこと。ここに秘密通路がなかったのは言うまでもない。

シャトルバス乗車場になっていた越前大仏は、奈良東大寺の大仏を超える巨大像で、大仏殿によく似た金堂内に鎮座している。大門の仁王像も東大寺南大門のとそっくりである。この大伽藍は、地元出身の実業家、多田清が約四百億円を投じて、昭和六十二年に完成させた。正式の名は清大寺という。参道の両脇には外観を統一した門前町が造られ、初年度には多くの人で賑わったそうだが、その後は観光客が激減、今や店のほとんどは閉まっていて、大げさではなく、本当に誰もいない。つまり、超巨大伽藍を囲む無人の異空間、といった趣だ。

奈良時代の大寺院には、広大な荘園という経済的基盤があり、僧侶は一種の国家公務員だった。この寺は、造ったはいいけれど、将来を見越した計画があったようには思えない。何よりも、成金趣味ではない、人の心に響く信仰の証が不可欠だったはずだが。

広島県尾道市生口島《いくちじま》の耕三《こうさん》寺は、実業家金本耕三《こうぞう》が母の菩提を弔うために昭和十一年から伽藍の建立を始めた新しい寺ながら、耕三収集の文化財と、精緻に復元された日本各地の仏教建築がたくさんあって、多くの観光客を呼び寄せている。ここには自らが出家したという真摯な物語と、何よりも寺に託した夢がある。

越前大仏は、バブル期の私的ハコモノの典型として放置するにはあまりにも惜しいとは思うが、行政が支援して仏に魂を入れることはもちろんできない。〈二〇一九・五・一五〉

176段　明治末年の静岡と泉鏡花

泉鏡花の『婦系図』といえば、戦前のヒット曲にもなった、お蔦・主税の切ない別れが思い浮かぶ。ただし、この場面は舞台化されたときに挿入されたもので、原作にはない。『婦系図』では主税は多くの美女を手玉に取る、いわば悪漢の役回りだが、お蔦への愛は変わらなかった。じつは鏡花自身の妻すずは、お蔦と同じく元芸妓であり、鏡花はすずとの同棲を師である尾崎紅葉から叱責され、いったん別れている。作品はこうした自らをモデルとしている。ただし、紅葉の死後に二人は結婚し、新宿区神楽坂の借家で暮らした。

鏡花が妻のすずと暮らした旧居跡。のち北原白秋もここに住んだ（東京都新宿区神楽坂）

　さて、お蔦と別れた主税は静岡に移る。そこまでを東京編とすれば、以後は静岡編である。しかも主要な舞台は、いまも閑静な住宅地である（西）草深町となり、主税と美女との妖艶なひと時や、貧しい庶民と富裕階級との対比も描かれる。そして物語は急展開を遂げ、複雑な人間関係を一気に清算する衝撃的な大団円を久能山頂で迎えるのである。

　それにしても静岡編に描かれている市内の様子が、じつにリアルである。駅前の大東館、山葵屋の大看板、郵便局、煉瓦作りの県庁、若竹座という劇場、扇子屋名物の饅頭、浅間神社の近くの茶畑などなど、明治末期静岡まち歩きのガイドブックみたいだ。鏡花はなぜこんなに静岡に詳しかったのか、それは物語の進行と深く関わっていた。

鏡花が大正期に書いた『雛がたり』という小品がある。「ある年」の三月、浅間神社境内を訪れ、鳩と日向ぼっこをする老女を見たなど、具体的な光景が出でくるが、この場面は『婦系図』にそっくり生かされている。『婦系図』の新聞連載は明治四十年元旦に始まったが、鏡花はそれ以前に二度静岡を訪れたことがあり、当初から静岡を舞台にする構想をもっていた。近代文学研究者の松村友視氏は、ある年とは、明治四十年だという。連載は三月過ぎから本格的に静岡が舞台となるので、現地をさらに詳しく知る必要が生じたのであらためて現地確認に行ったとみられる。雛の季節はまさに静岡編が始まる直前にあたるからだ。小説には、明治四十年における静岡の実像が描かれていることになる。では、鏡花はなぜ静岡を舞台に選んだのだろうか。

そのカギは、物語の最初のほうに暗示されている。主税に入れ込む、通称「め組」と呼ばれる魚屋が、主税たちとの会話に静岡という地名が出た時、こういう啖呵を切る。「御維新以来《このかた》、江戸っ子の親分の、慶喜《けいき》様《さま》が行って居た処だ。第一恁《か》く申すめの公も、江戸城を明渡しの、落人を極めた時分、二年越《ごし》居たことがありますぜ」。ここで江戸城を明け渡しての落人、と表現したのは、慶喜を慕って静岡に無禄移住した旧幕臣やその家来たちの率直な気持ちだろう。そういえば、あのドラえもんの声、大山のぶ代さんから、「私の家も維新の時に静岡に落ちて行ったと言ってました」と、直接聞いたことがある。

静岡市の住民としては、静岡に落ちて行くといわれるのは、いささか残念だが、お江戸の人からみれば、たしかにそんな気持ちがあったろう。明治四年の廃藩置県によって静岡藩がなくなり、東京に引きあげていった旧幕臣のなかで、全国統治のノウハウをもつ有能な人材は新政府に再就職して中堅官僚となった。明治初期の役人名簿に、出自が静岡県士族とあるのは、そのような人々である。東京の知識層には静岡生活の経験者が少なくなかった。

彼らの静岡に対する思いの源泉は、もうひとつある。むしろこちらの方が重要だ。旧主人である徳川慶喜は家臣たちがいなくなってからも、明治三十年まで静岡で暮らしていたのだが、そのうち後半の十年間は西草深の屋敷にいたのである。鏡花が静岡編の主要舞台を、その近くに設定したことにも、それなりの計算があったとみてよいだろう。

鏡花は金沢出身ではあるが、東京で暮らすうちに、東京人にとっての静岡は、特別な感慨のある場所だということを、作家としての嗅覚で感じ取ったのではないか。少なくとも明治時代を通じて東京と静岡は、徳川を媒介にして心情的に深くつながっていたようだ。〈二〇一九・五・二二、二九〉

177段　旧満州を見てきた

〈広場ダンスに集う中高年女性〉

二〇一九年五月の中旬、中国東北部の旧満州国関連の史跡をまわってきた。厳しい冬があけるのを待ちかねていたように、一斉に芽吹いた木々の黄色い若葉がまるで菜の花が咲いたように公園を埋め、ポプラの綿毛が風に舞っていた。中国経済の力を誇示するように、各都市には巨大な高層建築が林立し、名の知れた高級車が行きかっている。

いま世界でいちばん力がある企業は何だと思いますかと、ガイドから尋ねられた。グーグルやアップルなどのガーファ（GAFA）でしょと言ったら、いやいや、中国共産党です、と自信満々とも自虐的ともとれる答えだった。

毛沢東像前で踊る女性たち
（中国遼寧省瀋陽）

中国の庶民の日常風景といえば、早朝、公園での太極拳が思い浮かぶ。しかし、今はそれに代わってダンスが大流行で、広場ダンスと呼ばれている。その光景は報道では知っていたが、実際に見てみると、いささか異様な感じがする。町なかの公園に集まった中高年女性の集団が揃いの衣装を着て、持参のスピーカーから流れる音楽に合わせ、夢中で踊るのだ。今や中国全土に広がっていて、場所取り合戦や騒音問題も起きているという。

主要都市には中国近代化の父、孫文にちなむ中山公園がある。瀋陽（旧奉天）ではこの広場の中央に巨大な毛沢東像があり、その周囲も毎晩広場ダンスの会場になる。夕方七時ころに出かけてみた。やってる、やってる。十ほどの集団が互いに適当な距離をおいて、思い思いの音楽に合わせて踊っている。ヒップホップ調のほかに、正統的なジルバ系や民族音楽をアレンジしたものも聞こえてくる。横の人のステップを真似したり、教えてもらったり、息をはずませながらみんな大真面目だ。日本のアイドル衣装を着た女性もいた。

右手をあげて未来を指し示す毛沢東像の上に、上弦の月が輝いている。偉大なる毛沢東に捧げる歓喜の踊りのように見えなくもない。ふと、ハリウッド映画の、エジプト王にひれ伏す民衆の姿が浮かんできた。

旧関東軍司令部の建物（中国吉林省長春）

〈昭和の残影〉

旧満州には、昭和の日本の姿があちこちで見られる。石炭の露天掘りで有名な撫順の駅から徒歩二十分ほど、ゆるい坂道の両側に、かつて日本人が住んでいた住宅がたくさん残っている。暖房用に煙突があるのが違うだけで、東京の山の手のような感じがする。おかっぱ頭の女の子がひょいと顔を出しそうな、まさに昭和の時代そのものの雰囲気だ。もちろん、今は中国人が住んでいる。

日露戦争の勝利以後、多くの日本人がいろんな思惑のもとに大陸に渡り、現地に定住したが、まさか半世紀足らずの後に身一つで帰国するなど想像もできなかったろう。大連にも残る日本人住宅街は今風に整備され、若者が集まるインスタばえの名所になっている。

かつての満州国の首都、長春（新京）の中心部にも日本人の旧居が残っている。二階建ての集合住宅には、当時としては画期的な集中暖房や上下水道が完備されていたという。しかし今ではさすがに老朽化して、取り壊し工事が進んでいる。それに対し、旧満州国に君臨した日本関連の堅牢な建造物は、外観は当時の姿のまま公的機関が使用している。たとえば、旧関東軍司令部は、洋風建築と日本風の天守閣という奇妙な組み合わせで、強大な権力を誇示していたが、ここには共産党吉林省委員会の門標が掲げてあった。

長春市街地の西に長春公園がある。現地ガイドの祁《き》さん（一九六三年生まれ）は日本に行ったことはないが、自然な調子の日本語を話す。戦後、ここに残留した日本人女性から習ったのだという。祁さんは公園の片隅に私たちを導いて、木の枝で地面を掘り始め、すぐに地表から五センチ足らずのところから赤茶けた小さな骨片を拾い上げた。「これは敗戦時にこのあたりで何百人も自決した日本人の骨です」という。かつて散乱していた大量の人骨はまとめて埋葬されたけれど、まだまだ取り残されている骨がこの下に埋まっているそうだ。旧満州では、いろんな意味での昭和の時代を体感できる。

〈二〇一九・六・五、一二〉

178段　村じゅうで子どもの成長を願った

ときどき、結婚を仲介するという会社から電話がかかってくる。「私はもちろん息子もとっくに結婚

子育て祈願の絵馬（富士宮市杉田の子安神社）

しています、残念ですね」と丁寧にお断りしている。

近年、若者の結婚願望は低下し続け、今では四割しかないそうだから、自分の青春時代との落差には驚くばかりだ。結婚なんて面倒くさいというのが理由の筆頭だというが、若い男性にギラギラしたところがなくなってきた、と言い換えてもいいだろう。

少子化対策に悩む自治体は、なんとかカップルが誕生するような雰囲気を作ってあげたいと、あれこれ策を練っている。静岡県は平成二十四年に、未婚・晩婚化の解消を図るために、「恋愛・結婚・子宝」にまつわる地点をエンゼルパワースポットと題して募集した。すると一六三七件の応募があり、行ってみてよかった場所の筆頭が二百二十二票を集めた富士宮市杉田の子安神社だった。二位をはるかに引き離してのダントツ一位である。ここは全県的に目を引くような大社ではないから、ちょっと不思議な感じがするが。

子安神社は新富士インターの北に位置する。行って見ると安産や子育ての願いをこめた供え物がたくさんあがっている。拝殿の格天井《ごうてんじょう》に描かれている美しい花の絵は、近くの村の女講中が奉納したもの。いちばん目を引くのは、近くの精進川村（現富士宮市）の女中《おんなちゅう》が奉納した横長の絵馬である（写真はその一部）。子安霊神と書かれた神社に向かって歩いていく母親たちの行列が描かれている。年代は書かれてないが、よく見られる巡礼絵馬と同様、当時としてはおしゃれな洋傘を手にしていることから見て、明治中頃のものか。登場する女性は十八人。そのうち赤ちゃんを背負っている人が七人、お姑さんと思しき白髪の老女、身重らしい姿も見える。みんなうれしそうだ。子どもの無事成長の願いと子育ての喜びにあふれたこの絵は、虐待や子殺しという、あまりにも痛々しいニュースが流れる今こそ、エンゼルを求める若い人たちに、ぜひ見てもらいたい。〈二〇一九・六・一九〉

179段　修羅と木馬

お山の杉の子、という童謡（吉田テフ子作詞）がある。椎の木林のすぐそばにあったはげ山で芽を出した杉の木が、隣の椎の木に馬鹿にされながらもすくすく成長して立派な杉山になり、お国の役に立つという歌詞である。作られた昭和十九年という時代性を色濃く反映した内容ではあるが、前半は子どもに奮起を促すだけでなく、荒廃した国土緑化につながる内容だから、戦後にもよく歌われた。

木馬（浜松市天竜区佐久間町で）

　ところで、いくら立派に成長しても、伐採した木材が搬出できなければ、まさに絵に描いた餅である。筏とか、大井川で見られたように、大量の材木をばらのまま流す川狩りという方法もあった。しかし、どちらにしても、川岸まで木材を下すのは容易でない。

東南アジアでは、象が大活躍する場面であるが、日本では人間がこの危険な作業を担った。山道に木製のレールを敷設し、木材を積んだ大きなそりを滑らせるもので、木馬《きんま》といった。操作する人は、肩に連尺という担い紐を掛け、レールに油を塗りながら引いていく。余談ながら、浜松市中区の連尺町は、連尺で荷物を背負った行商人が住んだことに由来する。

木馬はモクバと読むと玩具になってしまうが、ここでは木製の大型そりのことで、築城にあたって巨石の運搬にも使われ、修羅と呼ばれた。多くの人が力を合わせて引っ張るために、派手な衣装を着た男が上に立って音頭をとった。しかし、修羅という言葉は、本来は人が殺しあう恐ろしい世界のことである。この修羅の世界と、そりとは、どんな関係があるのだろうか。じつは木材を山からおろす方法がもう一つあった。山腹に丸太を何本も敷いて樋を作り、その上を一気に滑り下ろすという荒っぽいもので、スラ出しという。シュラはスラ、つまり滑らすという意味である。それに漢字をあてて修羅としたのは、一歩間違えると命を失う危険な作業だという気持ちが働いていたのだろうか。〈二〇一九・六・二六〉

180段　尺八を愛した今川時代の文化人

東海道丸子宿から少しだけ北側に入った山間に、吐月峰《とげっぽう》柴屋寺がある。江戸時代、吐月峰といえば、キセルで吸った煙草の灰をポンと捨てるための灰吹《はいふき》の代名詞だった。ここに住んだ連歌師宗長が手近な竹を用いて作ったことに因むとされる。灰を捨てる器にも、教養を下敷きにした優雅な呼び名をつけたのは茶人たちであったろうか。

宗長は今川義忠、氏親など今川氏全盛期を築いた当主に仕えた連歌師である。連歌の神様ともいえる宗祇に従って諸国を旅し、箱根の湯本で宗祇の最後を看取った。一休に師事し、都の貴族たちとの交流も深かったし、小さな庵をはるばる訪れる人も多かったので、その幅広い人脈は今川氏にとっての貴重な情報源となっていた。

宗長は尺八の名手だったといわれる。尺八は、一尺八寸という長さに由来する竹製の縦笛で、室町時代には武家を中心に大流行した。当時は一節切《ひとよぎり》とも呼ばれたように、長さも三十五センチほどで、真ん中あたりに節を一つだけ残した、ずっとスマートな姿だった。当時の流行歌（小歌）三百あまりを集めた「閑吟集」に、尺八が広く普及していたことを示すこんな歌がある。

　とがもない尺八を枕にかたりと投げ当ててもさびしや独寝《ひとりね》

もう行かねばと、男が置いていった尺八を、枕に投げつけてみたものの、一人寝の寂しさはつのるばかり。切ない女心といえようが、現代なら、すっぽかされた男の嘆き節にも聞こえる。五百年前の演歌の世界だ。この本の編者は不明だが、序文には「富士山を遠望できるこの地に庵を結び、尺八を友として過ごす」と書いてある。ここに着目して、この人は、宗長ではないかという説がある。広く世の中のことを見聞し、源氏物語を愛読していた宗長である。竹林をそよがす風に合わせ、尺八を吹いている姿を、想像してみたい。〈二〇一九・七・三〉

令和元年（2019）夏

定置網に入ったザトウクジラを規則に従って処理する
（長崎県新上五島町有川で）

かつてのイルカ追い込み漁の様子
（賀茂村安良里で昭和40年頃撮影、賀茂村教育委員会蔵）

181段　商業捕鯨再開の意義とイルカ追い込み漁の再開

日本の商業捕鯨が再開され、さっそく二頭のミンククジラが水揚げされた。予想通り、ヨーロッパでは抗議運動が起きたが、クジラ資源は減少しておらず、適切な管理のもとに実施するというのが国の方針である。鯨食の伝統を守れ、地域の捕鯨産業を維持せよ、といった声がそれを支えている。

だが、鯨食は、本当に全国レベルでの伝統食なのだろうか。鯨食が普及し、国民食のようになったのは、戦後の食糧難に際し、南極海での捕鯨の成果が広く出回ったからだ。クジラの竜田揚げを懐かしむ人は、みな昭和生まれである。もちろん江戸時代にも、鯨肉についての詳しい料理書はある。だが、鯨肉は捕鯨者の周辺においてのみ日常の食素材であって、社会全体ではむしろ儀礼食に近かった。江戸時代に盛んだった古式捕鯨は、時には千人もを抱えた巨大産業だが、その第一の目的は、西欧と同じように鯨油採取だった。鯨油は稲の害虫除去などに使われ、鯨食はその副産物だったといえなくもない。

今回の捕鯨再開に沸き立つ宮城県石巻市の鮎川では、鯨肉が、その配分や贈答という行為を通じて地域社会を支えていたとされ、地元では鯨食と捕鯨文化を地域の活性化に役立てようとしている。だが、鮎川が捕鯨の基地となったのは明治期のことであり、その結果としてこのような慣習が生まれたのである。

ここで鯨食が戦後の日本人の命を支えていたという点にあらためて着目したい。戦後の日本人とクジラとの関係は、世界がいずれ直面する食糧危機に対応するための格好の先行事例ではないか。あの動物は知能が高いから殺すなというのは、ヒトの勝手な思い入れに過ぎない。ヒトは、他の生命をいただくことでしか生きられないのである。ただし、何を食うか、食わぬかは、それぞれの宗教や信条による。捕鯨は、日本の伝統食だからというようなレベルを超えて、人類全体の食資源という視点からの冷静な議論がなされるべきだ。

この考え方は、じつはイルカにもあてはまる。というよりも、イルカの方が、地域の食を支えてきた伝統食であったといってよい。〈二〇一九・七・一〇〉

〈追記〉特定の動物を食べることについての宗教上の禁忌あるいは個人的嫌悪感について

商業捕鯨再開に続くように、伊東市富戸ではイルカ追い込み漁を二〇〇四年以来、じつに十五年ぶりに再開することになった。イルカの捕獲は水産庁が示す捕獲枠に基づき県の漁業調整規則によって許可され、県内では富戸だけが唯一捕獲枠をもっている。それが実行されて来なかったのは、自然保護団体の猛烈な反対運動があったこと、イルカの回遊が少なくなり、しかもイルカ肉に対する需要が減っていたためだろう。イルカを捕るのではなく、船上から観察するイルカウオッチングの流行もある。それが、なぜ、今回再開に踏み切ったのだろうか。

伊豆半島や沼津・静岡市などの人々にとって、イルカ食はごく普通のことだったが、現在ではイルカ肉を渇望する声はほとんどない。今回の追い込み漁再開の目的は「生体捕獲」である。イルカショウは水族館の目玉だが、世界動物園水族館協会加盟の施設では、「倫理規定」によって、追い込み漁によるイルカの入手ができなくなった。しかし非加盟の施設からの需要は大きく、生きたイルカは一頭百万円以上にもなる。かつての食材としての捕獲ではなく、野生動物の捕獲・販売が目的なのだ。

私は全国の追い込み漁実施地区を調査し、イルカ漁は日本の村落あげての伝統的な食獲得手段であったことを明らかにした（『イルカと日本人』吉川弘文館）。他の生命を奪うことでしか生きられない人類にとって、ヒト以外の生き物すべては食資源である。もちろん個人の宗教・信条による禁忌は自由であるが、自分の価値観を他におしつけてはいけない。日本人にとってイルカは伝統的食素材であり、その捕獲手段が追い込み漁なのだから、これに対する批判は全くあたらないし、将来の食資源確保という世界的な視点からも断固反論する。ところが、今回の追い込み漁再開について、伝統や技術を継承するという説明が何か言いわけめいて聞こえるのは、その目的が、食とは全く関係ないからである。追い込み漁は食獲得の手段であるからこそ伝統といえるのであり、生体捕獲と食資源確保とは峻別し、伝統というような表現は使用すべきではない。

〈二〇一九・一〇・二〉

街頭で売られている犬の肉
（ベトナムのハノイ市内）

身近な動物でいえば、犬食も問題になっている。ＮＨＫ国際報道で、ベトナムでは犬食が世論を二分していると報じていた。かの地では年間五百万匹にのぼるほど犬肉が愛好されているが、近年は経済状況がよくなり犬をペットにする人が増えて、犬食を自粛せよという声が高まってきたそうだ。食用として飼い犬を盗んだり虐待する例も多いから、その意味でも犬食に対する批判がある。同じようなことは、韓国でも大きな問題になったことがある。中国には食用犬もある。要するに、何を食べるのか、食べてよいのかについて、世界共通の基準などはあり得ない。〈二〇一九・一〇・九〉

182段　静岡県が誇る至高のおいしさ

二〇一九年七月十三日に東京の大妻女子大学で「抹茶〜いまむかし」と題したシンポジュウムがあった。緑茶の世界的需要が伸びている中で、日本の茶業は停滞している。その打開策として、とくに注目を浴びているのが抹茶である。鮮やかな緑色は、自然や健康という現代社会のキーワードと結びつく。しかも料理やスイーツにもよく合うことから、調理素材としても人気が高い。静岡県でも抹茶の生産に力を入れたいという生産者が増えている。

講演者の一人、新しいカクテルを生み続けている南雲主于三《しゅうぞう》さんは、抹茶と相性がよい酒類を研究し、ウオッカをベースに、パッションフルーツを加えるのがおすすめといい、世界のバー業界では抹茶がさらに広がると予測している。江戸時代初期の「酒茶論」は、酒と茶が合戦するという物語だったことを思えば、発想の転換は大切である。

茶飲料メーカー研究所の佐藤晃平さんによれば、商品の開発課題の変遷を、当初は製造技術の研究が主流だったが、二〇〇〇年から機能性の応用が重要視され、一四年からは、おいしさの研究が主流になったそうだ。この変遷もまさに時代の動向を反映している。

おいしさに直結する「うま味」は、日本で発見され世界語となった味覚のひとつである。しかも昆布と鰹節を合わせだしとして使うのは、うま味のもとであるイノシン酸とグルタミン酸の相乗効果の利用だ。お茶のうま味、甘みは主としてテアニンによるのだが、テアニンはグルタミン酸とよく似ていて、イノシン酸との相乗効果が期待できると佐藤さんはいう。

静岡県にとってこれを利用しない手はあるまい。おいしさの追求は、人間の本源的欲求である。焼津産の削り節に世界農業遺産の水わさびを添えた静岡茶のお茶づけは、静岡ならではの「至高のおいしさ」となるだろう。機能性や味わいについて科学的な説明ができる、いいかえれば物語性をもった郷土の食文化を、業界を超えて提供しようではないか。〈二〇一九・七・一七〉

183段　日本最初の動力漁船、富士丸に乗った人

明治三十九（一九〇六）年六月一日午前四時五十分、全長十七メートル、二十五トンの船体に米国製二十馬力の石油発動機を搭載した富士丸が清水港を出港した。富士丸は二十二時間後に伊豆七島沖の好漁場、銭《ぜに》洲《す》に到着、三時間ほどの間にカツオ三百三十五本を釣り上げ、二十四時間かけて清水港に戻った。これ

まで、手漕ぎや帆走によって漁場と往復していた漁船に、初めてエンジンを積んでその効果を確認しようという、日本最初の画期的な実験が始まったのである。

ときあたかも日露戦争勝利の翌年である。前の年に改正されたばかりの遠洋漁業奨励法に基づく奨励金を活用し、静岡県水産試験場が全国にさきがけ建造したのがこの富士丸だった。ちなみに「富士丸」という船名は七世まで継承され、現在は「駿河丸」が業務を受け継いでいる。

最初の乗組員の一人、増田龍雄（当時二十五歳）が航海の様子を個人的に毎日記録していたノートがある（焼津市歴史民俗資料館所蔵）。一航海が四日前後なのは、冷凍設備がないために生で持ち帰るにはこれが限界だったのだろう。時には神津島でカツオを売却したこともあった。興味深いのは、ノートの後半に羅針盤の図を描き、西をウエス、Wというように注記し、曇天はC、雨天はRなど、気象について積極的に学んでいる様子が見えることだ。ちなみに、「ノヲウエスバイノヲル」はどの方角でしょうか。

富士丸は機関の不調に悩んだこともあったが、帆走を併用しながら実績をつみ、一年で建造費九千二百円を上回る漁獲を挙げたという。これに刺激され、焼津では動力船の新造が相次ぎ、それにともなって漁場も拡大する。巨額な建造費をまかなうための金融組織が整備され、鰹節生産は増大、焼津が日本一の水産都市へと発展していく契機

富士丸（静岡県水産技術研究所所蔵）

となった。まさにいい意味での富士丸ショックである。国の政策、県の積極的な姿勢、成果に刺激された業界の素早い決断。水産業界も「坂の上の雲」をめざした時代だった。〈二〇一九・七・二四〉

184段　旅の無事を見守ってくれたカエル

静岡県庁の裏にあたる駿府城中堀のほとり。久しぶりに、ボー、ボーという、腹に響くようなウシガエルの声を聞いた。ウシガエルは、体長二十センチにもなる外来種で、戦前に食用として輸入されたものが、野生化し各地で繁殖した。遠くまでよく響く鳴き声は牛に似ていて、しかも夜には姿が見えないから、沼地から聞こえてくる不気味な声は、お化けが出るといったうわさを呼んだ。夜、怖いもの見たさの見物人が集まったなどの記事が昔の新聞に載っている。

これに対して、ガマガエルは日本在来の大型カエルで、ヒキガエルともいう。カエルをさす方言ビッキは、これからきたのだろう。ガマといえば、縁日に欠かせないガマの油売りだ。「ご用とお急ぎでないかたは、ゆっくりとお聞きなさい」で始まり、四面に鏡を張った中に入れられたガマは、おのれの姿に驚き、あぶら汗をタラーリタラリと流す、それを集めて煮詰めたのがガマの油だ。さあ、お立合い、切り傷などによく効くよといって、白刃を腕に当てて見せる。赤い筋がついたのを息をつめて見たものだが、縁日の露店がフレンチドッグとかチョコバナナに代わってしまった今では、バナナのたたき売りとともに、保存会が作られたり、宴会芸になってかろうじて生き残っている。

カエルは蛇と同じように水との関わりが深い。卑弥呼の時代とされる奈良県の纏向《まきむく》遺跡から、バラバラになったカエルの骨がたくさん発見されたという。食べたのか、儀式に使われたのかは不明だが、東南アジアの古代国家で使われた神器の銅鑼《どら》には、カエルの立体的なレリーフがついている例がある。カエルを水の精とみたからだろう。

ほとんど処分された少年時代のガラクタのなかで、なぜか、ひとつだけ下駄箱の隅にカエルの焼物が残っていた。足の裏に昭和三十二年、清水寺と書いてある。中学校の修学旅行で買ったものだ。カエルは、旅から無事に「帰る」縁起物とされる。これまで、けっこう無謀な旅を重ねながらも無事なのは、案外、こいつのおかげか、なんて思ったりする。〈二〇一九・七・三一〉

185段　お盆の意義をあらためて考える

富士市今宮の今宮浅間神社では、八月十三日の夜に火祭りが行われる。薪を縄で束ねた松明に火をつけ、縄の端を持ってぐるぐる回しながら町内を歩く。言い伝えでは、昔、毎年のように火事があったので、火伏せのため、すべての家をまわって悪魔を払ったのが始まりだとされる。

この行事は、神事にはなっているが、類例と比較すると、盆の送り火の変形のように思われる。学生時代、淡路島の送り盆の行事として、村の人たちが墓地で火をつけた松明を空中に飛ばしているのを見た。まるで人魂が子孫との別れを惜しんでいるようで、盆の終わりを実感したものだった。県内にも各地で投げ松明という火祭りが行われている。薪を入れた籠を柱の上に取り付け、下から松明を投げ上げて火を付ける。燃え上がる炎に、ご先祖様、来年のお盆にはまたお帰りください、との願いをこめるのである。

お盆は、本来は七月の行事で、正月とともに一年を二分する重要な折り目にあたる。十三日にご先祖様を迎え、十六日の朝にはあの世に帰っていただくという一連の行事は、日本人の伝統的な信仰の表れである。お盆休みは正式の休日としてもいいくらいだ。

ご先祖様とはいったいどんな存在なのか。先日、ラジオの視聴者だよりで、戦災で亡くなった家族をご先祖様と呼んでいる人の思いが紹

松明を回しながら町内を歩く
(富士宮市今宮で)

介されていた。一般には、死後五十年を「弔いあげ」といって、故人に対する供養は打ち切られ、その人の霊はご先祖様という言葉に溶け込んでいく。もし、血筋を徹底的にたどるならば、両親の両親、さらにその両親へとさかのぼっていくから、ご先祖様は、倍々ゲームよろしく果てしなく増えてしまう。今の家の初代はその名を伝えるが、それ以降の弔いあげをした人たちは、すべてをご先祖さまとして祭るというのは、子孫にとっては合理的な考え方なのかもしれない。

お盆は、わが家の歴史と、自分がここに存在している意味を考えさせてくれる大切な機会だと、あらためて思うのである。〈二〇一九・八・七〉

186段　地域の記憶としての戦争絵馬

日清戦争は明治二十七（一八九四）年八月一日に宣戦布告がなされた。しかし、実質的な戦闘は数日前に始まっていた。日本と清（中国）との闘いではあるが、主要な戦場となったのは朝鮮半島である。朝鮮の支配権をめぐる両国の対立に朝鮮王室の混乱がからまりあい、さらにロシアやイギリスの思惑も影を落としていた。なお中国はこの戦争を開戦の年の干支によって中日甲午戦争と呼んでいる。

上 / 日清戦争絵馬（牧之原市菅ケ谷一幡神社）
下 / 錦絵「日本大勝利平壌ヲ破る図」

維新後、初めて直面したこの本格的対外戦争に、動員された兵力は二十四万人、戦死者は一万三千三百九人（大部分は病死）にのぼった。無事帰還できた兵士たちは、郷土の氏神に勝利の報告と感謝の気持ちをこめ、戦闘の様子を描いた絵馬を奉納した。牧之原市菅ケ谷の一幡神社には、同年九月十五日に、わずか一日で攻略された平壌での戦闘を描いた絵馬が掲げられている（写真上）。奉納者たちが属した豊橋の第十八連隊は、「平壌の包囲戦に参加の機を誤らず敵膽《てきたん》をさむからしめた」と『榛原郡誌』にある。下は同じ平壌の戦いを描いた錦絵で、まだ写真は一般化していなかったから、庶民は江戸時代の伝統をひく版画によって戦争の様子を知ったのである。戦争絵馬は、寄せられる注文にこたえるべく、このような錦絵を参考にして、どこかの工房が製作したと思われる。未曽有の体験を描いた戦争絵馬は、地域の記憶を後世に伝えるだけでなく、今日の日韓関係の淵源となる日清戦争の一面を具体的に語ってくれる。〈二〇一九・八・一四〉

187段　予想されていた静岡茶の危機

「静岡茶日本一危うし（『中日新聞』八月七日付け）という記事があった。静岡が傾斜地の多い中山間地茶園で高級緑茶を生産してきたのに対し、鹿児島は平坦地で生産効率がよいだけでなく、ペットボトル用の茶葉生産が時代に適合しているというのが、主要な原因だろうという。以前から危惧されていたことがとうとう現実のものになってきた。

日本茶業中央会の統計を見てみよう。茶栽培農家数は、一九六五年と、二〇〇一年（茶農家数統計はこの年で打ち切り）とを比較すると、静岡県は四二％に減少したが、鹿児島県はなんと六％にまで減っている。いっぽうで荒茶生産量は、静岡県は四万トンほどで大差ないのに、鹿児島県は五・五倍以上に増えて二万㌧を超えている。単純にいえば、この三十五年間で、一戸当たりの生産量が、静岡は二倍にしかならなかったのに対し、鹿児島はじつに九十倍以上になっている。両県の茶農家の定義に差異があったにしても、鹿児島では、茶農家の集約化が進み、経営効率を一気に向上させていたことが読み取れる。

話は急に変わるが、藤沢周平『彫師伊之助捕物覚え』（新潮文庫）シリーズの、「ささやく河」約五百頁のうちに、お茶が出てくる場面が二十二か所もある。たとえば、茶店に入ったら、店の女が湯気の立つ煎茶をはこんできた、隠居が急須も茶碗も小ぶりな茶器で茶をいれてくれた、出がらしのお茶をすすった、そのお茶も番茶だった、茶碗を手のひらで包むように持ちながら庄助は首を振った、などなど。

昭和の時代にも、こんな風にお茶は暮らしに密着していたし、そのまま消費量に連動していた。だが、今では緑茶に代わってコーヒー、いや、タピオカが登場するかもしれない。嗜好が多様化し、日本茶の「社会的機能」が低下したのである。困ったことに、これは茶業界にとっては大問題でも、気ままに嗜好を変える現代の消費者には関係ない話だ。生産・流通組織の再編と、自由な発想による新分野の開拓という、長期戦略を実践できていないことが、この危機の背景にあると思われる。〈二〇一九・八・二一〉

188段　じゃがいもはジャカルタから来た

北海道のじゃがいもの不作が、ポテチ愛好家に大きなショックを与えたのは、たしかおととしのことだったが、今年の作柄は平年並みだと北海道農政部が発表している。じゃがいもは、寒冷地でも栽培が可能であることから、米作りに適さない山村の食を支える重要な作物だった。天竜川上流域で食べた、じゃがいもの味噌田楽の味は忘れられない。

じゃがいもは、外来の作物で、戦国時代末期に西洋人によって日本にもたらされた。原産地は南アメリカで、インカ帝国の主食だったとされる。二〇〇二年に日本で種苗登録された「インカのめざめ」という名には、大西洋からヨーロッパに渡り、東南アジアを経て日本へ、さらに太平洋のはるか向こうを望むという、まさに地球を一周したじゃがいもの歴史が秘められている。

日本人は、この外来作物をなぜじゃがいもと呼んだのか。その背景には、オランダ人のインドネシア進出がある。オランダ人は、ジャワ島のジャガタラ（現在のジャカルタ）を拠点とした。西洋と東南アジアとの交流が深まる中で、日本にもその波が及んでくると、ジャガタラは外来品を示す象徴的な意味をもつようになった。ジャガタラ渡来の珍しい芋、だからジャガタラ芋、それが縮まったのが、じゃがいもである。ちなみに、かぼちゃはカンボジアに由来する。

ジャカルタは、江戸幕府の政策によって、キリシタンの国外追放先になった。十四歳の春もその一人で、故国を思って書き送ったとされる「じゃがたら文《ぶみ》」は、「あら日本恋しや、ゆかしや、見たや」で結ばれる哀切きわまりない内容だが、これはどうも偽作らしい。ただし、春は実在した女性で、現地で結婚して使用人もいるような暮らしをしていたことが、ジャカルタの国立古文書館に残る遺言書からわかる。

ジャカルタは一六〇二年にオランダ東インド会社の支配下にはいり、のちにバタビアと改められたが、日本占領時にジャカルタに復された。〈二〇一九・八・二八〉

189段　コモドドラゴンとＪＫＴ48を見てきた

浜松恐竜ワールドが大盛況だったらしい。そんな恐竜のイメージを彷彿させるのが、インドネシアのコモド島に生息するコモドドラゴンだ。珍獣ハンター・イモトが、これに追われて必死に逃げた場面を思い浮かべながら、ジャカルタ郊外のラグナン動物園にでかけた。けたたましい猿の鳴き声が響く中、象舎の隣りにお目当ての表示を見つけた。しかし、コンクリートの壁で囲まれた草地に巣穴らしきものはあるけれど、いるような気配がない。遠くにいた飼育員が私の足元を指さしてくれたので、覗き込んだら壁際にぐったりと腹ばいになっている姿が見えた。飼育員がチョッチョッというような声を出すと、餌がもらえると思ったらしく、のっそりと首をあげた。体調三㍍はありそうな大物である。この囲いの中に落っこちたら、やっぱりイモトのように必死に走るしかないだろう。

コモドドラゴン
(ジャカルタのラグナン動物園で)

トカゲと並べては申し訳ないが、ジャカルタではアイドルグループ、ＪＫＴ48も人気がある。後期高齢者の身だから、秋葉原の本家にはとても入場する勇気はないが、ここなら臆することはない。あらかじめ申し込んでおいてもらい、受付に行ったら、パスポートの提示とメールアドレスを求められ、英語で御招待と書かれた小さな紙片を渡された。向こうで待てといわれたが、その後ろには大勢の若者が入場を待っている。さて、どうしたものかと困惑していたら、隣にいた三十歳そこそこと思しき日本人から「初めての人は無料で、前から四列目に座れますよ」と教えてくれた。日本企業の社員のようで、しょっちゅう通っている熱烈なファンらしい。

今日の演目はいちばん若いメンバーによる「パジャマドライブ」で、大音響の中でのダンスと、観客との掛け合いで（もちろんインドネシア語だから、何を言ってるのかはわからない）効きすぎの冷房も忘れるほどの盛り上がりだ。舞台の少女たちは本当に全力投球である。出口で一人一人と握手できたから言うわけではないが、アイドルという世界でがんばっている孫のような彼女たちを応援してやりたくなった。〈二〇一九・九・四〉

190段　ふるさとへの愛を育む歴史文化

浜松市西区神ケ谷町。浜名湖と佐鳴湖に挟まれた谷筋にある、古くからの田園地帯である。氏神の賀《か》久留《くる》神社で行われる祭礼では、祭り行列が二百年前の絵馬のとおりに継承されている。昨年、見学にいってこの祭りの豊かな内容に驚かされた。行列出発前に本殿前で行われる田遊びには翁や姫（早乙女）が登場し、御旅所に向かう神輿を先導するのは、獅子と鼻高面をつけた拝王子《はいおうじ》、輿に乗ったデコ（人形）も加わる。浜松の郷土研究誌『土の色』での宇波耕策氏の紹介や静岡文化芸術大学の佐野恵梨夏さんの

御旅所に向かう傀儡子
（浜松市西区神ケ谷町の賀久留神社祭礼で）

調査報告はあるが、北遠の民俗芸能ほどには注目されていない。ところが、事前の神事を含めた祭りの構成要素を見ると、長い歴史的伝統を今に伝える壮大な祭礼だったことがわかる。実り始めた稲田の向こうをデコが行進する様子は、情趣あふれる日本の風景である。私にとっては、ふるさと再発見の一日だった。

　ふるさと発見といえば、静岡市の駿府城跡に建設予定の静岡市歴史文化施設（歴史博物館）の敷地内から、戦国時代末期と思われる道の遺構が見つかった。静岡市では、開館予定を一年繰り下げ、この遺構を最大限に活かす展示方法を検討中だという。仄聞するに、この道の遺構は、隠居後に家康が築いた壮大な駿府城の時代よりも前のもので、駿府城下町の町割りの原型に関連するかもしれないという。遺構は道の一部でしかないが、だからこそ、四百年の時空を超えて、あれこれ想像し、自由に推理するという、歴史探検が楽しめる。

　ところで、道発見の契機となったこの施設を、ハコモノだ、無駄遣いだといって批判する向きがある。しかし、それは郷土静岡への愛と、次世代への心遣いを欠いた、なんとも心寂しい発想である。博物館は市民が郷土の歴史と文化を再発見する場であり、こどもたちの心の中に、ふるさとへの愛情と誇りを育てていく、大切な教育施設である。歴史を語る博物館なくして、どうして世界標準の都市といえようか。

ふるさとの歴史・文化は、今に生きる私たちの根っこである。根っこのない浮草は、流れのままに、むなしく消えゆくしかない。〈二〇一九・九・一一〉

動物・魚

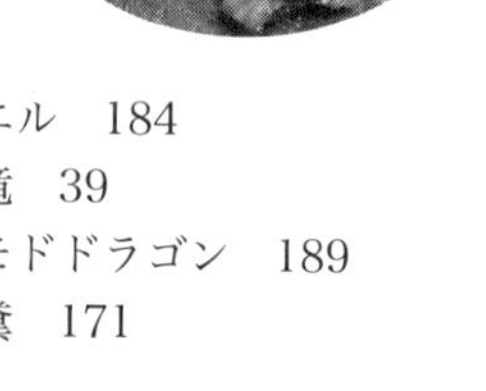

国　外

信　仰

鳥・虫・花・木

茶

食べ物

年中行事

人　物

これを読みたい
（ジャンル別索引）
数字は第何段かを示します

世相

歴史

中村羊一郎（なかむら・よういちろう）
昭和18年（1943）、静岡市生まれ。
東京教育大学文学部卒、高等学校教諭、静岡県史編さん室長、高等学校長、静岡産業大学情報学部教授などを経て同大学総合研究所客員研究員。博士（歴史民俗資料学）。
『茶の民俗学』（名著出版）、『東海道と祭り』（静岡新聞社）、『ミャンマー　いまいちばん知りたい国』（東京新聞）、『年中行事としきたり』（思文閣出版）、『番茶と庶民喫茶史』（吉川弘文館）、『イルカと日本人』（同）など。

しずおか徒然草　ふるさとの記憶

令和二年一月一日発行
定価　本体一三六四円＋税

著者　中村羊一郎
発行人　松原　正明
発行　羽衣出版
〒四二二―八〇三四
静岡市駿河区高松三二三三
TEL〇五四・二三八・二〇六一
FAX　〃

ISBN9784-907118-47-1 C0030 ¥1364E